David Finck

Das Versteck

Roman

Schöffling & Co.

Für Juli

Erste Auflage 2014
© Schöffling & Co. Verlagsbuchhandlung GmbH,
Frankfurt am Main 2014
Alle Rechte vorbehalten
Satz: Fotosatz Amann, Aichstetten
Druck & Bindung: Pustet, Regensburg
ISBN 978-3-89561-535-1

www.schoeffling.de
www.davidfinck.de

Denn das Schöne ist nichts
als des Schrecklichen Anfang
R. M. Rilke

Prolog

Wenn ein Mann halb nackt in der Küche sitzt und ein Glas Milch trinkt, weil er nicht schlafen kann, muss das noch lange nicht heißen, dass die Geschichte tragisch endet. Auch dann nicht, wenn sein Rücken im Licht der Glühbirne krumm, sein Gesicht hager und der Blick ein wenig unstet wirkt. Er ist Anwalt. Selbst die Schweißperlen auf der Stirn sollte man nicht überinterpretieren. Der Jahrhundertfrühling wurde von einem Jahrtausendsommer verdrängt, und die Stadt ächzt unter einem Klima, das auf den Wandel nicht mehr warten will. Ein unangenehmes Schweigen hat sich ausgebreitet, nachdem den Kindern ihre Schreie im Hals stecken geblieben und den Trinkern die Texte ihrer Lieder abhandengekommen sind. Selbst die Martinshörner klingen unengagiert und zu weit entfernt, um Hilfe leisten zu können. Dabei ist es nicht wirklich still. Das Stöhnen der Stadt wird in jede Wohnung getragen, wo die Kompressoren der Kühlschränke und die Ventilatoren der Computer brummend und sirrend ihre Arbeit verrichten, während im Bad der Wasserhahn tropft. Nicht regelmäßig. Sondern nur dann und wann. Wirklich still ist es, wenn überhaupt, in der Abstellkammer. Ein winziger Raum, in dem man einen Klappstuhl aufstellen kann. Mehr nicht. Da der Schlüssel vor Jahren verloren ging, bleibt dies eine Vermutung.

Flüchtige Bekannte beschreiben Bernhard nicht als direkt gut aussehend, aber einnehmend und angenehm im Umgang. Ohne zu zögern würden sie ihm ihre Zimmerpflanzen, nicht aber ihre Kinder anvertrauen. Wer ihn besser kennt, macht Witze über seine Unbeholfenheit in der Öffentlichkeit, schätzt seine Loyalität und beneidet ihn um seine Frau. Beruflich ist er überraschend erfolgreich. Da er außerdem bereits als kleiner Junge unter Schlaflosigkeit litt und kein einziges Mal auf seine Frage, ob der Bruder im Bett über ihm schon schlafe, eine Antwort erhielt, ist die Schlussfolgerung erlaubt, dass es dem Mann mit dem Glas Milch und den Shorts trotz der fortgeschrittenen Stunde gut geht. Mag das Klima auch vor die Hunde gehen. Im Bett gibt es keine Blutspuren, seine Finanzen sind solide, und nicht einmal ein Tatverdacht zur Fahrerflucht liegt vor.

Fest steht aber, es werden keine Bücher über Milch trinkende Männer geschrieben, nur weil sie nicht schlafen können. Und so sei noch der Juckreiz zwischen den Augenbrauen erwähnt, der Bernhard befällt, sobald er unter die Bettdecke kriecht. Als würde ein Finger über seiner Stirn schweben. Gerade so nah, dass es nicht zur Berührung kommt. Das Gefühl von Blicken, die sich in seinen Rücken bohren, wenn er sich auf die Seite dreht. Der beklemmende Gedanke, sein Alter Ego würde am Schreibtisch unter dem Fenster sitzen, frisch geduscht, in einen Bademantel aus Frottee gehüllt, und ihn beobachten. Die Mundwinkel zu einem höhnischen Grinsen verzogen, ihm eine gute Nacht wünschend.

I. Teil

Mit Zeigefinger und Daumen bog Bernhard Duder die rechte untere Ecke des Vortags nach oben, riss das Blatt ab, so dass es den Blick freigab auf den 30. Juni, der unter der roten und kantigen Zahl eine Kennzeichnung trug: WIR. Notiert mit einem rund geschriebenen Bleistift, wie in den Jahren zuvor. Als wäre es immer derselbe Stift. Was der Fall war. Dazu bestimmt, bis an sein Ende diese drei Buchstaben zu schreiben. Nur beim ersten Mal war die Mine frisch gespitzt gewesen, brach ab und verzierte den i-Punkt mit einem nach oben flüchtenden Schweif, als sollte die Aufmerksamkeit von dem feinen Muster des Fingerabdrucks abgelenkt werden, den die unachtsame Schreiberin der Notiz hinterlassen hatte. Ein kleiner rechteckiger Kalender, nicht größer als eine Zigarettenschachtel und aus gelblichem Papier, das sich glatt und dünn anfühlte. Ein nebensächliches Utensil, mit einem Nagel neben der Espressomaschine an der Wand befestigt. Ein bisschen altmodisch und irgendwie fehl am Platz zwischen Edelstahl und Halogen. Ihr erstes gemeinsames Ritual. Bernhard war es, der die Kalender kaufte und jeden Morgen das Gestern entfernte, bis nur ein grauer Papprücken zurückblieb, an dem die ausgefransten Überreste von 365 Tagen hingen. Zu Neujahr tauschte er den alten Kalender gegen einen neuen.

Es gehörte zu seinen Aufgaben, die Notiz zu entdecken. Niemals hätte er gewagt, die drei Buchstaben selbst niederzuschreiben, noch über den Ladentisch gebeugt, mit einem geliehenen Kuli der Verkäuferin, die sich jedes Jahr aufs Neue in den schlaksigen Kunden mit den melancholischen Augen verliebte, wenn er verloren zwischen den Regalen stand und den immer gleichen Gegenstand suchte.

Wie es die Abläufe vorsahen, zeichnete Bernhard mit ausgestrecktem Finger die roten Linien der 30 nach, als Gabriele auf nackten Füßen, die zu zierlich wirkten, um einen Menschen zu tragen, hinter ihn trat.

An Gabriele war alles ein wenig zu klein geraten, Mund, Nase und Ohren. Einzig ihre Hände hätten besser zu einem Mann mittlerer Größe gepasst, weshalb sie der festen Überzeugung war, dass irgendwo auf der Welt ein Mann versuchte, mit den lächerlich schwachen und zarten Händen einer Frau zurechtzukommen, während sie einen überraschend festen Händedruck hatte. Gabrieles Schönheit war unaufdringlich. Die zerzausten schwarzen Haare trug sie im Nacken hochgesteckt. In Bernhards Pyjamaoberteil erinnerte sie an jene Fernsehfrauen, die mit angewinkeltem Bein im Türrahmen lehnen und in ihren Kaffee pusten, während sie mit runden Augen über den Rand der Tasse hinweg ihren Lebensgefährten bewundern. Gabriele roch nach kaltem Wasser und Zahnpasta. Die Espressomaschine war noch ausgeschaltet.

»Was siehst du da?«

WIR – darunter das Jahr. An einem 30. Juni hatten sie sich kennengelernt, vor fünf Jahren auf der Geburtstagsfeier von Bernhards Bruder. In der Erinnerungsmechanik besaß das Datum zwei Funktionen. Die eine war Bernhard wesentlich lieber als die andere.

»Ich habe im Kalender einen geheimen Hinweis entdeckt und vermute, wir sollen einen ganz bestimmten Ort finden.«

Er spürte ihr Lächeln.

Die Kuckucksuhr schlug elf. Früher hing sie in Gabrieles Kinderzimmer, jetzt hatte sie ihren Platz in der Küche, und als sich die Klappe öffnete, kam kein Vogel zum Vorschein, sondern eine orangefarbene Bauarbeiterfigur aus Plastik. Obwohl die Uhr hässlich und die Idee mit der Plastikfigur ordinär war, hatte Gabriele es nicht übers Herz gebracht, das Ding auf den Müll zu werfen. Sie war sechs gewesen, als sie den Gedanken an den in der Dunkelheit gefangenen Kuckuck nicht mehr hatte ertragen können, ihn befreite und den Bauarbeiter, als Stellvertreter der Menschheit, bestrafte.

Weil aber jedes Kind weiß, dass in Gefangenschaft aufgewachsene Tiere in Freiheit nicht überleben können, brauchte Gabriele für den arbeitslos gewordenen Vogel einen Käfig. Sie hatte keine Ahnung, wie man einen Käfig baute, aber sie wusste, wen sie fragen konnte. Arthur Schindel war ein verbitterter Bauingenieur, der der Welt niemals ihren Sarkasmus verzeihen würde. Seine Frau war taub gewesen. An dem Tag, als sie im überreifen Weizenfeld einen Strauß Kornblumen pflückte, hatte der Fahrer des Mähdreschers schlecht geschlafen und am Vorabend zu viel getrunken. Seitdem widmete sich Schindel nur noch dem Garten. Für Pflanzen hatte er ein Händchen. Seine Rosen blühten länger als bei allen anderen, und sein Blauregen, der das alte Bauernhaus vollständig umrankte, war in verschiedenen Bildbänden zu bewundern. Im Dorf konnte Schindel niemand leiden. Gabriele war klar, dass es auf Erden nichts umsonst gab, auch nicht für ein Kind, auch nicht in der DDR. Also kroch sie mit einer Haarbürste in den Hundezwinger ihrer Tante und überraschte den übellaunigen Schäferhund mit der ersten Fellpflege seines Lebens. Das völlig perplexe Tier kam nicht einmal auf die Idee, sich zur Wehr zu setzen. Die ausgebürsteten

Hundehaare schenkte sie Schindel. Zur Abwehr von Mardern. Zwei Tage später saß Schindel in seinem Schaukelstuhl, wippte mit den Füßen und erklärte dem Kind, welches an seinen Lippen hing, dass das Leben nichts wert sei. Früher vielleicht. Heute nicht mehr.

Die kleine Gabriele kaute auf den Fingernägeln und unterbrach hartnäckig seine nihilistischen Monologe. »Was heißt verzahnen?«

Bis Schindel stöhnte, die Decke zurückschlug, die auch im Sommer seine Beine wärmte, und mit Gabriele in die Werkstatt ging. Am Ende der Sommerferien war der Käfig fertig, und Gabriele benutzte Begriffe wie »Zapfen« und »Zarge«. Noch vor dem ersten Frost verdonnerte sie den Vater dazu, den feuchten und undichten Hühnerstall unter ihrer Anleitung zu sanieren, und legte dem Bauer Schumann schlüssig dar, warum seine Scheune ohne Ringanker den nächsten Schneesturm nicht überstehen würde. Und behielt recht. Im Frühjahr gewann ihre Mädchengruppe als Erste in der Geschichte der Jungpioniere den Budenbau-Wettbewerb, und Gabriele gab ihren Berufswunsch mit »Architektin« an. Die Erwachsenen lächelten so lange darüber, bis die Wiedervereinigung den Weg zu den Universitäten frei machte. »Siehste« gehörte von da an zu Gabrieles Lieblingswörtern.

Allerdings war es im jungen Jahrtausend selbst in einer Stadt wie Leipzig, die noch Jahre nach der Wende damit beschäftigt war, sich ein neues Gesicht zu erfinden, nicht leicht, eine Anstellung zu ergattern. Schließlich kam Gabriele bei Reinhards unter, dessen kleines Büro zur Neuerfindung der Ostmetropole ein paar Reihenhäuser mit Carports auf der grünen Wiese beisteuerte.

Bernhard nannte Reinhards gern »das Knicklicht«. Reinhards neigte dazu, in Gabriele weniger eine Angestellte als seine persönliche Selbsthilfegruppe zu sehen. Sie wusste alles über seine Ehe, und Bernhard wusste, was sie wusste. Ihr machte Reinhards' Gejammer nichts aus. Ihm schon. Sie war Schlimmeres gewöhnt. Er nicht. Gabrieles erster Freund Ronny, mit dem sie auf einer Waldlichtung bei Sonnenuntergang Zungenküsse geübt hatte, stellte nach beendeter Lektion fest, dass er in Wahrheit seine Schwester liebte. Gabriele schwieg. Ronny redete. Es wurde eine lange Nacht. Der nächste hieß Heinrich, war siebzehn Jahre älter und wollte keinen Bauernhof erben, sondern sich selbst verwirklichen. Er hatte zweimal nicht geheiratet, drei Romane und sechs Theaterstücke geschrieben, aber nicht veröffentlicht. Außerdem komponierte er Lieder für den Umweltschutz. Heinrich wollte hören, dass er alles richtig gemacht hatte. Dass er ein kreativer Kopf sei und die Zeit ihm recht geben würde. Beim dritten hatte sich Gabriele bereits daran gewöhnt, ihre eigenen Gefühle hintanzustellen und nur zuzuhören. Es folgten andere Freunde, Taxifahrer, Männer in Zugabteilen, im Flugzeug und der Vollständigkeit halber einmal sogar auf einem Schiff. Alle hatten gemeinsam, dass sie ihr Herz öffneten und es Gabriele vor die Füße warfen. Es war wie ein Fluch. Aber wer sich nicht mit seinem Schicksal arrangiert, geht daran zugrunde. Gabriele hatte andere Pläne.

»Ich denke«, sagte sie und küsste Bernhard zwischen die Schulterblätter, »ich denke, einem Mann, der mit zwei verschiedenen Schuhen herumläuft, ist nicht zu trauen.«

Auch am 30. Juni durfte scharf geschossen werden. Es waren Schuhe von Crockett & Jones. Bernhard hatte sie sich gekauft, als er seine Stelle in der Kanzlei Ackermann & Dombek antrat. Da er sich gerne selbst in Frage stellte, beunruhigte ihn nicht so sehr der Gedanke daran, wie viel er für die beiden Paare bezahlt hatte, sondern allein die Frage, wie Schuhe verschwinden konnten.

»Gleichzeitig«, sagte Gabriele. »Jeweils einer.«

Dieses unglaubliche Versagen zwang ihn seit vorgestern, mit zwei ungleichen Schuhen zur Arbeit zu gehen. Braun und schwarz.

»Sagt man nicht, dass Schuhe genauso viel über ihre Besitzer sagen wie Bücherregale und Einkaufswagen?«, stichelte Gabriele weiter. »Was denken eigentlich Ackermann und Klarissa von dir?«

Bernhard wusste es nicht. Weder die Sekretärin Klarissa noch der Chef hatten ihn auf das ungleiche Paar angesprochen. Entweder interessierte es sie nicht, oder sie trauten ihm zu, dass es Vorsatz war.

»Hast du schon in der Abstellkammer nachgesehen?«

Gabriele legte ein frisches Pad in die Espressomaschine, hellblau, ihre Lieblingssorte, wobei sie sich mit den Zehen in der Kniekehle kratzte – eine Übersprungshandlung, weil sie das Grinsen nicht von ihrem Gesicht verscheuchen konnte. Bernhard ließ sich auf einen Küchenstuhl fallen. In anderen Haushalten fraß die Waschmaschine einzelne Socken und Unterhosen. Bei ihnen vertilgte die Abstellkammer Rechnungen, Handys und Schuhe. Wann genau der Schlüssel zur Kammer verloren gegangen war, ließ sich nicht mehr rekonstruieren. Während Bernhard sich nicht erinnern konnte, die Kammer jemals von innen gesehen zu haben, bestand Gabriele darauf, dass es einen Schlüssel gegeben haben musste. Aber warum war die Kammer überhaupt abgesperrt worden? Dafür hatte es keinen Grund gegeben. Und so war der Verlust des Schlüssels nicht weniger seltsam als das Verschwinden der Schuhe. Bernhard war insgeheim davon überzeugt, dass sich der Schlüssel zur Kammer in der Kammer befand.

»Vielleicht sollte ich die Tür eintreten.«

»Mit dem braunen oder mit dem schwarzen Schuh?«

Fünf nach elf am Vormittag. Bernhard schauderte bei der Vorstellung, was alles hinter der unscheinbaren Tür verborgen lag. Das Foto vom Streuner auf Kreta mit seinem schmutzigen weißen Fell und seinen treuen runden Augen, inzwischen garantiert tot. Im Hintergrund waren unscharf Bernhards Bruder Jonas und dessen Urlaubsbekanntschaft zu sehen gewesen. Oder die Adresse jenes Mädchens, in das sich Bernhard im Alter von zehn Jahren am Strand von Frankreich verliebt hatte. Elke hatte sie geheißen. Ihr Bademantel war mit psychedelisch anmutenden blauen und gelben Mustern bedruckt gewesen. Elke wollte immer »Familie« spielen, wobei sie unsichtbare Wunschkinder auf einer mediterranen Dachterrasse bewirtete. Dazu Postkarten: Sylt bei Nacht. Oder jenes Zehn-Mark-Stück mit Sonderprägung, Geschenk der Oma, das Bernhard und Jonas immer geworfen hatten, wenn es eine Entscheidung zu treffen galt. Wie damals, als sie beschlossen hatten, dass sich einer von beiden eine Glatze rasieren sollte.

»Sicher spielt dir der Hausmeister einen Streich«, sagte Gabriele und pustete in die Crema ihres Kaffees. Sie lehnte im Türrahmen und hatte ein Bein angewinkelt. Unter der Haut eine kleine runde Kniescheibe.

»Schuhe haben im Flur nichts zu suchen, solange keine Füße darin stecken!« Den Tonfall des Hausmeisters traf sie genau.

Oft genug hatte er Bernhard gewarnt.

Bernhard musste niesen. Der harte Küchenstuhl machte es nicht leicht, eine bequeme Haltung zu finden. Schuhe, Kammer und Hausmeister konnten nicht davon ablenken, dass er seinen Part noch lange nicht zu Ende gespielt hatte. Denn während Gabriele den ersten Schluck nahm und ihren Lebensgefährten über den Rand der Tasse hinweg mit erwartungsvollen Augen anblickte, war es an ihm, die Handlung voranzutreiben. Den Vortag zu zerknüllen und mit elegantem Wurf in den Mülleimer zu befördern, war nur der Auftakt. Traditionen sind nichts anderes als ins Bewusstsein geklebte Post-it-Zettel. Ein Onkel zieht einen weißen Bart an und verstellt die Stimme. Eier werden versteckt und Töpfe mit Kochlöffeln gejagt. Am Muttertag liebst du die Mutter und am Vatertag den Vater. Das Besondere soll nicht zum Gewöhnlichen verkommen und das Vergangene nicht vergessen werden. Für Gabriele und Bernhard ging es darum, das Wunder des 30. Juni immer wieder neu zu entdecken. Natürlich war Gabriele diejenige, die zuhören, und Bernhard derjenige, der den Boden für die Wiederentdeckung bereiten musste. Mit einer klassischen Nacherzählung. Wann war was und wie passiert. Er räusperte sich. Gabriele schlürfte. Wie jedes Jahr wusste er nicht, wie er anfangen sollte, wo und wann?

Bernhard Duder war seit einer Woche sechzehn Jahre alt, als er auf dem Beifahrersitz eines giftgrünen R 4 saß und durch das Loch mit den rostigen Rändern zwischen seinen Füßen den Straßenbelag der B 7 sehen konnte. Das Steuer hielt sein Bruder Jonas. Seit Stunden führte dieselbe Bundesstraße sie durch Dörfer mit Supermarkt und solche ohne Supermarkt, dafür mit Tankstelle, als müsste man im Leben überhaupt immer nur auf einer Straße bleiben, um ans Ziel zu gelangen. Die Stimmung war gut. Bernhard genoss das Abenteuer, er hatte Sommerferien und trank nun mit staatlichem Segen das Dosenbier, das Jonas ihm gekauft hatte, damit er während der Fahrt munter und redselig blieb. Kurz vor der ehemaligen deutsch-deutschen Grenze stießen sie auf den Holzbänken einer Imbissbude auf die Freiheit an, während die Mutter sie bei Regensburg vermutete.

»Ich will weg!«

Mit diesen drei Worten war Jonas' Unabhängigkeitserklärung zusammengefasst. Da aus westdeutscher Perspektive selbst Lissabon näher lag als der Osten Deutschlands, schrieb er sich in Leipzig an der Uni ein. »Die alte Bundesrepublik«, sagte er, »hat ihre Entwicklung abgeschlossen. Was jetzt kommt, ist ein Weg zurück zu ihren Wurzeln. Dafür brauchen die mich nicht.«

Jonas wollte Philosophie studieren, weil er Spezialisierungen für Kleinkrämerei hielt und zudem der Auffassung war, man könne nicht ein Leben lang Mensch sein und auf der Welt sein und von Mensch und Welt keine Ahnung haben. Sein Domizil wählte er passend zum Studium. Auf dem Parkplatz vor dem Wohnheim in Passau, erzählte er der Mutter später, sei der R 4 gestohlen worden. In Wahrheit hatte Jonas ihn vor einem besetzten Gebäude geparkt, das im Knie des Leipziger Karl-Heine-Kanals auf die Abrissbirne wartete und einstweilen jedem, der wollte, einen Platz bot.

Am Tag der Ankunft hatten sie staunend vor dem alten Gemäuer gestanden, wie Touristen vor dem Pantheon. Jonas drückte seinen kleinen Bruder an sich, und Bernhard bewunderte ihn, als hätte Jonas das Haus mit eigenen Händen erbaut. Das Wohngebäude gehörte zu einer stillgelegten Fabrik.

Zwei Seesäcke und zwei Kisten schleppten sie fünf Treppen hoch. Und hievten sie über eine Leiter bis unters Dach. Dort rollten sie die Matratze aus, tranken mehr Bier, kletterten durchs Fenster auf den Treppenhauserker und pinkelten, die Tiefe und Weite der Aussicht atmend, in die Regenrinne, während das Blau des Himmels sich rosa färbte und Giebel und Schornsteine in kitschige Farben tauchte.

Jeder im Haus war bereits Jonas' Freund. Er wurde gefeiert, als wäre Jonas nicht dem Nest des Elternhauses entschlüpft, sondern von einer Weltreise heimgekehrt. Woher Jonas all die Typen kannte, blieb eines jener Geheimnisse, die Bernhard nicht zu ergründen verstand, obwohl er mit Fug und Recht behaupten konnte, seinen Bruder besser zu kennen als jeder andere. Jonas' Freunde waren auch seine Freunde. Wie oft er diesen Satz am ersten Tag hörte, konnte er nur grob schätzen. Da waren Arne und Arnold, Betty und Beate, Lenard und Lutz, Siggi und Sue. Eberhard, Student an der Hochschule für Grafik und Buchkunst, hatte sein Zimmer in einen Palast verwandelt, indem er überbordenden Stuck an Wände und Decke gemalt hatte. Ungar, der tatsächlich eine Weltreise hinter sich hatte, schlief grundsätzlich nur im Schlafsack auf einer Isomatte. Und dann gab es noch Paula, die am Morgen Wodka dem Kaffee vorzog, den Tag über dabei blieb und »die Professorin« genannt wurde, weil sie wahrhaftig zur Uni ging und Scheine erwarb.

»Ist ja krass«, sagte sie, »wie ähnlich ihr euch seht. Gut, dass ihr nicht dieselbe Frisur habt«, klackerte dabei mit ihrem Zungenpiercing, strich Bernhard durch die Locken und studierte Jonas' kahl rasierten Schädel, bevor sie ihm einen Kuss gab. Paula war nicht nur die einzige Bewohnerin mit bestandener Zwischenprüfung, sondern auch mit Abstand die schönste. Und für diesen Abend Bernhards Schutzengel.

Strom wurde angezapft, Wasser bezahlt. Das Geld dafür wurde in einer Emailleschüssel gesammelt. Größere Partys feierte man in der Fabrik, weil es dort eine Betondecke gab und genügend Löcher im Dach, durch die der Rauch des Lagerfeuers abziehen konnte. Sie saßen auf Eisenbahnbohlen, das Feuer brannte, Dosen wurden geschüttelt und angestochen. Paula hatte ihren Arm um Bernhard gelegt und lachte ihn aus, während ihm das Bier aus den Haaren tropfte.

»Du bist süß. Aus dir kann was werden. Lass dich nur nicht mit Leuten wie diesen hier ein. Die halten Totalversagen für eine Überlebensstrategie.«

Um kurz vor fünf wurde festgestellt, dass Bernhard keinen Platz zum Schlafen hatte.

»Er schläft bei mir im Bett«, sagte Paula.

Giebel und Schornsteine strahlten im schönsten Nachmittagslicht, als Bernhard in seine Puddingschnecke biss und Jonas sagte: »Hör zu, Brüderchen. Wir verstehen uns gut. Aber das wird nur so bleiben, wenn wir einen Schwur ablegen: Fasse niemals die Frau des anderen an.«

Bernhard kaute und schluckte. Er glaubte zu wissen, was Jonas meinte, und beteuerte, die Professorin nicht berührt zu haben.

Die Mutter verzichtete auf einen Kontrollgang durch das neue Leben des älteren Sohnes, so dass das ultimative Zerwürfnis nicht zustande kam. Eine Enttäuschung. So auch die Universität. Nachdem Jonas, mit frischem T-Shirt und zerlöcherten Jeans, eine Stunde vor Beginn der Eröffnungsveranstaltung im Treppenhaus des Hörsaalgebäudes in einem Pulk aus anderen Erstsemestern stecken geblieben war und

in den folgenden Wochen die eine oder andere Seminarsit-
zung im Kellerraum 17 in der vorletzten Reihe abgesessen
hatte, verlagerte er das Studium auf seine Matratze. Die ge-
lesenen Bücher warf er auf einen Haufen. Die Polizei räumte
das Haus im Knie des Karl-Heine-Kanals, als Bernhard seit
einer Woche in New York war.

»Ist das eigentlich Jonas' Geschichte oder meine?«, fragte
Gabriele.

Ein berechtigter Zwischenruf. Aber Bernhard hatte sich
damit abgefunden, dass seine Autorität als Erzähler in Frage
gestellt wurde.

»Eigentlich ist es meine«, sagte er.

Vier Jahre später war Bernhard Duder ebenfalls Leipziger
und außerdem Jurastudent im ersten Semester. Er gehörte zu
jener Gruppe von Studenten, deren Berufswunsch ursprüng-
lich Fallschirmspringer, Zauberer oder Journalist gewesen
war, die aber die gesundheitlichen, finanziellen und mora-
lischen Risiken scheuten und deshalb nun die Regeln des
menschlichen Miteinanders büffelten, was immerhin als si-
cheres Studium galt und darüber hinaus zu der Tatsache
passte, dass sie alle in der Schule durchschnittlich bis über-
durchschnittlich benotet worden waren. Bernhards Wunsch,
Zauberer zu werden, war durch den doppelten Boden eines
drittklassigen Wanderzirkus geweckt worden. Ihm gefiel die
Idee, sich selbst verschwinden lassen zu können. Mochte die
Einsamkeit im freien Fall aufregend sein; abgeschirmt vom
Publikum in einen winzigen Schrank gesperrt, musste sie zu
absoluter Vollendung kommen. Die Rechtswissenschaft verlangte ihm einiges ab. An überdurchschnittliche Bewertun-

gen war nicht mehr zu denken. Dennoch gewann die Vorstellung, sich in Büro und Anzug verschwinden zu lassen, statt unter einem doppelten Boden, nach und nach an Form und Festigkeit.

Von den Kommilitonen, die schon im ersten Semester von internationalen Kanzleien, blonden Richterinnen und Kokainsucht träumten, hielt sich Bernhard fern, so gut es ging. In den Vorlesungen saß er in der ersten Reihe, weil dort niemand verlangte, nach der Uni in die Kneipe zu gehen. Für die abendlichen Arbeitskreise der zugleich Coolen und Schlauen war er weder cool noch schlau genug. Durch Jonas hatte er dennoch Freunde im Überfluss. Er fand Gefallen daran, die Punker zu provozieren, indem er sein Juristensakko anbehielt, während er mit den Zähnen eine Bierflasche öffnete. Das Sakko stilisierte ihn zum Einzelgänger, während er in Wahrheit unverbrüchlich dazugehörte. Erstens war er Jonas' Bruder, zweitens regelte er bald den gesamten rechtlichen Schriftverkehr, den das Aussteigerdasein mit sich brachte.

»Frag doch die Bügelfalte.« Das Fundament der Zivilisation war das Wort und seine Interpretation. Die Aufgabe des Juristen bestand darin, dieses Fundament instand zu halten. Der Gedanke gefiel ihm. Seine Wahl des Studienfachs hätte also als glücklich beschrieben werden können, wenn Bernhard nicht ein Detail übersehen hätte. Er konnte nicht streiten. Er hasste Konfrontation. Jonas hatte er nie einen Bauklotz an die Stirn geworfen, der Mutter, die ihn wie ein Findelkind behandelte, nie Widerworte gegeben, und in der Schule hatte er sich nicht zum Anführer einer Bande hochgekämpft, weil er nie einer Bande angehört hatte. Er war nicht weiter aufgefallen, weder im positiven noch im negativen Sinn, und folglich in Ruhe gelassen worden, während die anderen erst um die beste Tischtennisplatte und später um Mädchen und Reviere stritten. Was auf dem Papier mit einem unsichtbaren Gegner, Kürzel 775/5, im Fernduell ums BAföG noch wunderbar funktioniert hatte, nämlich auf das Recht zu pochen, selbst wenn man es besser wusste und nur staunen konnte, wie hellsichtig Kürzel 775/5 den Sachverhalt an seinem Schreibtisch beurteilt hatte, geriet zur Farce, als Bernhard auf Referendariatsstation bei der Staatsanwaltschaft zum ersten Mal vor Gericht die Robe überstreifen musste und ihm Kürzel 775/5 als Gegenspieler aus Fleisch und Blut gegenübertrat.

Fasziniert lauschte er der Argumentationslinie seines Widersachers, der einen wunderbaren Bariton hatte und gar nicht mehr aufhörte zu sprechen. Nicht weniger vollkommen war der ausgestreckte Zeigefinger, mit dem er, auf alle Beteiligten weisend, einen schlüssigen Tathergang darlegte und seinen Mandanten voll und ganz entlastete. Bernhard wollte dem nur zustimmen. Am liebsten applaudieren. Seine Notizen verschwammen ihm vor Augen. Er begann zu schwitzen. Sein Hals war trocken. Er schluckte und schluckte immer wieder, statt die, wenn man es recht besah, lächerliche Verteidigung des Anwalts in Stücke zu reißen. Drei Freunde, Lackierer (22), Schlosser (25), Automechaniker (24), waren mit einem Obdachlosen aneinandergeraten. Der Tatbestand der Körperverletzung lag vor. Ganz offensichtlich handelte es sich um eine aus dem Ruder gelaufene Wochenendrauferei, wobei sich der Obdachlose schlicht zum falschen Zeitpunkt am falschen Ort aufgehalten hatte, mal abgesehen davon, dass er den Ausweis des Lackierers gestohlen hatte. Das wusste Bernhard, das wusste der Verteidiger, das wusste der Richter und sprang Bernhard bei. Bernhard musste nur noch Zustimmung oder Ablehnung signalisieren. Glühend vor Scham schloss er sich in der Toilette ein und rauchte Zigaretten, bis er sicher sein konnte, dass alle den Schauplatz seiner Niederlage geräumt hatten. Noch am gleichen Tag bewarb er sich für die Wahlstation bei der Kanzlei Schwartz & Justice in New York, zwei Mann stark, gelegen an der 110. Straße. Zwischen den Vorlesungen hatte er ein Gespräch belauscht, in dem sich ein Kommilitone darüber beklagte, auf Wahlstation in Amerika drei Monate lang nur dämliche Schriftsätze bearbeitet zu haben.

Am Lagerfeuer fanden alle New York peinlich. Nur Jonas gratulierte, packte ihn am Genick und sagte, es werde nicht schaden, mal über den Tellerrand des europäischen Kontinents zu schauen. Er versprach, sich ein Telefon zu organisieren, und begleitete Bernhard zum Flughafen.

Der Kommilitone hatte nicht zu viel versprochen. Das Büro war winzig. Bernhards Schreibtisch stand in der Kochnische. Um die Kaffeemaschine zu bedienen, musste er nicht aufstehen, so wie Pat und Tim ihr Zimmer nicht verlassen mussten, wenn sie ein Schriftstück am langen Arm an ihn weiterreichten oder von ihm verlangten. Ein einziges Mal wurde es spannend. Ein Mandant, aus Ostafrika stammend und erst seit drei Wochen in den Staaten, sprach besser Deutsch als Englisch. Bernhard dolmetschte. Ansonsten musste er nur die Nerven behalten. Er wohnte zwei Blocks weiter in einem Hotel, in dem außer Bernhard und einer Mutter mit drei Kindern vor allem Einwanderer jeweils zu sechst in den Zimmern kampierten. Seines grenzte am Kopfende an die Gemeinschaftsküche, am Fußende ans Gemeinschaftsbad. Zum Frühstück aß er einen Cream-Cheese-Bagel, zum Abendbrot zwei Stück Pizza. Bier kaufte er in einem kleinen Liquor Store gegenüber vom Hotel. Abend für Abend sprach ihn ein großer schwarzer Mann auf dem Rückweg zum Hotel an. Bernhard verstand kein Wort und suchte Abend für Abend das Weite, bis er begriff, dass der große schwarze Mann ihn Abend für Abend darauf aufmerksam machen wollte, dass die langen Hälse der Beck's-Flaschen auf polizeirechtlich relevante Weise aus den braunen Papiertüten ragten, in denen die New Yorker ihren Alkohol vor sich selbst verstecken.

Mit Jonas telefonierte er zwei Mal. Ein Mal, um sich berichten zu lassen, dass das Haus geräumt worden war. Das andere Mal, als Jonas fragte, ob Bernhard anlässlich von Jonas' Geburtstagsparty am 30. Juni einen Abstecher in die Alte Welt und in die neue Wohnung unternehmen wolle.

»Du willst gar nicht von mir erzählen«, sagte Gabriele. »Darum verlasse ich dich.«

Mit anderen Worten, sie stopfte Essen, Geschirr und was man sonst noch benötigte in einen Picknickkorb und hätte um ein Haar den Sekt vergessen. Als Bernhard, die Locken hastig glatt gebürstet, endlich auf die Straße gerannt kam, wartete sie bereits in ihrem roten Ascona B. Die Beifahrertür stand offen, der Motor lief. Bernhard ließ sich in den durchgesessenen Sitz fallen, dessen Polster unverkennbar nach Chemie rochen. Mit beiden Händen hielt sich Gabriele am Steuer fest. Bernhard betrachtete die wunden Stellen an ihrem Ringfinger. Nägelkauen war ihre Leidenschaft. Vor allem, wenn sie nervös war, und sie war nervös. Sie blutete ein wenig und spielte Taxifahrer.

»Wo soll's hingehen? – Wissen Sie nicht. Macht nichts.«

Taxis oder vielmehr Taxifahrerkneipen waren eine weitere

Leidenschaft von Gabriele. Latte-to-stay-Cafés konnte sie nicht ausstehen, und das, was deutsche Köche für französische Küche hielten, verdarb ihr den Appetit. Reinhards hatte nichts gegen Bratkartoffeln und Spiegeleier. Aber nicht täglich. Und er hasste es, am Tresen zu hocken, während ihm die schlechte Luft und das viele Schultergeklopfe zusetzten. Doch Gabriele bestand darauf. Entweder hier, oder ohne mich. Widerwillig gab er nach und hörte zu, wie andere Gabriele ihr Elend klagten und ihre Liebe gestanden. Im Schnitt kam ein Heiratsantrag pro Woche zustande. Gabriele lachte über alle Unverschämtheiten hinweg. Nur dann und wann gab sie zu, bereits vergeben zu sein, und zwar an den einzigen Mann, dessen Minderwertigkeitskomplexe so groß waren, dass er es niemals gewagt hätte, sie mit seiner Lebensgeschichte vollzuquatschen.

Schwerfällig wie ein Schiff bog der Ascona auf die B2 ab und fuhr weiter über eine Brücke Richtung Süden, vorbei an Gründerzeitvillen, die so dicht an der Straße standen, dass sich ein Graffitisprayer veranlasst gesehen hatte, »Willkommen in Leipzig« auf die Holzverkleidung eines Wintergartens zu schreiben. Aus dem Auenwald, in dem emsige Sammler damit beschäftigt waren, körbeweise Bärlauch zu pflücken, wehte ein scharfer Geruch herüber. Auf der Leitplanke saß stolz ein Mäusebussard und wartete darauf, dass es Tote gab.

Gabrieles Wangen waren gerötet. Überraschungen geheim zu halten, fiel ihr schwer. Schon als Kind. Es bereitete ihr kein Vergnügen, mit exklusivem Wissen zu prahlen. Und selbst wenn sie alles daransetzte, nur vom Wetter zu sprechen, irgendein verräterisches Wort schlich sich immer ein. Weil sie diesmal wirklich nichts verraten wollte, aber auch nicht die ganze Zeit schweigen konnte, half sie dem Radiosprecher beim Verlesen der Nachrichten, eine bewährte Taktik. Einen gelben Lieferwagen überholte sie mit der Meldung: »Berlin – Die IG Metall bleibt bei ihrer Forderung …« Eine Silbe genügte ihr, um das entsprechende Wort und damit den Verlauf des Satzes zu erraten. Einen himmelblauen Käfer ließ sie mit dem Wort »explodierte« hinter sich, bei »ex« war das geradezu unvermeidlich. Erst bei den Wirtschaftsnachrichten, wenn zum Abschluss Firmennamen und Börsenwerte heruntergerattert wurden, geriet sie in Verzug. Bernhard nannte sie Diktator, weil Diktatoren wissen, was im Radio gesagt wird, und von Wirtschaft keine Ahnung haben.

Gabriele lachte, achtete nicht auf die Spur, und ein Hupkonzert wurde angestimmt. Bernhard hielt sich fest. Sie schien nichts davon zu bemerken.

»Es kann einen das Leben kosten.«

Das Hupen erreichte seinen Höhepunkt und verebbte hinter ihnen. Gabriele verstand die Anspielung. »Die Jugend, du sagtest: Es kostet die Jugend.«

Um bei Jonas' Geburtstagsparty anwesend zu sein, hatte Bernhard seine Wahlstation bei Schwartz & Justice abgebrochen. Als er in der Tür von Jonas' neuer Wohnung erschien, befand er sich noch keine sechs Stunden auf deutschem Boden und war weder aus New York wirklich abgereist noch in Deutschland richtig angekommen. Jonas begrüßte ihn überschwänglich.

»Alle hersehen, mein kleiner Bruder ist aus der Neuen Welt zurück!« Ohne die Antwort abzuwarten, fragte Jonas, wie es ihm gehe, und stürzte sich dann gleich wieder in das Durcheinander, das nach seiner Aufmerksamkeit verlangte.

Was waren drei Monate? Immerhin, sie hatten telefoniert.

Ein Sektkorken knallte, prallte im richtigen Winkel an der Wand ab, traf ein Weinglas und zauberte eine Explosion roter Tropfen in den Raum. Gern hätte Bernhard mit Arne und Arnold, Betty und Beate am Lagerfeuer gesessen und Plattitüden über den Big Apple ausgetauscht. Aber Arne, Arnold, Betty und Beate gab es nicht mehr, genauso wenig wie Lenard und Lutz, Siggi und Sue. Das alte Fabrikhaus, verriegelt und verrammelt, bot für niemanden mehr Platz. Jonas hatte jetzt eine Wohnung mit Mietvertrag, Küche und Bad, mit abgezogenen Dielen und Stuck an der Decke. Er hatte die Gelegenheit genutzt und sein Leben neu erfunden. Statt Punks kannte er plötzlich echte Studenten und Künstler, sogar ein Unternehmer war unter den Gästen. Insgesamt war die Party ganz nach Jonas' Geschmack. Siebzig Quadratmeter und kein freier Fleck. Man saß auf dem Boden, lehnte an der Wand, jeder sprach mit jedem, erzählte Geschichten und stritt über Weltanschauungen, die morgen gar nicht mehr existieren würden. Idealismus kontra Kapitalismus kontra Determinismus kontra Sozialismus oder umgekehrt. Das Klo war blockiert – es gab noch das Waschbecken – und erst nach einer Stunde wieder frei. Irgendjemand hatte zu kochen begonnen. Alles war voller Wasserdampf. Es wurde getanzt, man konsumierte Drogen, achtete auf den Boden und warf Zigarettenstummel aus den Fenstern. Bernhard fand sich nicht zurecht.

Die einzige Person im Raum, die er kannte, war Kosnik. Als Kinder hatten sie auf dem Garagenplatz Fußball gespielt. Und sich dann aus den Augen verloren. Kosnik besaß das absolute Gehör und war bekannt als schlechtester Zahnarzt seines Jahrgangs. Weshalb er die Medizin aufgab und sein Zahnarztgehalt gegen magere Musikergagen eintauschte. Inzwischen spielte er die zweite Geige im Leipziger Orchester. Vor drei Tagen war er zum dritten Mal von ein und derselben Frau verlassen worden, weswegen er traurig, aber keineswegs trübsinnig auf der Fensterbank saß und den senkrechten Sturz seiner Zigarettenkippe verfolgte, die nur knapp einen Drehorgelspieler auf dem Heimweg verfehlte. Kosnik rief ein dröhnendes »Hey, hallo!«, und kurz darauf hievten vier Mann das sperrige Instrument von Etage zu Etage. Gustav, der Drehorgelspieler, war alt und so dürr, als hätte er jedes Jahr seines Lebens mit einem Kilo Körpergewicht bezahlt. Gustav trank und rauchte, was ihm angeboten wurde, beschmutzte beim Trinken und Rauchen seinen Gehrock, zog den Zylinder nicht aus und war seit sechsundfünfzig Jahren mit ein und derselben Frau verheiratet. Ein Umstand, den Kosnik nicht verwinden konnte und der Cindy, eine Prostituierte, die gegenüber von Jonas wohnte, belustigte.

»Mein junger Freund«, sagte Gustav zu Kosnik, eine Flasche Bourbon in der Hand, »was Sie erzählen, lässt mich denken, Ihre Freundin liebt nicht Sie, sondern sich selbst.«

Cindy wischte sich die Lachtränen aus den Augen. Bernhard war froh, einen Platz gefunden zu haben, an dem er nicht weiter auffiel.

Kosnik reagierte empört, fragte, was genau er damit meine, und fummelte hektisch an seinem Tabakbeutel herum.

»Alle Musiker behaupten, ihr Instrument zu lieben. In Wahrheit aber lieben sie die Töne, die sie darauf spielen können.«

Kosnik arbeitete stumm an der Zigarette und leckte die falsche Seite des Papiers an. Seine Freundin oder vielmehr Exfreundin war keine Musikerin, weswegen es seinem betrunkenen Gehirn schwerfiel, den Sinn von Gustavs Worten zu erfassen.

»Und was ist mit dir?« Cindy schaute Bernhard an. »Hast du im Ausland die große Liebe gefunden?«

»Absolut«, sagte Bernhard, der sich bis jetzt nur als Zuhörer an der Unterhaltung beteiligt hatte. »Sie wohnte im Zimmer gegenüber. Wir lernten uns nachts als schlaflose Geister auf dem Flur kennen. Sie lud mich zu sich ein. Wir redeten, bis es hell wurde, und als es hell war, hatte Emma ein paar Socken für mich gestrickt. Braun, mit blauen Kringeln.«

Emma hatte es wirklich gegeben. Zusammen mit ihren drei Söhnen hatte sie das Zimmer gegenüber bewohnt.

Cindy versetzte ihm einen Stoß.

»Komm schon. Durch deine und Jonas' Adern fließt dasselbe Blut. Bestimmt hast du ein paar todunglückliche Mädchen in den Staaten zurückgelassen.«

»Ich hatte eine Freundin«, sagte Bernhard, »da war ich sieben.«

»Warst du Spieler«, fragte Kosnik, »oder Instrument?«

Vor allem war Bernhard als Ninja verkleidet gewesen, als einer der Kampfkünstler, die im Ruf standen, fliegen und sich unsichtbar machen zu können. Franzi trug ein rosafarbenes Kleid und Sandalen. Ihr Treffpunkt war der kleine Streifen Wald zwischen den Kartoffelfeldern. Franzi sammelte Raupen. Bernhard übte, unsichtbar zu sein.

»Weißt du, was das Besondere an Raupen ist? Man weiß nie, in was sie sich verwandeln werden. In einen farbenprächtigen Schmetterling oder in einen unscheinbaren Nachtfalter.«

Dass Bernhard eine Maske trug und mit einem Stock bewaffnet war, interessierte Franzi nicht. Stattdessen hielt sie ihm einen Behälter unter die Nase, in dem früher Kreuz-schrauben aufbewahrt worden waren. Die Raupe war groß wie ein kleiner Finger, hatte vorne rote, hinten blaue Punkte, in zwei Reihen wie mit einem Pinsel auf den Rücken getupft, und trug überall lange Haarbüschel.

»Ein kleiner Punker«, sagte Franzi.

»Spieler«, sagte Jonas, der plötzlich hinter Bernhard stand, sich auf seine Schultern stützte und aus der Flasche von Gustav einen Schluck verlangte, bevor er weitersprach.

»Bernhard ist zu der Erkenntnis gelangt, dass ein Mädchen wie Franzi mit ihm, genauer gesagt: mit so einem wie ihm, nicht glücklich werden könnte. Er hat sie verlassen. Das war sehr traurig.«

»Was ist aus Ihrer Freundin geworden?«, fragte Gustav.

»Sie ist verheiratet, hat einen tollen Job und zwei bezau-bernde Kinder«, sagte Bernhard.

Das entsprach in keiner Weise der Wahrheit. Was Bernhard aber nicht wissen konnte. Es war der erste von mehreren Irr-tümern, denen er an diesem Abend noch erliegen würde.

Drei Stunden später, müde und leidlich betrunken – Cindy hatte ihm den Kopf gekrault, Kosnik ihm das Versprechen abgenommen, sich bald wieder zu treffen, auf ein Bier, viel-leicht bei einem Fußballspiel –, raffte Bernhard sich auf. Es war Zeit zu gehen. Doch der nach innen gestülpte Ärmel sei-ner Jacke verweigerte den Zugang. Im Garderobenspiegel verfolgte er seine Ungeschicklichkeit: drückte, schüttelte und hatte plötzlich den Eindruck, sich nicht nur doppelt zu sehen, sondern gleichzeitig in zwei verschiedenen Ausführungen. Einerseits mit Locken. Andererseits mit kahl geschorenem Schädel. Der zweite Irrtum. Er hatte nicht gemerkt, dass Jonas hinter ihn getreten war. Noch später bemerkte er das

Mädchen mit den schwarzen Haaren und schwarzen Augen und machte in der Annahme, sie wäre auf dem Weg zur Toilette, einen Schritt zur Seite. Der dritte Irrtum. Ihre Augen, in denen sich die ganze Welt zu spiegeln schien, suchten nicht die Tür zum Klo, sondern verfolgten erwartungsvoll Bernhards Hantieren mit der Jacke, bis der Ärmel endlich seinem Willen gehorchte und nachgab. Es war Zufall, dass beide im selben Moment aufbrechen wollten. Zufall, dass beide im selben Stadtteil wohnten, auf der anderen Seite des Grüngürtels. Und es war Jonas, der Bernhard fragte, ob er Gabriele nach Hause begleiten könne.

»Bring sie sicher heim«, sagte Jonas. »Das wäre mir wichtig.«

Gabriele verdrehte die Augen. Die Brüder verabschiedeten sich. Eine Umarmung, ein letzter Klaps auf den Rücken.

»Kleiner Bruder«, hielt Jonas ihn zurück, »du kommst morgen vorbei?«

»Natürlich.«

Bernhard schätzte die Schritte bis zu seiner Haustür – zu viele, und dabei war er noch nicht einmal losgegangen.

In Jonas' Treppenhaus war das Licht defekt. Nur im vierten Stock fiel ein steiler Lichtstrahl auf den Absatz, danach wurde es dunkel. Lärm drang durch die Wände. Glas splitterte, eine Frau lachte. Bäume machten die Fenster sinnlos. Ans Geländer geklammert, hangelten sich Bernhard und Gabriele, mit den Schuhspitzen Stufe um Stufe ertastend, zum Ausgang hinunter.

»Du bist also der strebsame kleine Bruder, der wie der faule große Bruder aussieht.«

Eine unvermittelte Feststellung. Wenn auch, der Dunkelheit geschuldet, ein wenig holperig vorgetragen.

»Jura ist auch nicht mehr das, was es mal war. Es gibt Stimmen, die behaupten, strebsame Juristen seien händeringend auf der Suche nach strebsamen …«

»Architektinnen«, half ihm Gabriele aus.

»Auf der Suche nach strebsamen Architektinnen, um sich durchfüttern zu lassen.«

»Sieht aus wie der große, nur noch dreister.«

Draußen war es still. Die Ampeln an der Kreuzung blinkten gleichmäßig und gelb. Gabriele betrachtete ihn wie ein wissenschaftliches Untersuchungsobjekt und schüttelte den Kopf. Bernhard übte sich darin, unbeteiligt dreinzuschauen.

»Und ihr seid sicher, dass man euch über eure Geburtstermine nicht belogen hat?«

»Ich fürchte«, sagte Bernhard. »Die Alben mit Kinderfotos belegen das Drama. Mit vier sah ich ihm ähnlich. Mit zwölf wirkte ich wie ein verkümmerter Zwilling. Spannend wurde es mit sechzehn.«

Gabriele zog die Brauen hoch. »Deswegen hat Jonas den Schädel rasiert?«

»Er verlor beim Münzewerfen.«

Jonas hatte den Deal vorgeschlagen: Wenn sie ihr Leben nicht als falsche Zwillinge verbringen wollten, brauchte einer von beiden eine neue Frisur. Bernhard hatte nur genickt. Es hatte bedeutungsvoll geklungen, wie sich der Schlüssel im Schloss der Badezimmertür drehte, und es hatte bedeutungsvoll ausgesehen, wie Jonas das Zehn-Mark-Stück in Sonderprägung auf Daumen und Zeigefinger justierte. »Zahl«, sagte Bernhard. Die Münze wirbelte durch die Luft, knallte gegen die Deckenlampe, war unmöglich zu fangen und kam auf den Kacheln zu liegen. Jonas bedeckte das Geldstück mit dem Fuß.

»Gilt?«, fragte er.

Bernhard zuckte die Schultern.

»Der Gewinner kauft dem Verlierer eine Mütze«, hatte Jonas noch gesagt. Und verloren.

Gabriele und Bernhard nahmen die Straße, die sich schlecht asphaltiert und ohne Laternen durch den Auenwald schlängelte und die beiden Teile der Stadt miteinander verband. Je weiter sie sich entfernten, desto unglaubwürdiger erschien es, dass sie eben noch auf der Party gewesen waren. Über den Wipfeln wurde der Himmel von Minute zu Minute heller, als würde Gott Politur auftragen. Das Weiß ihrer Bluse ließ Gabriele leuchten wie ein Gespenst.

»Einzel- und Scheidungskind«, sagte sie. »Der Erstgeborene beschloss nach drei Tagen zu sterben. Eine Frühgeburt.«

Sie kramte nach einer Zigarette.

»Micky sollte er heißen. Michael. Erst konnte er das Leben nicht erwarten, dann nicht ertragen.«

Das Feuerzeug schnappte auf, und für eine Sekunde hob sich ihr Gesicht rötlich erleuchtet von der Dunkelheit ab, während die Spitze der Zigarette die Spitze der Flamme suchte.

»Dennoch vermisse ich ihn.«

»Es hat tatsächlich Vorteile, einen großen Bruder zu haben«, sagte Bernhard. »Man bekommt das Erwachsenwerden mit Bauanleitung auf dem Silbertablett serviert. Der Nachteil: Man ist immer ein paar Jahre älter, als es die Zahl im Kinderausweis behauptet. Es kostet die Jugend.«

Gabriele lachte.

»Und deswegen hat man keine eigenen Freunde«, sagte sie, »so wie du.«

»Exakt. Man wird altklug.«

»Studiert Jura.«

»Beginnt zu sinnieren.«

»Ist fürs Leben gezeichnet.«

»Am Ende bleibt als Ausweg nur die Möglichkeit, sich in ältere Frauen zu verlieben.«

»Die aber nur den Kopf kraulen und nicht ficken wollen.«

»Ein älterer Bruder zieht einen Rattenschwanz von älteren Schwestern nach sich.«

»Bernhard?«

Sie blieben stehen. Gabriele sog an der Zigarette, die Glut knisterte.

»Lass uns wie Bruder und Schwester sein.«

»Stell dich hinten an.«

Das Scheinwerferlicht eines Autos schälte Stück für Stück den Waldrand aus der Dunkelheit und ließ ihn sogleich wieder darin verschwinden. Ein Käuzchen schrie, und die Stille der Nacht wäre wiederhergestellt gewesen, wenn da nicht Gabriele und Bernhard gewesen wären, lachend und kichernd.

»Scherz beiseite«, sagte Gabriele, »hast du mal darüber nachgedacht, dass dir weniger Jonas vielleicht guttun würde?«

»Sicher, aber ältere Geschwister werden nun einmal niemals erwachsen. Ohne Aufsicht geht da gar nichts.«

»Okay, das ist mir neu.«

Bernhard borgte sich für einen Zug die Zigarette.

»Jonas behauptet«, sagte er, »dass Zeit und Raum keine Eigenschaften der äußeren Welt, sondern lediglich eine Konstruktion des menschlichen Verstands sind, und erbringt genau dafür den Beweis, indem er sein Leben in eine nicht enden wollende Party verwandelt. Genauso gut könnte er eine Wand anstarren. Nichts würde sich ändern.«

»Wenn du damit sagen willst, dass man entweder lebt oder nachdenkt, dann war das eine ziemlich pubertäre Weisheit mit schönen Wortschleifen drum herum. Und ein Irrtum obendrein.«

»Jonas benutzt die Philosophie, um vor dem Leben davonzulaufen.«

»Kein unübliches Vorgehen. Der eine benutzt seine Familie, weil er Angst vor den eigenen Träumen hat. Der andere seinen Traum, weil er Angst hat, eine Familie zu gründen. Und wieder einer steckt seine Nase in Bücher.«

»Aber Jonas benutzt das Leben, um vor der Philosophie davonzulaufen. An keiner Front übernimmt er Verantwortung.«

»Und am Ende bleibt nichts?«

»Jedenfalls von Jonas. Es ist seine Methode, sich vor der Welt zu verstecken.«

»Und was genau hast du in New York getan?«

Bernhard stutzte.

»Ich habe gearbeitet«, sagte er, überlegte kurz und fügte hinzu: »Und ich war arm und einsam.«

»Die Brooklyn Bridge ist kein schlechter Ort dafür. Ich fand es schön, wie die erleuchteten Fenster der Wolkenkratzer als rechteckige Sterne im Himmel klebten.«

»Es gibt Orte, an denen ist man besser nicht einsam.«

»Und dabei kann ich dir heute Abend …«

»Heute Morgen.«

»Heute Morgen nur eine schnöde Steinbrücke bieten.«

Die Steinbrücke wirkte zu massiv im Vergleich zum flachen Fluss unter ihr, während das Geripppe der Brooklyn Bridge im Vergleich zum East River zu filigran erschienen war. Sie blieben stehen, zündeten eine zweite Zigarette an und schnippten die Asche ins pechschwarze Wasser, das nichts vom neuen Tag wissen wollte, obwohl Gott mit seinen Vorbereitungen fast fertig war. Hier und da ein Fetzen Blau. Sie hatten es nicht mehr weit. Die ersten Häuser waren zu sehen.

»Und, hilft es ein wenig, hier zu stehen?«, fragte Gabriele, die Ellbogen auf die Brüstung gestützt, nach vorn geneigt und hinunterschauend.

»Ein ganz klein wenig.«

Gabriele ließ den Filter aus den Fingern gleiten. Gemeinsam beobachteten sie den Sturz, den Aufschlag im Wasser, welches erst jetzt, da der helle Filter sich entfernte, verriet, dass es in Bewegung war.

»Wir müssen bald ankommen«, sagte Gabriele und richtete sich auf.

»Müde?«

»Nein … doch, aber – wenn wir uns nicht bald trennen, können wir uns nicht wiedersehen.«

Sie amüsierte sich. Nun war er es, der die Brauen hob.

»Dann wissen wir alles«, sagte Gabriele. »Und brauchen ein paar Jahrzehnte, um uns neue Geschichten auszudenken.«

»Dann warte ich eben.«

»Viel Spaß. Bis in achtzig Jahren.«

Sie rannte los, die Arme wie Tragflächen ausgebreitet, mit wehendem Pilotenschal – ein schwarzes Seidentuch mit winzigen roten Blumen –, lief in Schlenkern, abwechselnd rechts und links, bis Bernhard sie einfing, bis ihre unterschiedlich schnellen Körper sich gegenseitig in einer enger werdenden Kreiselbewegung bremsten und sie sich drehend und lachend fester zusammenzogen. Vor einer geöffneten Bäckerei kamen sie zum Stehen.

Wie immer hatte Gabriele recht. Er hatte »Es kostet die Jugend« gesagt. Und auch mit dem Einwand, keine Bäckerei Deutschlands, nicht einmal im Osten, habe um vier Uhr morgens geöffnet, stieß sie bei Bernhard, der sich an diesem 30. Juni als äußerst unzuverlässiger Erzähler präsentierte, nicht auf Gegenwehr. Die Tür der Bäckerei hatte offen gestanden, weil die Bäckersfrau gerade damit beschäftigt war, den Müll rauszubringen. Der erste Schwung Brötchen und Teilchen war allerdings gerade aus dem Ofen gekommen. Auf das Angebot, eine Tüte Croissants mit zehn Dollar zu bezahlen, ging die Bäckersfrau ein. Auch wenn sie New York langweilig fand. Überhaupt, erzählte sie beim Eintüten der Croissants, seien die Staaten ein enttäuschendes Reiseziel. Sie und ihr Mann führen jetzt nach Asien. Russland sei ihr nicht geheuer, aber Asien sei ganz okay.

Außerdem war Gabriele nicht mit den religiösen Anspielungen einverstanden.

»Gott poliert. Gott hat seine Vorbereitungen getroffen. Wenn du jetzt zum Glauben gefunden hast, kannst du bei deinem neuen Gott gleich die Scheidungsurkunde einreichen.«

»Das würde ihm sicher nicht gefallen.«

»Mir auch nicht.«

Sie streckte ihm die Zunge raus und schnitt eine Grimasse. Ein Manöver, das seine Wirkung nicht verfehlte. Das gelbe Schild der Ausfahrt sauste an Bernhard vorbei, ohne dass er die Aufschrift hätte erkennen können. Trotzdem wusste er, wo sie sich befanden. Er kannte die Ausfahrt, ahnte, welches Ziel Gabriele ansteuerte, und erinnerte sich daran, wie er selbst in Markkleeberg schon einmal abgefahren war.

Ein Jahr war seit der Geburtstagsparty vergangen, und Bernhard Duder hatte das Zweite Staatsexamen ohne Prädikat bestanden. Wider Erwarten hatten Bewerbungen und Vorstellungsgespräche zur Folge, dass er eines Tages mit einem Stift bewaffnet auf eine leere Linie starrte, die auf seine Unterschrift wartete. Plötzlich war er nicht mehr Jurastudent, sondern Anwalt. Und trug Sakkos ohne Brandlöcher. Die Kanzlei Ackermann & Dombek bestand, nachdem Dombek als Partner ausgefallen war, aus zwei Mann – Bernhard mitgezählt. Ackermann war klein und pummelig. Zu jeder Jahreszeit steckte sein gedrungener Oberkörper in einem schwarzen Rollkragenpullover. Sein rundes Gesicht und das lachlustige Doppelkinn waren einnehmend. Sein Haar war silbergrau und die kristallklaren Augen strahlten immer, als hätten sie gerade eben etwas Hübsches entdeckt. Von seinen verschiedenen Leidenschaften war das Rauchen die auffälligste. Egal, wobei man ihn antraf, in seinem Mundwinkel klemmte eine Curly, die nach verbrannter Vanille roch. Die Zigarillos waren fast zwanzig Zentimeter lang und wellig gebogen, was auf den ersten Blick lächerlich aussah, auf den zweiten aber zu ihm passte. Den Chef zu markieren, war nicht Ackermanns Sache. Seine Umgangsformen entsprachen seiner rheinländischen Herkunft: raubeinig und herzlich. Bernhards »bescheidenes Talent zu streiten«, wie Ackermann es nannte, wurde durch ein Abkommen bereinigt: Er vertrat Bernhard in den Verhandlungen und wurde im Gegenzug mittags zum Essen eingeladen, freie Restaurantwahl.

Eines Morgens kam Ackermann mit einem Stapel rosafarbener Akten in Bernhards Büro und knallte den rutschenden Turm vor ihm auf den Schreibtisch.

»Wird dir gefallen. Taubendreck kontra Kleinfamilienglück. Viel Spaß damit.«

Bereits drei Jahre hatte sich eine andere Kanzlei mit der Angelegenheit herumgeschlagen, bis Goss, der Mandant, beschlossen hatte, den Anwalt zu wechseln, und zu Ackermann & Dombek gekommen war.

»Durchgedrehter Taubenzüchter neben hysterischer Kleinfamilie. Hab den Quatsch nur angenommen, weil die Verhandlungen bestimmt lustig werden.«

Die zuoberst liegende Akte rutschte ab und warf das Wasserglas um.

»Wie soll ich vorgehen?«

»Das Felis auf der Karl-Liebknecht-Straße hat eine neue Karte. Hase auf roten Zwiebeln mit hausgemachtem Erbsenpüree.«

»Klingt nach einem guten Plan.«

Fünf Gutachten, die Schauplatz und Sachverhalt beschrieben, verwirrten Bernhard derartig, dass er beschloss, selbst hinzufahren. Kein normaler Anwalt hätte sich für einen unbezahlten Ortstermin ins Auto gesetzt, aber normale Anwälte hatten auch keine Angst vor Gerichtsverhandlungen. Die Adresse lag in Markkleeberg am Ende einer Sackgasse. Ein unverputzter Neubau mit Garten und roter Kinderrutsche. Daneben ein altes Backsteingebäude mit schiefem Dach, vier Fenstern und Taubenschlag. Nach Aktenlage war dieser das Zuhause von sechsundvierzig Ringeltauben. Den Wagen parkte Bernhard mit den Rädern im Gras. Grün und kerzengerade standen die jungen Ähren auf dem Feld. Goss war um diese Zeit draußen am Cospudener See und verkaufte Grillwürstchen in einer Spanplattenbude. Die klagende Partei arbeitete beim Ordnungsamt, die Kinder hatten Krippenplätze. Goss' Grundstück wurde von Brombeersträuchern begrenzt, dazwischen Holunder, dahinter Fichten mit nackten Stämmen. Bernhard stapfte durchs Gras auf die Rückseite des Gebäudes, zertrat Sauerampfer und Butterblumen und benahm sich wie einer, der pinkeln muss. Wo das Terrain des Menschen endete und das der Tauben begann, ließ sich von außen nicht feststellen. Keine einzige Taube war zu sehen.

»Und?«, fragte Gabriele. »Weißt du's jetzt?«
»Das Lueg-Haus.«
»Ja«, sagte sie.

Gabrieles einflussreiche Stellung im Architektenbüro Reinhards stützte sich nicht nur auf ihre Meisterschaft im klaglosen Zuhören, sondern auch auf die Tatsache, dass mit ihrer Einstellung eine Dürreperiode zu Ende gegangen war, die das Büro an den Rand des Ruins getrieben hatte. Das Lueg-Haus war Reinhards' bis jetzt größter Erfolg und seit Langem das erste Projekt, das sich zu Recht Architektur nennen durfte. Gebaut wurde es nur ein paar hundert Meter von Goss und dessen Tauben entfernt in der nächsten Seitenstraße. Hellauf begeistert hatte Gabriele vom Aushub der Fundamente erzählt, als wäre schon das Wühlen im Erdreich ein Akt künstlerischer Selbstverwirklichung.

Der Ascona kam zum Stehen, von einer Staubwolke eingehüllt, wie man sie aus Westernfilmen kennt. Ringsum war der Boden zerfurcht, von Baggerspuren durchzogen. Buchen markierten in gerader Linie die Grenzen des Grundstücks, das exakt quadratisch war, wie mit einem Stempel in den Wald gestanzt. Bernhard war noch nicht ausgestiegen, da stand Gabriele schon auf einem Erdhaufen und sah wie eine Feldherrin aus, die die Lage der Schlacht beurteilt. Das Kleid flatterte ihr um die Knie. Im Wesentlichen bestand das Schlachtfeld aus zwei schräg versetzten Betonwürfeln, unterschiedlich groß und an einer Ecke ineinandergeschoben. Das Treppenhaus stieß durch das Dach des kleineren Würfels und war mit Glas verkleidet, so dass man das funkelnde Messinggeländer der Treppe erkennen konnte. Zum ersten Mal betrachtete Bernhard das Haus dreidimensional. Auf der zweidimensionalen Ebene war er bestens mit Aufteilung und Zuschnitt von Grundstück und Gebäude vertraut, wusste, wo Hinterausgang, Speisekammer und Gästeklo zu finden waren, kannte das Wohnzimmer mit dem fantastischen Panoramafenster und hatte sogar die Größen der Räume im Kopf: 6,50 Meter lang, 5,10 Meter breit, Vermerk »Schlafzimmer«. Gabriele hatte die Pläne oft genug mit nach Hause gebracht, um in der Nacht noch daran zu arbeiten, während Bernhard ihr über die Schulter schaute.

»Ende Juli will Lueg einziehen«, sagte Gabriele. Ihre Augen glänzten vor Begeisterung. Für sie war Häuserbauen nicht einfach nur ein Job, so wie es für Bernhard nur ein Job war, dem einen zu helfen und den anderen in die Scheiße zu reiten. Für sie war es eine kulturelle Kraftanstrengung, bei der es nicht darum ging, Stein auf Stein zu setzen und dafür zu sorgen, dass der Kunde irgendwann im Trockenen saß, sondern darum, Räume in einer Form zu schaffen, die dem Lebensgefühl der Bewohner und dem der Gesellschaft entsprach.

»Die Architektur«, sagte Gabriele gerne, »meißelt die Geisteshaltung einer Zivilisation in Stein. Zeigt mir eure Häuser, und ich sage euch, wer ihr seid.«

So gesehen hatte Gabriele gar nichts dagegen, Reihenhäuser mit Carport zu bauen. Auch Carports waren eine Geisteshaltung. Sie nahm Bernhard an der Hand und zog ihn mit sich.

Natürlich durfte Lueg nie erfahren, warum er in Zukunft in zwei Würfeln wohnen würde. Lueg war groß, kräftig und selbst irgendwie eckig. Seine Fingernägel leuchteten weiß, als wären sie aus Plastik. Gleiches galt für die Zähne. Er arbeitete für das Auswärtige Amt, war überall auf der Welt zu Hause und hatte bereits mehrere Entwürfe gnadenlos abgelehnt, als Gabriele seine Frau kennenlernte. Frau Lueg war klein, plump und eckig. Würfel eins und Würfel zwei.

»Okay, mir ist die Idee peinlich«, hatte sie später zu Bernhard gesagt, sich ein bisschen geschämt und gelacht, während sie auf dem Sofa lag und Joghurt aß, »aber bei näherer Betrachtung sind die meisten großen Ideen irgendwie peinlich. Hauptsache, es funktioniert.«

Innen klebte frische Farbe auf feuchtem Beton. Es roch nach Lösungsmitteln und Leim. An den Küchenwänden die Bleistiftstriche der Kücheninstallateure, hier Schrank, dort Herd. Durchreiche. Das Wohnzimmer durch Flügeltüren zweigeteilt. Bernhard hatte Mühe, sich Lueg in diesen Räumen vorzustellen, im Bademantel auf der Couch, mit entblößten Beinen und in Gesellschaft seiner Frau.

»Goldene Engel als Wasserhahn. Wie geschmackvoll«, sagte Bernhard mit Blick ins Gästeklo.

»Deswegen bin ich keine Innenausstatterin geworden.«

Sie öffnete die nächste Tür.

»Und das Schlafzimmer.«

6,50 Meter lang, 5,10 Meter breit und kahl. Noch schwerer, als sich Lueg im Bademantel vorzustellen, fiel es Bernhard, sich auszumalen, wie Lueg, vielleicht genau dort stehend, wo nun Bernhard stand, versucht hatte, Gabriele an die Brust zu fassen. Was hatte er gesagt?

»Komm, lass uns ficken.«

Oder romantischer: »Ihr Haar, Frau Duder, ist schwarz wie Ebenholz, und Ihre Haut«, spätestens dabei hatte er die Hand ausgestreckt, »unterscheidet sich kaum vom Weiß Ihrer Bluse.«

Was mochte er sich davon versprochen haben? Dass Gabriele einwilligte? Weil eine Frau wie Gabriele mehr vom Leben verlangen konnte als einen Anwalt, dem die Anzughosen um die Beine schlackerten?

Bernhard konnte Lueg erst oben auf dem Dach wieder abschütteln, als sie auf dem groben Beton lagen und Gabriele eine Netzmelone zerteilte. Ein Tropfen quoll aus der Kerbe und rann an ihrem Zeigefinger hinunter. Endgültig vergessen war Lueg, nachdem sie gefrühstückt hatten, nach dem zweiten Glas Sekt. Und Bernhard dachte auch nicht wieder an ihn, als sie nackt durchs Treppenhaus liefen, durch den Flur und auf die Straße, direkt vor das einzige Auto, das an diesem Tag vorbeifahren würde. Ein blassblauer Wartburg, hinterm Lenkrad ein alter, unrasierter Bauer mit Hut, dem Adam und Eva aus einem Buchenwäldchen vor den Kühler rannten, um dann Richtung See zu verschwinden. Seine silberne Uhr jedoch, edel, aber nicht wasserdicht, legte Bernhard auf der Brüstung ab, und nur allzu bald würde sie die Verbindung zu Lueg wiederherstellen.

»Die ersten Menschen und die letzten«, hatte Gabriele gesagt, während sie auf die Garagen im Innenhof zwischen maroden Gründerzeithäusern geklettert waren. Mit einer Tüte Croissants in der Hand keine leichte Aufgabe. Der Morgen hatte sich vervollständigt und präsentierte einen makellosen Himmel. Sie aßen, und Bernhard schlief ein. Als er erwachte, saß Gabriele am Rand des Garagendachs, baumelte mit den Beinen, die Arme links und rechts mit durchgedrückten Ellbogen von sich abgespreizt. Er blinzelte ins Licht. Neben sich die zerrupften Reste des Gebäcks. Sie hatten viel zu viel gekauft. In den schwülen Geruch des blühenden Flieders mischte sich der Gestank von heißer Teerpappe. Von der erwachenden Stadt war nichts zu hören. Die unsanierten Rückseiten der Häuser, alle Scheiben zertrümmert, schauten stumm, aber nicht uninteressiert auf die Besucher, als gäbe es tatsächlich nur noch diese beiden auf der Welt.

Gabriele blickte ihn über die Schulter an.

»Du hast geschlafen.«

»Geschnarcht?«

»Ein bisschen«, sagte sie.

Bernhard nahm ein Croissant, ohne Hunger zu verspüren. Gabriele stand auf, warf einen Schatten über sein Gesicht. Er kaute. Ihm war schwindelig. Aber er fühlte sich großartig und schmatzte leise.

»Solche Momente müsste man festhalten können«, sagte Gabriele und streckte die Hand aus, um wenigstens Bernhard festzuhalten. »Dann wäre ich ein ewig glückliches kleines Mädchen. Ich würde mir Zöpfe flechten und den ganzen Tag mit meinem Glück Gummitwist spielen.«

»Vielleicht lassen sich Momente wiederholen.«

Gabriele musterte ihre schwarzen Zehen. »Niemand aber«, fuhr sie fort, als habe sie Bernhard nicht gehört, »kann irgendetwas festhalten. Egal, was du tust, in einer Stunde, vielleicht in zwei, in spätestens hundertachtzig Minuten ist es vorbei. Außerdem sehen Zöpfe albern an mir aus. Nicht unbeschwert, sondern puritanisch.« Ihr Blick für Sekunden in seinem – einundzwanzig, zweiundzwanzig, dreimal gekaut, einmal durchgeatmet. Gabriele drehte sich um und war weg. Genauer gesagt, lief sie eine Pirouette, bei der sich ihr schwarzes Haar auffächerte wie der Rock einer Tänzerin, sprang ab und verschwand hinter dem Rand des Daches. Das Croissant beschrieb einen weiten Bogen vor dem glasierten Himmel, war zwei Garagen weiter noch nicht aufgeschlagen, als Bernhard schon hinab und über die Kante schaute.

Als er neben Gabriele rücklings auf dem Sandhaufen lag, sagte sie lachend und weinend zugleich: »Wenn du noch einmal Blätterteig kaust, während ich meine Abschlussrede halte, dann spreche ich in Zukunft bei einem anderen Typen vor.«

So weit sollte es nicht kommen. Einmal rauchte Bernhard eine Zigarette, ein anderes Mal starrte er in ein Glas Gin, dann wieder waren seine Hände leer, steckten in den Hosentaschen, während sie auf einem Hügel draußen vor der Stadt standen, nachts, und ein Sturm an ihren Mänteln zerrte, mitten in einer unwirklichen Welt aus Wind und Regen – Bernhard sprachlos, Gabriele außer sich. Einmal lag auch ein verlockendes Kirschtörtchen vor ihm. Er griff nicht zu.

Den Bauch ein-, die Schultern hochgezogen, kam Gabriele aus dem Gebüsch hervor und versuchte im Gehen, den Hosenknopf durch das entsprechende Loch zu zwängen. Bernhard kniete hinter dem Sandhaufen und grub eine Höhle, wobei sich immer wieder Sand der oberen, trockenen Schichten löste und auf seinen Arm rieselte.

»Wo steckst du?«

Ihre Stimme klang rau, übernächtigt und gequetscht. Sie kämpfte noch mit dem Knopfloch.

Bernhard versuchte, Zeichen zu geben, während der rechte Arm bis zum Bizeps im Stollen verschwunden war. Zu sprechen wagte er nicht, weil er fürchtete, die Vibrationen seiner Stimme könnten abermals eine Lawine lostreten. Der Ehrgeiz hatte ihn gepackt. Doch der Tunnel stürzte ein, als Gabriele mit einem großen Satz auf der Spitze des Sandgebirges landete, das klaglos zusammensackte und seinen Arm unter sich begrub. Ihre Hose stand noch offen. Gabriele beugte sich vor, und ihr Haar fiel nach vorn, berührte seine Stirn. Der richtige Moment, sie zu küssen, dachte Bernhard. Aber er steckte fest. Gabriele rutschte langsam den Sandhaufen hinunter. Sie berührte seinen Arm, der plötzlich freikam, noch bevor die Berührung zu lange gedauert hätte.

Es wurde Zeit, sie heimzubringen. Sie sah unendlich müde aus. Sie hatte nicht wie Bernhard auf dem Garagendach geschlafen. Der Abschied war unspektakulär. Eine Umarmung. Bernhard wusste, was passiert war, und Gabriele betrachtete die Dinge noch um einiges klarer. Es war unnötig, Phrasen auszutauschen. Sie sagte, dass sie Sand im Schlüpfer habe. Bernhard, dass er jetzt gehe. Gabriele, dass es die falsche Richtung sei.

Bernhards Erzählung war zu Ende. Gabriele lag neben ihm auf dem Dach des Lueg-Hauses. Die Nacht erfand immer neue Sterne. Sekt war durch Wasser ersetzt worden und Wasser durch Wein. Nachdem sie im See gebadet hatten, waren sie eingedöst, das Ufer in Hörweite. Auf dem Rückweg hatte Gabriele eine rostige Feuerschale gefunden. Beim Italiener an der Ecke kauften sie Steaks und Kartoffeln; im Wald gab es trockenes Holz. Das Feuer in der Schale tauchte die Buchen in orangefarbenes Zwielicht.

»Als werfe man Kupferstaub in die Wipfel«, sagte Gabriele.

Ihr Fingernagel ratschte an der Innenseite des Daumens entlang und schleuderte die Zigarettenkippe über die flache Brüstung. Eine Böe schüttelte die Blätter und befreite sie für Sekunden vom Lichtstaub. Der Beton war noch warm.

»Heute Morgen«, sagte sie, »da hast du an Jonas gedacht, oder?«

Bernhard versuchte, im Liegen zu nicken.

»Fünf Jahre ist es jetzt her. Manchmal frage ich mich, ob wir wenigstens von seinem Tod erfahren würden.«

»Schlechte Nachrichten verbreiten sich wie ein Lauffeuer. Glaub mir, es geht ihm gut.«

»Aber das Schweigen ist schwer zu ertragen. Ich weiß nicht, wo er lebt. Vielleicht hat er Kinder. Was arbeitet er? Jonas hatte immer tausend Ideen. Zum Beispiel, da oben: der Große Wagen.«

Bernhard zeigte in den Himmel. Genau über ihnen das Sternbild.

»Das Wappen von Deutschland«, sagte Gabriele.

»Richtig. Wir machten Feuer, wie wir zwei jetzt. Auf unserer Apfelwiese. Wusstest du, dass es im Ruhrgebiet Apfelwiesen gibt?«

»Bevor ich dich kannte, dachte ich, dort wüchsen nur Schornsteine und Kühltürme.«

»Genau, aber dazwischen Apfelwiesen. Jonas schaute hinauf und sagte: Ist doch eigentlich das ideale Logo für Mercedes-Benz.«

»Stimmt«, sagte Gabriele. »Der Stern, die dicken Limousinen.«

»Und Jonas hatte sofort den kompletten Spot parat: Zwei

Jungen, vielleicht zehn Jahre alt, sitzen an ihrem Lagerfeuer. Sie zelten. Sind frei. Erleben ein Abenteuer und haben die Zukunft noch vor sich. Dann schaut der eine in den Himmel und sagt zu seinem Freund: Wenn ich groß bin, dann fahre ich den Großen Wagen. Abspann: Mercedes-Benz!«

»Perfekt«, sagte Gabriele. »Vielleicht ist er in die Werbung gegangen.«

»Jonas hat immer wieder davon gesprochen, den Ausstieg aus dem Ausstieg zu planen. Neu anzufangen. Cut und noch mal alles von vorn.«

»Warum gibt es diesen Spot dann nicht?«

»Du kanntest ihn doch.«

»Das klingt schon wieder, als wäre er tot.«

»Also gut: Du kennst ihn doch. Hat lieber die Doktorarbeiten von anderen gelesen, statt selbst eine zu schreiben.«

»Und du glaubst nicht, dass er sich verändert hat?«

»Ich glaube gar nichts. Selbst zum Glauben braucht man ein paar Anhaltspunkte. Jonas ist weniger als ein Phantom. Er ist gar nichts. Noch nicht einmal tot. Als hätte er nie existiert.«

Ein Stock zerbarst in der Glut, sonst war lange nichts zu hören. Bernhard trank einen Schluck Wein, Gabriele drehte ihren Silberring um den Daumen. Zu einem echten Ehering hatte Bernhard sie nicht überreden können. Sie richtete sich auf.

»Auf seiner Party damals«, sagte sie, »sprach er mit einer Flasche Whisky in der Hand darüber, dass der Mensch nicht vor sich selbst fliehen kann, es dennoch ständig versucht und dem Problem einen schönen Namen gibt: Selbstfindung. Er sagte, die gescheiterte Flucht sei das Wesen des Menschen.

Deshalb seien Religion, Theater und der Buchdruck erfunden worden. Im Guten könne das nur enden, wenn zwei Menschen gemeinsam entschieden, nicht mehr zu fliehen.«

Für einen Augenblick sahen sie sich an. Keiner von ihnen war auf der Flucht.

»Was ich damit sagen will«, ergänzte Gabriele schnell: »Jonas hat gewusst, was er tut. Er wusste, warum er auf die Promotion und die Karriere als Werbefritze verzichtet. Es gibt keinen Grund zu glauben, dass es ihm schlecht geht. Er hat keinen Kontakt mehr zu dir, weil er keinen will. Ihr beide habt einen Bruder verloren. Aber geht es dir schlecht?«

»Nein«, sagte Bernhard, »ich bin geradezu unanständig glücklich.«

Es gab einen Teil der Geschichte, den Bernhard jedes Jahr in seiner Erzählung aussparte. Nachdem er Gabriele nach Hause gebracht hatte, war er die gleiche Strecke, die sie gemeinsam zwischen zwei und vier Uhr zu Fuß zurückgelegt hatten, in umgekehrter Richtung mit der Straßenbahn gefahren. Aus einhundertzwanzig Minuten wurden achtzehn, mit einmal Umsteigen. An der Kreuzung erinnerte nichts mehr an die Nacht. Menschen warteten an der Ampel, die nicht mehr gelb blinkte, sondern grün oder rot leuchtete und dem Verkehr Einhalt gebot.

In Jonas' Wohnung dagegen hatte sich nichts verändert. Bier-, Wein- und Wodkaflaschen standen, wo sie zuletzt abgestellt worden waren, dicht gedrängt, dazwischen übervolle Aschenbecher. Überall leere Schachteln, verstreute Chipsstückchen und Salzstangenreste. Jemand hatte seine Wurst nicht gegessen. Allein die Gäste waren verschwunden, und die Sonne schien. Staub leuchtete in der Luft. Bernhard hatte das Gefühl, durch eine fremde Wohnung zu schleichen.

Jonas saß neben der Stereoanlage auf dem Boden und sang eine Liedzeile mit, laut genug, dass Bernhard ihn verstehen konnte:»Unsure of yourself / You stand divided now.«Bernhard interessierte sich nicht für Musik und hatte, wie alle kleinen Brüder, einfach gut gefunden, was der Große für gut befand. So kannte er die Neue Deutsche Welle nur dem Namen nach, konnte aber alle wichtigen Texte der Toten Hosen auswendig. Mit vierzehn hatte er sich die Haare lang wachsen lassen, um Jonas auf Heavy-Metal-Konzerte zu begleiten, während dieser an ihrer Vereinbarung festhielt und sich den Kopf rasierte.

Das Chaos schien Jonas nicht zu stören.»Und, ausgeschlafen, Brüderchen?«

»Das siehst du doch: nein.« Bernhard warf sich auf das dunkelblaue Sofa. Ascheflocken und Krümel sprangen erschrocken zur Seite.

»Siehst nicht gut aus. Jetlag?«

»Vielleicht.«

»Gabriele abgeliefert?«

»Vor genau zweiundzwanzig Minuten.«

Jonas zeigte keine Reaktion. Er kontrollierte das Display der Anlage und lehnte sich wieder zurück.

»Du wirst nicht glauben, was passiert ist«, sagte Bernhard.

»Da bin ich sicher. Immerhin gibt es niemanden, den du häufiger belogen hast als mich, Bernhard Duder.«

»Kann sein, aber jetzt bin ich zu müde, und lügen ist anstrengend.«

Jonas warf ihm eine Zigarettenpackung zu.

»Erzähl«, sagte er.

Bernhard inhalierte Rauch und ließ den Kopf auf die Lehne sinken. Der Stuck an der Decke verschwamm. Er dachte noch, dass es ein Fehler gewesen war, sich hinzulegen. Die ganze Aufregung versank in einer Art Nebel. Bernhard hörte sich vom Spaziergang erzählen, von der Frau in der Bäckerei, dem Garagendach und dem Sandhaufen. Der Name Gabriele fiel unzählige Male, aber es war nicht mehr seine Stimme, die sprach, sondern ein teilnahmsloser Radiosprecher, der die Geschichte vom Blatt las. Mit ihm, Bernhard, hatte das nichts mehr zu tun.

Als er zum zweiten Mal an diesem Tag erwachte, wusste er nicht gleich, wo er sich befand. Er lag so, wie er eingeschlafen war. Die rechte Hand auf der Brust, zwischen den Fingern eine bis zum Filter heruntergebrannte F6. Auf dem Hemd ein drei Zentimeter langer Wurm aus Asche. Er hatte geglaubt, nur für wenige Minuten weggetreten zu sein. Die Musik war verstummt. Dunkelheit füllte die Ecken des Raums. Der Radiowecker behauptete, es sei zweiundzwanzig Uhr neunzehn. Bernhard las jede Ziffer einzeln, um sicherzugehen. Zwei, zwei, eins, neun. Von Jonas keine Spur. Die Wand neben der Anlage, an der er gelehnt hatte, war leer.

Bernhard klopfte sich das Hemd ab. Dass er so lange geschlafen haben sollte, schien ihm unmöglich. Alle Leichtigkeit war verflogen. Sein Nacken war steif, die Schläfen pochten. Er hatte Hunger, seine Kehle war trocken, und der bittere Geschmack im Mund verstärkte das Gefühl körperlicher Erschöpfung.

Jonas saß auf dem Balkon, einem kleinen Vorsprung, der gerade Platz genug bot für eine Säule aus Bierkästen und eine kauernde Person mit angezogenen Knien. Neben sich eine Dose Beck's. Schon wieder Rosa über den Dächern.

»Wartest du auf die Heinzelmännchen?«, fragte Bernhard.
»Die kommen nur, wenn man schläft.«

»Mein kleiner Bernhard.« Jonas schüttelte den Kopf, sprach aber nicht weiter.

Der Blaustich am Himmel ergab sich kampflos. Cindys Fenster nebenan flackerte im Wechsel der Fernsehbilder.

»Nein, Bernhard, ich hab darauf gewartet, dass die Feuerwehr kommt, um dich im Notfall zu löschen.«

Mit zwei Fingern zog Bernhard sein Hemd nach vorn, als wollte er einen unglücklich gelandeten Tropfen Soße begutachten, und bemerkte erst jetzt das linsengroße Loch.

»Gehe ich recht in der Annahme, dass du der Zigarette beim Brennen zugeschaut hast?«

Zu gut konnte Bernhard sich vorstellen, wie Jonas den Kopf auf die Seite gelegt, seinen Mundwinkel – wahrscheinlich den rechten – hochgezogen und das entsprechende Auge geschlossen hatte. Er legte den Kopf oft auf die Seite, immer dann, wenn etwas nicht nach seinen Vorstellungen verlief, egal, ob er eine Pferdewette verlor oder ein Buch sich als Schund herausstellte. Als Kommentar ein Schnalzen, während er zuschaute, wie die Glut erlosch, ohne seinem Bruder auch nur ein Brusthaar versengt zu haben.

Vergeblich schnitt Bernhard ein schiefes Gesicht, um Jonas zum Lachen zu bringen. Die Situation entpuppte sich als hundertprozentig humorfrei.

Jonas drückte sich an Bernhard vorbei und räumte mit einer langen Armbewegung den Tisch ab. Ließ Bierflaschen Purzelbäume schlagen und Aschenbecher über den Teppich rollen.

Das Letzte, was Bernhard sah, war Jonas' Rücken.

»Wir sehen uns wieder, wenn du es vermasselt hast.«

Dann schlug die Tür zu.

Seit diesem Moment war Jonas' Abwesenheit das Unterpfand für Gabrieles und Bernhards Beziehung.

Gabriele sagte: »Ich fahre für ein paar Tage nach Frankreich.«

II. Teil

In den ersten Wochen hatte Bernhard nicht wahrhaben wollen, dass ein Mensch so vollständig verschwinden kann. Im Land der Tellerwäscher, Tramper und Trailerparks vielleicht, aber nicht in Deutschland. Bernhard tat sein Möglichstes, aber das war nicht viel. Schließlich war er weder Profiler noch Geheimdienstagent. Er konnte keine Melderegister einsehen, Handys abhören oder Kontobewegungen verfolgen. Aus der Presse wusste er, dass die Sicherheitsbehörden von solchen Techniken eifrig Gebrauch machten, mit oder ohne richterliche Anordnung. Dann jedenfalls, wenn es um die Jagd auf Terroristen ging. Aber Jonas war kein Terrorist. Er war nicht einmal Moslem. Er war freiwillig verschwunden, er hatte nichts verbrochen, er war volljährig und ein freier Mann. Keine Polizeidienststelle der Welt hätte unter diesen Umständen die Fahndung aufgenommen. Sie hätten eine gelbe Akte angelegt, einmal pro Woche auf telefonische Nachfrage versichert, dass sie an der Sache dranblieben, und bei jeder Gelegenheit darauf hingewiesen, dass Vermisste in Familienangelegenheiten so gut wie immer von selbst wieder auftauchten. Früher oder später.

Der Privatdetektiv verlangte 800 Euro Vorschuss. Mit Ach und Krach hätte Bernhard 400 auftreiben können. Es gelang ihm nicht einmal, dem Mann am anderen Ende der Leitung, dessen Stimme so gar nicht nach hochgelegten Füßen, Hut und Zigarettenrauch klang, ein paar kostenfreie Tipps zu entlocken. Im Gegenteil, er wurde unverhohlen ausgelacht:

»Wollen Sie, dass ich meine Lizenz verliere?«

Gabriele nahm Bernhard den Hörer aus der Hand und brachte den schlecht gelaunten Schnüffler zum Reden.

»Steht nur Jonas' Nachname auf dem Klingelschild?«, fragte sie, nachdem sie aufgelegt hatte.

»Ich glaube.«

»Dann stell dich nachts vor die Tür und ruf den Schlüssel-notdienst.«

Was Bernhard auch tat. Er wartete Cindys letzten Freier ab, schlüpfte ins Haus, bevor die Eingangstür zugefallen war, und empfing nachts um drei, nur mit Shorts und Mantel bekleidet, einen verschlafenen Schlosser, der aussah, als ginge er noch zur Schule.

»Zum Glück hatte ich das Handy in der Manteltasche«, sagte Bernhard.

Fünfzig Sekunden später war die Tür zu Jonas' Wohnung geöffnet. Bernhard trat ein, tat so, als suche er sein Portemonnaie in den verschiedenen Jacken an der Garderobe, und hielt dem Milchgesicht schließlich seinen Ausweis unter die Nase. Duder stand da. Genau wie auf dem Klingelschild.

»Danke.«

»Gute Nacht.«

Bernhard atmete durch. Dann wagte er einen ersten Blick in die Wohnung und erschrak. Noch immer stand Geschirr überall verstreut, die Wurst war verschrumpelt, der Boden übersät mit ausgetrunkenen Flaschen. Alle umgekippt. Erbrochenes war im Teppich und an der Keramik der Toilette getrocknet. Der Geruch von vielen Menschen war über die Wochen verflogen. Als hätte eine über den Dingen stehende Macht mit den Fingern geschnippt und alle Gäste der Party von einer Sekunde auf die andere entfernt. Dafür roch es nach

Schimmel. Bernhard fand einen leeren Koffer und einen gut gefüllten Kleiderschrank. Nichts deutete darauf hin, dass Jonas eine längere Abwesenheit geplant hatte.

Er wusch das Geschirr, sammelte Müll und schrubbte mit einem Schwamm das Erbrochene aus den Fasern des Teppichs, ängstlich darauf bedacht, keinen Lärm zu machen. Ihm war nicht klar, wie er Cindy seine Anwesenheit erklären sollte, ohne zu wissen, was sie wusste. Jonas konnte ihr alles oder nichts erzählt haben, und letzten Endes beging Bernhard gerade einen Hausfriedensbruch, da er erstens vorsätzlich und zweitens, davon musste er ausgehen, gegen Jonas' Willen hier eingedrungen war. Höchststrafe nach § 123 StGB: ein Jahr.

Geräuschlosigkeit erwies sich als schwieriges Unterfangen; die Schaffung von Ordnung erzeugt Lärm. Wer schon einmal versucht hat, leise eine Bierflasche in einen Bierkasten zu stellen, wird dies bestätigen können. Aber Bernhard konnte nicht nichts tun. In diesem Durcheinander hätte er jedes Indiz selbst dann übersehen, wenn es in Form eines Briefs mit der Aufschrift »Für meinen Bruder« mitten auf dem Schreibtisch gelegen hätte. Den Wasserhahn öffnete er nur halb und ließ den Strahl zuerst auf ein zusammengeknülltes Handtuch treffen. Vorsichtig setzte er die Teller ins Spülbecken, vorsichtig platzierte er sie auf der Abtropffläche. Einzeln nahm er die Bierflaschen und ließ sie sachte in ihre Fächer im Kasten gleiten. Bis ihm die Kästen ausgingen.

Aber es gab keinen Brief. Gegen neun Uhr morgens saß Bernhard am sauber gewichsten Tisch, in der einen Ecke des Zimmers ein Turm aus voll gestopften Müllsäcken, in der anderen ein Meer aus Altglas. Neben dem Bett lagen drei aufgeschlagene Bücher, und im Bad standen Zahnbürste, Zahnpasta, Deo und Rasierzeug unordentlich und versifft nebeneinander. Bernhard hatte ein Ladegerät für ein Handy sowie Jonas' Reisepass entdeckt. Ein Ladegerät war leicht neu zu beschaffen. Einen Reisepass konnte man als verloren melden. Er hatte Heinzelmännchen gespielt und rein gar nichts gefunden. Bernhard entschied zu bleiben. Drei Tage lang. Es wurden die drei längsten Tage seines Lebens.

Am ersten war es noch leicht, die Spannung aufrechtzuerhalten. Jeden Augenblick, davon war er überzeugt, würde in die Stille hinein das Telefon klingeln, und wann immer er Schritte im Treppenhaus hörte, rechnete er damit, dass die Wohnungstür geöffnet werden würde. Unter der zuletzt gewählten Nummer im Telefon meldete sich Uno Pizza. Bernhard aß Nudeln mit Ketchup zum Frühstück und Reis mit Kidney-Bohnen am Abend. Jonas war nie ein Freund der ausgewogenen Ernährung gewesen. Nachdem Bernhard die zwei letzten Flaschen Carlsberg getrunken hatte, zog er den Stecker des Kühlschranks. Er benutzte Jonas' Zahnbürste und legte sich, nachdem er beschlossen hatte, dass es lächerlich wäre, auf der Couch zu schlafen, in Jonas' Bett. Am zweiten Tag, nachdem er zum Frühstück eine Dose Ravioli warm gemacht und aus dem Inhalt der liegen gebliebenen Tabakbeutel eine dürre Zigarette gedreht hatte, ahnte er, dass sein Warten vergeblich war und auch am dritten Tag nichts passieren würde. Niemand würde anrufen. Niemand einen Schlüssel im Schloss der Tür umdrehen. Es war der mangelnde Glaube an die Zukunft, der die Gegenwart so unerträglich machte.

In Wahrheit war es nicht der fehlende Zugriff auf die Daten der Melderegister, Banken und Telefonanbieter, der Bernhards Suche behinderte, sondern der fehlende Zugriff auf Jonas' Leben. Die alten Freunde waren verschwunden, die neuen kannte Bernhard nicht. Kosnik hatte Jonas zufällig vor der Party im Getränkemarkt getroffen. Keiner von beiden hatte gewusst, dass es den jeweils anderen nach Leipzig verschlagen hatte, und so war Kosnik spontan zum Geburtstag eingeladen worden.

Und die einzige Person, die vielleicht etwas wusste, weigerte sich, mit ihm zu sprechen.

»Du solltest dich schämen, Bernhard Duder.«

Die Mutter hatte ihrem Jüngsten nie recht über den Weg getraut. Welches Omen sie in der Ähnlichkeit ihrer Söhne sah, blieb ihr Geheimnis; schuld war auf jeden Fall Bernhard. Wahrscheinlich freute sie sich sogar, dass es endlich zum Streit gekommen war.

»Mutter! Dann sag mir wenigstens, wofür?«

»Du brauchst mich Weihnachten nicht mehr besuchen kommen.«

Natürlich schämte sich Bernhard Duder, es entsprach schlichtweg seinem Charakter. Dafür brauchte er keine Ratschläge von seiner Mutter, die in Bernhards Augen seit Jahren am Rand des Wahnsinns wandelte. Bernhard fühlte die Schuld wie etwas Gegenständliches, ein Kleidungsstück, das sich nicht ausziehen ließ. Es war keine vage Schuld, sondern eine ganz konkrete. Bernhard war schuld an Jonas' Verschwinden, weil er den Schwur, niemals die Frau des anderen zu berühren, gebrochen hatte. Ohne Wissen und Wollen, wie die Juristen sagen, aber Unwissenheit schützt vor Strafe nicht.

So jedenfalls Bernhards Sicht der Dinge. Gabriele konnte die These weder bestätigen noch entkräften und blieb auch auf die Frage, ob Jonas in sie verliebt gewesen sei, eine Antwort schuldig. Könnte sein. Muss aber nicht. Auf einer Party hatte sie ihn kennengelernt, auf einer anderen wiedergesehen, und dann hatte er sie zu seiner eigenen eingeladen. Schon möglich, dass er beschlossen hatte, sie als Liebe seines Lebens zu betrachten. Ob er in dieser Richtung Andeutungen gemacht hatte? Schon möglich.

»Zu viele Leute haben behauptet, ich sei ihr Ein und Alles. Verstehst du. Wenn ich nicht aufgehört hätte, das zu beachten, wäre ich heute Nonne oder verrückt. Es tut mir leid. Ich kann dir nicht sagen, was dein Bruder empfunden hat. Vielleicht will er dich nie wiedersehen. Vielleicht ist er nur nach Mallorca geflogen.«

Und meldet sich nicht, weil sein Handy keinen Saft hat, dachte Bernhard, während die Postkarte noch unterwegs ist. Oder Jonas war von der Bildfläche verschwunden, um Ruhe in die Angelegenheit zu bringen, um Bernhard und Gabriele nicht im Weg zu stehen, um, wenn sich alles konsolidiert haben würde, plötzlich gut gelaunt wieder aufzutauchen. Oder er hatte sich in den Zug gesetzt, um Bernhard die Entscheidung abzunehmen, und hatte keine Postkarte geschrieben, weil er beim Wandern in den Pyrenäen ausgerutscht war und nun in einem kalten Bach in den Bergen lag. In den Pyrenäen gab es Geier. Seine Leiche würde nie gefunden werden. Und wenn doch, wer würde auf die Idee kommen, das übrig gebliebene Gebiss nach Deutschland zu schicken? Oder Jonas wollte sich rächen. Oder der Zufall hatte eine ganz andere Geschichte erfunden. Spaßeshalber versuchte Bernhard, sich an Gabrieles gutem Gewissen festzuhalten. Wenn sie sich nicht schuldig fühlte, warum sollte er es tun? Aber das war aussichtslos. Erstens war Jonas nicht Gabrieles Bruder, sondern seiner, und zweitens funktioniert ein Gewissen immer nur für eine Person.

Am Morgen des dritten Tages beschloss Bernhard zu gehen. Die Entscheidung fiel ihm nicht leicht. Obwohl er die Wohnung hassen gelernt hatte, war sie beim jetzigen Stand der Dinge das einzig verbliebene Band zwischen ihnen. Eine letzte gemeinsame Koordinate. Er drehte das Wasser ab, verriegelte die Fenster, nahm seinen Mantel, der für die Jahreszeit viel zu warm war, vom Haken und verharrte. Im Treppenhaus waren Schritte zu hören. In den vergangenen drei Tagen hatte Bernhard gelernt, diese Art des Treppensteigens zu erkennen. Niemand war gleichzeitig so auf Schnelligkeit und Unauffälligkeit bedacht wie ein Freier.

»Hallo, Meister«, trällerte Cindy nebenan.

Bernhard drückte die Klinke. Er wusste, ein zweites Mal würde er den Schlüsselnotdienst nicht rufen. Dann war die Tür hinter ihm ins Schloss gefallen, und Bernhard machte sich daran, während er Cindy und ihren Besucher dumpf miteinander sprechen hörte, möglichst zügig und gleichzeitig unauffällig die Straße zu erreichen. Was ganz gut gelang, bis er auf der ersten Etage mit einer älteren Dame zusammenstieß, die gerade aus ihrer Wohnung kam.

»Haben Sie mich aber erschreckt!«

Sie roch nach Medizin, hatte lustige Augen und kaum noch Haare auf dem Kopf.

»Warten Sie auch immer ab, bis diese Herren vorbei sind, Jonas? Die Cindy ist ja eine Nette, aber vor diesen Männern fürchte ich mich. Aber was rede ich. Sie sind ja ein kräftiger junger Mann, natürlich haben Sie keine Angst – Jonas, was sind Ihre Haare lang geworden. Wenn meine mal so wachsen würden!« Sie kicherte und wünschte einen schönen Tag.

Bernhard wusste, es würde keiner werden, und machte sich aus dem Staub.

Nach einem halben Jahr war Jonas' Abwesenheit zu einem Faktum geworden, an dem es nichts mehr zu rütteln gab. Kam das Gespräch auf ihn, endete es immer mit den gleichen Sätzen: Jonas war alt genug, um zu wissen, was er tat. Und solange er nicht gefunden werden wollte, würden sie ihn auch nicht finden.

Gabriele und Bernhard feierten Weihnachten in Leipzig. Es war ein schöner Abend. Sogar mit Baum. Schief und krumm gewachsen, hatte der Händler ihn auf den Müll geworfen. Gabriele hatte ihn entdeckt und aus Mitleid mit nach Hause genommen. Ihre Hände waren zerkratzt von den Nadeln und klebrig vom Harz. Sie hatte den Baum allein die Treppe hinaufgeschleppt. Notdürftig befestigt, brannte an seiner Spitze eine Kerze. Weihnachtsschmuck besaßen sie nicht. Mit einer Flasche Wein lagen sie auf dem Sofa und sahen der Kerze beim Brennen zu, und während Gabriele sagte, dass sie Bernhard liebe, fragte sich Bernhard, ob Gabriele nicht glücklicher wäre, wenn sie mit Jonas Weihnachten feiern könnte.

Diese eine Frage hörte nicht auf, ihn zu quälen. Grundsätzlich glaubte Bernhard mit der Situation leben gelernt zu haben. Alltag hatte sich breitgemacht, und die Erinnerung, die weniger zuverlässig arbeitet, als gemeinhin angenommen wird, hatte ihr Übriges getan, damit der Blick in die Vergangenheit an Schärfe verlor. Jeder neue Morgen mit Gabriele war ein Versprechen auf den nächsten, darauf, dass alles weitergehen würde wie bisher. Sie hatten ihre Spur gefunden, an der sie, wie es aussah, nur noch festhalten mussten. Aber Bernhards Selbstbewusstsein stand auf wackligen Beinen. Lang, dürr und haarig, wie Bernhard urteilte, wenn er an sich hinabsah. Es brauchte nicht viel, und er knickte um. Ein handelsüblicher Albtraum. Mehr nicht. Ein Mensch begegnet in der Nacht gewöhnlich seinen größten Ängsten, erwacht in einem Raum voller Spinnen, schwitzt über den Fragen des Staatsexamens oder wird von seinem Kleiderschrank angefallen, wobei die Grenzen zwischen Traum und Realität bis zur Unkenntlichkeit verwischt werden. Das macht den Horror aus, erzeugt aber auch jenen wunderschönen Moment, in dem das Wachbewusstsein wieder die Oberhand gewinnt und man erleichtert feststellt: Der Schrank steht an seinem Platz, und was geklingelt hat, war nicht das Telefon, sondern der Wecker. Man reibt sich die Augen, massiert sich die Wangen, als habe man Muskelkater vom Schreien, und kann schon bei Kaffee und Marmeladenbrötchen Witze darüber machen, wie blutig es im Bett mal wieder zugegangen ist.

Nicht so bei Bernhard. Obwohl er nicht an die warnende Funktion von Träumen glaubte, gelang es ihm nicht, die nächtlichen Bilder von Jonas im Bademantel abzuschütteln. In respektvollem Abstand waren sie ihm ins Lueg-Haus gefolgt. Im Waldsee, in den Gabriele und Bernhard johlend und kreischend gesprungen waren, erwiesen sie sich als angriffslustig. Mit einem Wort, er fühlte sich elend. Und verfiel schließlich auf den alten Trick, den einen schlechten Gedanken durch einen anderen zu ersetzen. Gabriele hatte ihm mit »Reinhards« und »Frankreich« die Steilvorlage geliefert. Kein sonderlich raffiniertes Manöver, das gestand Bernhard sich ein. Er reagierte über, das konnte schon sein, aber die Vorstellung, dass Gabriele verreisen würde, machte ihm tatsächlich Angst. Bei Sonnenschein und Vogelgezwitscher.

Der nächste Tag war der erste im Monat Juli und setzte alles daran, auch der heißeste zu werden. Schon am Morgen frühstückte Bernhard bei huntergelassenen Jalousien, und das Mittagessen ließ er gleich ganz ausfallen. Selbst in den frühen Abendstunden waren die Straßen noch wie leer gefegt. Wer sich vor die Tür traute, wankte benommen umher. Parkende Autos standen wie glänzende Backöfen auf ihren Plätzen. In der Tram waren alle Fenster aufgerissen; was hereinströmte, fühlte sich an wie Heizungsluft. Hätte Gabriele ihn nicht am Jackett zurückgerissen, wäre Bernhard unter statt in der Bahn gelandet. In seinem Schädel pochte noch das schrille Geräusch der Bremsen, in den Ohren rauschte das Blut. Er hatte die Bahn, die ihn nur um Haaresbreite verfehlt hatte, nicht kommen hören.

»Was hat es jetzt mit diesem Boulanger auf sich?«, fragte er endlich, während die Bahn ruckend zum Stehen kam. »Wieso musst du seinetwegen nach Frankreich?«

»Vor allem müssen wir hier raus«, sagte Gabriele.

Zwischen den Bäumen des Rosentals war es keinen Deut kühler. Wo sich sonst Spaziergänger und Radfahrer auf überfüllten Wegen beschimpften, kam ihnen jetzt ein einziger Golden Retriever entgegen, der mit hängender Zunge sein verbissen joggendes Herrchen verfluchte. Eine Gruppe Erpel trieb im kleinen Teich auf ihren bunten Spiegelbildern.

»Völlig ausgeschaltet«, sagte Gabriele, auf die Enten zeigend. »Kenne ich so nur von dir.«

»Die Erpel und ich treffen uns immer mittwochs zur Selbsthilfegruppe. Es gibt Kaffee und Kuchen.«

»Sich ausschalten. Eine Gabe, die ich für die Reise gut gebrauchen könnte.«

»Dann fahr nicht.«

»Reinhards braucht mich.«

»Um mit dir anzugeben?«

»Seelischer Beistand. Boulanger will ihm seine Firma schenken. Seltsam, oder?«

Bernhard konnte Reinhards nicht leiden. Er verabscheute sein aufdringliches Geschwätz. Gabriele konnte noch so oft versichern, dass Reinhards niemandem etwas Böses wolle – Bernhard sah das anders. Seiner Meinung nach liebäugelte Reinhards ziemlich unverblümt mit der Vorstellung, sich gemeinsam mit Gabriele aus seinem langweiligen Familienglück zu retten. Seine unterwürfige Bewunderung, die billig in Szene gesetzte Geilheit machten ihn rasend, denn beides stellte Reinhards zur Schau, als wollte er auf diese Weise um Erlaubnis bitten, mit Bernhards Frau durchbrennen zu dürfen. Am besten nach Frankreich.

»Boulanger sei sein bester Freund, sagt Reinhards.«

»Dass Reinhards Freunde hat, ist mir neu«, sagte Bernhard.

Gabriele ging es genauso.

»Ich kenne die Schuhgrößen seiner Kinder, ich weiß, welche Sorte Fruchtjoghurt er am liebsten mag und wo man sie bekommt und dass seine Frau Joghurt eklig findet. Aber von einem besten Freund, der darüber hinaus beabsichtigt, ihm sein Lebenswerk zu vermachen, habe ich zum ersten Mal gehört.«

Nach Reinhards' Erzählung, die eine große Portion Spiegeleier mit Bratkartoffeln und Speck in Anspruch nahm und sämtliche Taxifahrer auf die hinteren Plätze verwies, war Boulanger das Kind einer deutschen Mutter und eines französischen Vaters. Die Wirren der Nachkriegszeit hatten die Familie nach Tübingen gespült. Dort hatte Boulanger zusammen mit Reinhards Architektur studiert, war dann aber nach Paris gezogen, weil er lieber Wein trank als Bier. Lange Zeit schlug er sich mit Kleinstaufträgen mehr schlecht als recht durch, bis er eine auf den ersten Blick unscheinbare Idee in die Tat umsetzte und mit Fußgängerbrücken aus Plexiglas reich wurde. Die sahen modern aus und waren dank eines neuen Konstruktionsverfahrens kostengünstig zu produzieren. Inzwischen musste Boulanger nicht mehr arbeiten und hatte auch keine Lust mehr dazu. In Zukunft wollte er Aale angeln, weswegen er für seine Firma eine symbolische Summe verlangte, die dem Preis für einen mobilen Verkaufsstand mit angeschlossener Räucherkammer entsprach.

»Wo ist der Haken?«, fragte Bernhard.

»Kein Haken, meint Reinhards. Vielmehr die Chance seines Lebens. Eine Lizenz zum Gelddrucken.«

»Dann wird er sein Leipziger Büro nicht mehr benötigen, und du sitzt auf der Straße.«

»Nein. Wir werden nur noch schöne Häuser bauen.«

»Oder er setzt dich in Frankreich als Geschäftsführerin ein, damit wir eine Distanzbeziehung führen, die uns langsam, aber sicher zerrüttet. Dann reicht er die Scheidung ein und hält um deine Hand an.«

»Spinn nicht rum. Reinhards kann kein Wort Französisch. Deshalb soll ich ja mitkommen.«

»Klar. Weil die Franzosen selbst im 21. Jahrhundert noch kein Englisch sprechen.«

»Hast du mal Reinhards' Englisch gehört? Bühnenreif.«

»Aber der rätselhafte Boulanger spricht doch Deutsch!«

»Er will eben nicht allein fahren.«

»Das ist alles vollkommen absurd.«

»Ich hab es mir nicht ausgedacht«, sagte Gabriele.

Für einen Augenblick stellte Bernhard sich vor, wie es wäre, wenn Jonas aus dem Nichts aufkreuzen würde, um ihm eine Firma zu schenken. Als Wiedergutmachung, weil er eingesehen hatte, dass er, Jonas, bei Bernhard in der Kreide stand und nicht umgekehrt.

»Fahr nicht. Ich hab kein gutes Gefühl.«

»Bernhard«, sagte Gabriele. Ihre Lippen schmeckten salzig. »Es ist nur eine dumme Reise. Mehr nicht.« Sie wies nach vorn. »Wir sind da.«

Sie hatten die Parkflächen des Rosentals durchquert und waren in Gohlis herausgekommen, einem Stadtteil im Norden, über dem im Winter Krähenschwärme kreisten und im Sommer der erdrückende Gestank des Zoos lag. Bernhards Chef wohnte in einem Nobelviertel, in dem alte Kaufmannsvillen mit dicken Hintern auf grünen Rasenflächen zwischen Trauerweiden hockten. Das Haus war groß wie eine Burg. Es hatte einen fünfeckigen Turm auf der linken Seite für die Leute, die in der linken Hälfte wohnten, und einen fünfeckigen Turm auf der rechten Seite für die Leute, die in der rechten Hälfte wohnten. Für die Gohliser Architektur gab es nicht genügend Millionäre in der Stadt. Viele Gebäude waren in mehrere Wohn- oder Büroeinheiten unterteilt.

Im Vorgarten spielten zwei Jungen in roten Badehosen mit einem Rasensprenger, der einen hin und her kippenden Wasserfächer versprühte.

»Guck mal, Zwillinge«, sagte Bernhard.

Mit Anlauf rannte der eine Junge über den Sprenger hinweg, wurde voll erwischt, Wasser zerstob in Wolken an seinen Schenkeln, während sich der andere vor Schadenfreude bog. Nass klebten ihnen die Haare an den Köpfen. Ihre Schultern waren sonnenverbrannt.

Gabriele suchte Ackermanns Namen auf dem Klingel-schild, das Messing zeigte ein gelbliches Spiegelbild ihrer gerunzelten Stirn. Appel, Kotten, Steinborn, Sterk. Sie rich-tete sich auf. In der Nachbarvilla zur Linken war eine IT-Firma mit kameraüberwachtem Eingang; rechts befand sich irgendein Konsulat mit exotischer Flagge.

»Spinnen wir jetzt? Das ist doch das richtige Haus, oder nicht?«

Die Jungen stachelten sich gegenseitig mit schrillen Stim-men an, es noch einmal zu wagen. Gabriele folgte Bernhards Blick.

»Zwillinge? Du brauchst eine Brille. Die sehen sich nicht mal ähnlich.«

Sie wandte sich wieder dem Schild zu und konnte nicht glauben, dass Ackermanns Name fehlte.

»Er ist doch nicht umgezogen seit letztem Jahr? Bernhard? Hast du vergessen, dass er umgezogen ist?«

Der größere Junge setzte zum Spurt an, ging dabei rück-wärts und schüttelte sich. Sein Bauch war rund, saß wie ein mit Wasser gefüllter Luftballon über den Hüftknochen. Der zweite Junge war kleiner und dürr, hatte X- statt O-Beine und außerdem längere Haare. Gabriele hatte recht. Sie sahen sich nicht einmal ähnlich.

»Hallo!«, rief Gabriele. »Hörst du mich? Es gibt hier kei-nen Ackermann.«

»Was?«

»Wir sind in ein Paralleluniversum geraten, in dem Acker-mann nie existiert hat.«

Bernhard blickte sie so erschrocken an, als hätte sie im Ernst gesprochen. Er warf das Jackett über die linke Schulter und beugte sich vor. Unter seinen Armen hatten sich Schweißflecken gebildet. Von hinten sahen sie aus, als versuchten sie nebeneinander durchs Schlüsselloch zu spähen.

Kein Ackermann. Dafür ein zweiter Eingang, auf der anderen Seite des Hauses. Mit der gleichen Steintreppe, dem gleichen gemauerten Bogen, dem gleichen Jugendstiltor, dem gleichen glänzenden Messingschild. Gabriele lachte, während sie hinübergingen.

»Sag doch gleich, was du mit Zwillingen meinst.«

Sie drückte den Klingelknopf, Bernhard warf einen letzten Blick auf die spielenden Kinder. Er fühlte sich verwirrt, als hätte er nur akustisch verstanden, was Gabriele zu ihm sagte, ohne den Sinn ihrer Worte zu begreifen. Es kam ihm vor, als wäre soeben etwas Merkwürdiges passiert. Es war sieben Uhr abends und einfach viel zu heiß.

Das Schloss summte und verstummte, als sich Gabriele dagegenstemmte. Bernhard beschloss, sich auf den Abend zu freuen. Was im Grunde eine denkbar leichte Aufgabe war. Ackermann würde seinen Weinkeller plündern, weil es ihm Spaß machte, über die Stränge zu schlagen, würde fürstlich kochen, weil er wollte, dass es allen gut ging, und sich den ganzen Abend darüber freuen, dass er Gäste hatte. Das war seine Natur. Er war glücklich, wenn er in satte und zufriedene Gesichter schaute. Mit der Einsamkeit wusste Ackermann nichts anzufangen. Er war am Rhein groß geworden, und dort war Einsamkeit etwas, das man am Tresen teilte.

Das Treppengeländer war grau gestrichen und wie die Haut eines Schiffs aus genietetem Stahl gebaut. An der Wand führte ein handbreiter Streifen blassgrünen Lilienmusters von Etage zu Etage, und auf jedem Treppenabsatz hatte jemand mit geübtem Pinselstrich das Jugendstilmuster der Fenster reproduziert. Das Parkett im Treppenhaus glänzte, die Tür zu Ackermanns Wohnung beäugte sie mit gesenkten Lidern.

Ackermann sprach gern und viel über seine Wohnung, fast so, als würde es sich um ein Lebewesen handeln. Er war stolz darauf, kein Wohnzimmer zu besitzen – Wohnen, pflegte er zu sagen, wie soll das überhaupt gehen, und dann noch in einem Zimmer –, es gab ein Kaminzimmer mit Kamin und ein Esszimmer, in dem gegessen wurde, sowie einen Weinkeller, der kein Keller war, sondern wie der Rest der Wohnung im dritten Stock lag und künstlich klimatisiert wurde. Außerdem gab es natürlich Küche und Bad und dazu zwei Zimmer ohne Funktion, die deshalb »Gästezimmer« genannt wurden. Das Überangebot an Räumen stellte gewissermaßen ein Denkmal für Ackermanns Frau dar, die vor Borkum ertrunken war – ein Krampf im Bein, zu viele Meter zwischen ihr und dem Ufer. Für Ackermann kam es nicht in Frage, sich zu verkleinern – als könnte seine Frau eines Tages doch noch zurückkommen. 220 Quadratmeter Altbau verlangten eigentlich nach einem Diener, und etwas in der Art kam jetzt tatsächlich an die Tür.

Tom sagte »Willkommen«, nahm Bernhard das Jackett ab und eilte ihnen voraus. Sein Körper war gedrungen, der Brustkorb aufgebläht wie bei einem Kraftsportler. Tom studierte Politik, sprach aber nicht oft davon. Ihm war es wichtig, bodenständig zu bleiben. Er war mit Ackermanns Sekretärin Klarissa verlobt. Und hatte einen Narren an Bernhard gefressen. Wann immer möglich, suchte er seine Nähe, da sie, in seinen Augen, Verbündete waren, weil sie beide ihre Frauen aufrichtig liebten und es im Gegensatz zum überwiegenden Teil der Männer ablehnten, ihre Beziehungen beim Bier mit Freunden schlechtzureden. Wogegen genau sie jedoch verbündet waren, hatte er Bernhard nicht erklären können und lieber das Thema gewechselt.

»Sie sind da!«, rief er, als wäre es sein Verdienst, und gewährte ihnen gleichzeitig, mit großzügiger Geste, den Vortritt. In der Küche schlug ihnen der Geruch von gedünstetem Spinat und gebratenen Champignons entgegen. Ackermann und Dombek trugen Schürzen und waren über und über mit Mehl bestäubt. Mehl an den Weingläsern, auf und unter dem Tisch, an dessen Seite eine Nudelwalze befestigt war. Ackermann drehte die Kurbel, Dombek hielt den Teig. Sie sahen wie abgehalfterte Fernsehköche aus.

»Gabriele«, sagte Dombek. »Schön, euch zu sehen.«

Nahm Gabriele in die Arme, während er Bernhard auf die Nasenspitze schaute. Dombek war zehn Jahre jünger als Ackermann und sah zehn Jahre älter aus. Zwischen den eingefallenen Wangen wirkten seine schmalen Lippen stets gespitzt. Die Haare trug er vor die Ohren gekämmt. Dem weichen Körper zum Trotz war seine Haltung militärisch. Der Händedruck allerdings entzog sich. Zwei Mal ließ er den Blick von Bernhard auf die Wand hinter ihm gleiten und wieder zurückspringen, als wolle er sichergehen, dass Bernhard, genau wie die Wand, tatsächlich da war. Seine Augen waren farblos. Grauer Star im fortgeschrittenen Stadium.

Der Grund, warum Bernhard seit seiner Einstellung Dombeks Job in der Kanzlei erledigte, hatte allerdings nichts mit dessen schlechten Augen zu tun. Zunächst waren es nur kleine Missgeschicke gewesen. Dombek verlegte ein Schreiben oder schickte es einem falschen Klienten, so dass der geschiedene Vater mit anhängiger Unterhaltsklage einen Bericht über unrechtmäßig gezogene Jägerzäune zu lesen bekam. Dann vergaß Dombek eine Verhandlung vor dem Amtsgericht und tauchte stattdessen vor dem Landgericht auf, um dort für ein bereits verkündetes Urteil zu streiten. Lautstark bestand er darauf, dass es zehn Uhr und er der Anwalt des Beklagten sei und dass ein Quadratmeter Gartenfläche mehr oder weniger durchaus eine Rolle spiele. Fünf Wochen später kam er nicht ins Büro. Ackermann fand ihn unweit vom Neuen Rathaus im Park zwischen Studenten auf einer Bank sitzend, vor sich einen Hund, den er mit Brot fütterte, als sei er eine Ente. Dombek hatte keinen Hund.

»Habe ich nicht?«

»Nein«, sagte Ackermann.

»Ich dachte.«

Die Situation wurde untragbar. Bernhards dritter Arbeitstag war keine drei Stunden alt, er war noch immer damit beschäftigt, das Ablagesystem seines Vorgängers zu verstehen, da tauchte Dombek, durchnässt vom Platzregen und fluchend über den Zustand seiner Kleider, mit einer Aktentasche bewaffnet im Büro auf und schüttelte die Füße, als stünde tatsächlich Wasser in seinen Schuhen. Er trat dicht an den Schreibtisch heran. Etwas Drohendes ging von ihm aus, und Bernhard, der hinter dem Schreibtisch stand, einen Stapel Akten wie einen Abwehrschild vor der Brust, brachte kein Wort heraus.

»Und wer sind Sie?«, fragte Dombek, als würde ihn die Anwesenheit eines Fremden in seinem Büro nicht sonderlich überraschen.

»Ich ...«, begann Bernhard, wurde aber gleich von weiteren Flüchen über den Zustand der Kleider unterbrochen.

»Wussten Sie, dass es heute regnen würde? Sie sind ja trocken, mein Herr, aber ich – dieser Anzug war von hellem

Grau und will jetzt nachtschwarz sein, während mir die Haare an der Kopfhaut kleben. Meine eigene Sekretärin würde mich nicht erkennen. Wie ein Penner schaue ich aus. Und dann meldet man mich wieder als vermisst.«

»Ich bin sicher, Klarissa würde Sie …«

»Ja, junger Mann, natürlich glauben Sie das. Aber Sie haben ja auch keine Ahnung.«

Dombek beugte sich mit geradem Rücken vor und flüsterte Bernhard ins Ohr.

»Allein in Deutschland werden über fünftausend Menschen vermisst. Glauben Sie, die werden alle entführt? Ist doch lächerlich! Dann müsste es schon ganze Städte geben, in denen nur die Vermissten leben. Hm?«

»Ja.«

»Ich verrate Ihnen etwas. Wer gekidnappt wird, wird irgendwann freigekauft oder umgebracht. Und wer wegläuft, kommt wieder. Dauert im Regelfall keine achtundvierzig Stunden. Ufos gibt es nicht, da sind wir wohl einer Meinung. Logische Konsequenz: In Wahrheit sind die fünftausend Leute nicht verschwunden. Sie wurden ausgetauscht. So funktioniert das.«

»Wie funktioniert das?«

Die Nachfrage kam Bernhard ungewollt über die Lippen. Es lag ihm nichts daran, den verwirrten Mann zu kompromittieren, im Gegenteil, etwas in ihm empfand Sympathie für diesen ungebetenen Besucher, der eifrig auf ihn einredete.

»Wie es funktioniert? Er fragt mich, wie es funktioniert! Sie haben Humor! Klar, Ihr Anzug ist ja auch trocken. Schön hellgrau – wie ehemals meiner.«

Dombek richtete sich auf und lief im Kreis.

»Über eine Irritation. Eine kleine Irritation. Die menschliche Wahrnehmung funktioniert nach dem Prinzip des Wiedererkennens. Was gestern war, ist heute auch so. Und morgen ebenfalls. Das muss so sein, damit jeder ›ich‹ sagen kann und weiß, was er damit meint. Spielt man aber nur ein kleines bisschen an den Einstellungen herum, gerät alles aus den Fugen. Ich zum Beispiel habe nie schwarze Anzüge getragen. Niemals. Und kaum betrete ich in einem anscheinend schwarzen Anzug meine Stammbäckerei, erkennt mich Frau Ruhmann nicht wieder. Verstehen Sie? So funktioniert das. Und wenn Sie jetzt immer nur graue Anzüge getragen hätten und zur Arbeit kämen und aussähen wie ein begossener Pudel, dann wären Sie auch nicht mehr sicher, ob man Sie nicht ausgetauscht hat.«

»Ich«, sagte Bernhard vorsichtig, »sitze hier schon seit Stunden.«

Dombek blieb stehen und fixierte ihn. Für einen Moment bildete Bernhard sich ein, es würde zu Handgreiflichkeiten kommen. Dombek schob die Lippen vor. Seine Augenlider flatterten.

»Es soll Leute geben, die erspüren das Wetter«, sagte er nachdenklich und fuhr sich über den Mund. »Gehören Sie dazu?«

»Es war ein Platzregen. So etwas ist schwer abzuschätzen.«

»Ja, richtig. Ein Platzregen.«

Die Vorstellung gefiel Dombek.

»Sie arbeiten hier wohl?«

»Ich ...«

»Ja«, sagte Dombek, »natürlich arbeiten Sie hier. Sie sind noch nie durchs Raster gefallen. Sie sind trocken.«

Mit drei Schritten war Dombek durch die Tür und ebenso plötzlich verschwunden, wie er aufgetreten war. Bernhard glaubte, die seltsam aufrechte Gestalt Dombeks noch durch das Holz hindurch sehen zu können, wie er im Flur darüber nachdachte, was soeben geschehen war. Als die Tür wieder aufging, erwartete Bernhard weitere Fragen und Flüche. Ackermann erwartete er nicht.

»Entschuldige wegen Dombek«, sagte er, genau an der Stelle stehend, wo eben noch sein ehemaliger Partner gestanden hatte. Die Curly zwischen Ackermanns Lippen brachte einen Geruch nach verbrannter Vanille mit, der gut zum Regen passte. Bernhard überlegte, ob die Wasserflecken aus dem Teppich herausgehen würden. Er hatte das Gefühl, sich ebenfalls entschuldigen zu müssen. Dafür, dass er sich seit Montag in einem Büro aufhielt, das er nicht eingerichtet hatte, mit Bildern an den Wänden, die nicht seine waren, mit Akten und Notizen vor sich, die nicht von ihm stammten.

»Worüber habt ihr gesprochen?«

Ackermanns lachlustiges Gesicht schaute ernst drein, der Rollkragenpullover spannte über dem Doppelkinn.

»Über den Regen«, sagte Bernhard und konnte das Gefühl, verantwortlich zu sein, nicht unterdrücken. Wenn nicht für Dombek, so doch fürs Wetter. Er wollte Ackermanns Sorgen zerstreuen.

»Das ist gut.«

Sie schwiegen, weil unklar war, ob noch mehr gesprochen werden musste, und wenn, von wem und worüber: über die Wassermassen, die vor dem Fenster niedergingen, oder über Dombek.

Schließlich setzte sich Ackermann ungelenk auf die Kante des Schreibtischs.

»Dombek und ich haben zusammen studiert. In Kiel. Er hat die Rechtswissenschaften von Anfang an geliebt. So wie ich die Frauen. Ohne ihn hätte ich keins der Examen geschafft. Als ich weg wollte, kam Dombek mit, ohne Fragen zu stellen. Diese Kanzlei haben wir zusammen aufgebaut.«

Ackermann suchte nach einem Aschenbecher. Bernhard, der die erste Zigarette stets bis zur Mittagspause hinauszögerte, schob ihm eine benutzte Tasse hin. Die Asche landete zischend im Kaffeesatz.

»Ich kenne Dombek so gut wie mich selbst. Er ist ein feiner Kerl. Es ist nur – er vergisst Sachen und erfindet neue hinzu, um die Lücken zu füllen. Vollkommen harmlos.«

Versonnen strich Ackermann die Glut an der Tasse ab.

»Ich kann Dombek nicht einfach in eine Klinik sperren, verstehen Sie?«

Bernhard nickte und verstand es wirklich.

»Ich hoffe, er hat Sie nicht erschreckt?«

»Nein«, sagte Bernhard.

Ackermann rutschte vom Schreibtisch. Er war sichtlich zufrieden mit dem Gespräch.

»Hören Sie, Duder. Sie haben sich doch den 30. freigenommen. Was halten Sie davon, wenn ich Dombek, Sie und Ihre Frau am Abend darauf bei mir zu Hause bekoche?«

Bernhard stimmte zu.

»Schön. Sie sind ein mutiger Mann«, sagte Ackermann und fand zu seiner guten Laune zurück. »Und Klarissa nehmen wir auch mit.«

Seitdem gehörte das Essen bei Ackermann am 1. Juli dazu, genau wie unfertige Häuser dazugehörten und der kleine Abreißkalender neben der Espressomaschine.

»Hier entlang«, sagte Tom, gab noch immer den Diener, der dafür Sorge tragen musste, dass die Köche nicht bei der Arbeit gestört wurden. Er geleitete sie ins Kaminzimmer, wo, bei diesen Temperaturen, natürlich kein Feuer brannte. Die Möbel waren englisch; Regale, Kommode, Tisch, alles aus glänzendem Nussholz. Es roch nach Öl zur Behandlung der Oberflächen und nach Staub, obwohl alles blitzblank war. Gemälde in vergoldeten Rahmen machten sich gegenseitig den Platz an den Wänden streitig, und inmitten dieser Opulenz wirkte Klarissa, die mit gekreuzten Beinen in einem Sessel saß, ein wenig deplatziert. Sie rauchte nicht, balancierte kein Glas auf ihrem gestrafften Schenkel, interessierte sich nicht für Kunst und hatte es auch nicht nötig, die Hände mit dem Putzen ihrer randlosen Brille zu beschäftigen. Sie wartete einfach – in der unumstößlichen Gewissheit, nicht vergessen zu werden. Ihr Anblick irritierte Bernhard. Er kannte sie nur in Anzügen und flachen Schuhen, wie man sie an christlichen Frauen mittleren Alters sieht. Bei Ackermanns erster Einladung hatte sie sorgfältig gekaut, war schweigsam und schüchtern gewesen. Heute war sie barfuß, trug ein orangefarbenes Kleid, das viel Bein zeigte und ihre schmale Taille betonte. Neben ihr sah Tom wie ein plumper Brite aus. Gabriele küsste sie auf beide Wangen, Bernhard umarmte sie vorsichtig. Er wusste nichts von ihr, außer dass sie gewissenhaft war, jedoch Schwierigkeiten mit der Rechtschreibung hatte, vor allem mit der Zeichensetzung bei erweitertem Infinitiv. Ihre Aussprache war ein bisschen feucht, weshalb sie sich beim Sprechen immer wieder in den Mundwinkel fasste, um eventuelle Ansammlungen von Spucke zu entfernen. Bernhard sah sie im Profil, wenn sie am Computer arbeitete, und frontal, wenn sie die Klebekante eines Kuverts mit ausgestreckter Zunge befeuchtete. Durch eine Tür von ihm getrennt, war sie dennoch immer anwesend, klopfend oder am Telefon: »Herr Duder ...?« So selbstverständlich, dass ihre Gegenwart kaum auffiel. Bevor Bernhard in die Kanzlei kam, hatte sie mit Dombek zusammengearbeitet. Danach gefragt hatte Bernhard sie nie. Genauso wenig hatte er jemals darüber nachgedacht, ob dieses Mädchen gern in seinem Vorzimmer saß. Bernhard musste sich eingestehen, dass er Klarissa zu keinem Zeitpunkt wirklich ernst genommen hatte, und schämte sich für seine Missachtung. In der Küche ging Porzellan zu Bruch. Ein Topfdeckel kreiselte laut scheppernd auf den Kacheln, wurde schneller, leiser und kam schließlich, nur noch vibrierend, zum Liegen.

»Betreten der Küche auf eigene Gefahr«, sagte Klarissa.

Bernhards Lachen klang hölzern. Er wusste nicht recht, wie er dieser neuen Klarissa begegnen sollte. Zum ersten Mal war er froh, dass Tom ihn am Arm packte und auf die andere Seite des Raums zum Schachtisch zerrte. Die Felder waren aus Elfenbein und Ebenholz gefertigt. Im Sockel beherbergte der Schachtisch Ackermanns Whisky-Sammlung, der Tom mit großer Selbstverständlichkeit eine ehrwürdig aussehende Flasche entnahm. Bernhard ahnte, dass er den gutmütigen und sehr wahrscheinlich bald betrunkenen Politikwissenschaftler den Abend über nicht loswerden würde. Tom war anhänglich wie ein ausgesetzter Hund auf der Suche nach einem neuen Herrchen. Mittags kam er absichtlich zu früh in die Kanzlei, um Klarissa zum Essen abzuholen, klopfte bei Bernhard und setzte sich, ohne eine Aufforderung abzuwarten, in den Besuchersessel. Am Anfang hatte Bernhard versucht, die Flucht zu ergreifen, schob einen Auswärtstermin vor und eilte zur Garderobe, um das Jackett anzuziehen, Geld und Telefon einzustecken. Tom lief ihm hocherfreut hinterher, als hätte Bernhard die Leine vom Haken genommen, um mit ihm spazieren zu gehen. Sie gingen tatsächlich spazieren. Bernhard voraus, mangels besserer Ziele Richtung Amtsgericht, Tom ihm treuherzig auf den Fersen, mit gedämpfter Stimme auf ihn einredend. Er kehrte erst um, als es Zeit wurde, seine Verabredung mit Klarissa einzuhalten, verabschiedete sich mit Schulterklopfen und ließ Bernhard ohne Gerichtstermin vor den Toren des Amtsgerichts zurück. Seitdem versuchte Bernhard weiterzuarbeiten, während Tom in seinem Besuchersessel saß und mit vertraulicher Stimme sprach. Er verstand nicht, wie Tom auf die Idee kam, dass zwischen ihnen eine geheimbundartige Männerfreundschaft bestehe. Ohne Wissen und Wollen musste er bei ihrer ersten Begegnung einen Code ausgesendet haben, auf den sich Tom seither berief. Klarissa hatte sie im Foyer der Kanzlei einander vorgestellt – Bernhard, Tom, Tom, das ist Bernhard –, und Bernhard hatte vielleicht »Wie geht's?« gefragt, während Klarissa ihren Blazer holen gegangen war. Woraufhin Tom ihn mit seinen murmelgrünen Augen verschwörerisch angeschaut hatte.

Tom reichte ihm die Flasche und stellte das Glas ab, bemerkte seinen Irrtum und beeilte sich, ihn wiedergutzumachen, indem er das Glas füllte und die Flasche wegstellte. Bernhards Blicke wanderten immer wieder zu Klarissa hinüber. In diesem Kleid war sie definitiv nicht seine Sekretärin. Er fragte sich, ob er sie überhaupt erkennen würde, wenn sie in einer überfüllten Kneipe plötzlich vor ihm stünde.

Tom bemerkte seine Blicke.

»Ist schon ein klasse Mädchen, was?«

Er wies mit dem Kinn auf seine Verlobte, wobei er jenes Grinsen aufsetzte, das Bernhard oft genug in den Gesichtern von Kommilitonen gesehen hatte, die sich zweimal am Tag rasierten, weil sie glaubten, damit den Bartwuchs zu fördern. Ein Grinsen, wie es die trockene Luft der Bibliothek und die Enge in den Vorlesungen geradezu heraufzubeschwören schien, wann immer ein weibliches Wesen in der Nähe war. Als Adressat dieses Grinsens kam sich Bernhard wie ein Erstsemester vor, gekleidet in einen Pullover mit V-Ausschnitt, Krawatte und perfekter Bügelfalte – stolz auf seine Leistung, seinen Reichtum und sexuelle Ausschweifungen.

»Jetzt probier doch mal«, sagte Tom und wippte auf den Fersen.

Bernhard roch an der korngelben Flüssigkeit.

»Connemara. Irish Whiskey«, sagte er, peinlich berührt von seinem laienhaften Fachwissen. »Ein interessanter Tropfen.«

Bernhard hatte nie Pullover mit V-Ausschnitt getragen und nie mit den »Kollegen« die Köpfe zusammengesteckt, nicht in der Bibliothek, nicht auf den Partys, von denen die fantastischsten Dinge berichtet wurden, nicht im Hörsaal, während der alte Mann dort unten an der dreiteiligen Tafel mit seinen Ausführungen zum Erlaubnistatbestandsirrtum langweilte, und nicht zwischen den Seminaren, wenn man lässig in einer Pfütze Sonne saß. Bernhard fehlte schlichtweg die Praxis im Umgang mit Klasse-Mädchen-Äußerungen. Er wäre gern alt gewesen. Dann hätte er sich mit Tom über das Schachbrett beugen und die strategische Lage der angebrochenen Partie zwischen Ackermann und Dombek diskutieren können, von Zeit zu Zeit einen kleinen Schluck Whiskey nehmend, der schmeckte, als habe man Holz getrocknet, angezündet und den Rauch in Wasser aufgelöst. Ab und zu hätte er die Beratung über die Schachpartie unterbrochen, um seiner Bewunderung für Schönheit, Liebreiz und Eleganz dieses klasse Whiskeys Ausdruck zu verleihen. Würdevoll wäre ihm das erschienen. Aber sie berieten nicht, waren nicht alt, sondern ein Politikstudent, der sein Glas in einem Zug hinunterkippte, und ein junger Anwalt, der sich fragte, ob er zu Klarissa hinübergehen und ihr sagen sollte, dass er sich jetzt gemerkt hatte, wie sie aussah, und dass er sie überall wiedererkennen würde, versprochen.

Tom schenkte nach, diesmal schottisch, die Spiritusvariante, die dem unerfahrenen Scotchtrinker zuerst Brechreiz verursacht, im letzten Moment aber mit einem angenehm aufsteigenden Salzaroma überrascht. Bernhard suchte nach Gegenständen im Raum, die er mit geheucheltem Interesse betrachten könnte, und merkte deshalb nicht, dass Tom keineswegs absichtlich großspurige Bemerkungen vom Stapel ließ, sondern dass er nur nach der passenden Tonlage suchte, um ein vertrauliches Gespräch zu führen.

»Trink nicht so viel«, sagte Klarissa von der anderen Seite des Raums.

Sie saß noch immer auf dem grün gepolsterten Sessel und sah aus wie ein frisch gemaltes Porträt, die Farbe noch feucht und glänzend. Gabriele lehnte an der Wand und drehte eine Zigarette.

»Sie hat recht«, sagte Tom zu ihm und füllte sein Glas. »Ich kann so viel zur Uni gehen, wie ich will. Recht behält trotzdem immer sie. Besser, ich hätte Jura studiert.«

Das war als Scherz gemeint. Bernhard gab sich Mühe, standesgemäß zu antworten: »Das kommt darauf an.«

»Mit Sakko und Schlips sähe ich neben ihr vielleicht nicht mehr wie ein Trottel aus.«

Bernhard verlagerte unruhig sein Gewicht von einem Fuß auf den anderen.

»Und weißt du das Beste?«, fragte Tom leise. Klarissa war misstrauisch geworden und gab sich sichtlich Mühe mitzubekommen, was die Männer redeten. Bernhard hatte nie verstanden, warum Menschen die Augen zusammenkneifen, um besser hören zu können. Klarissa kniff die Augen zusammen. Tom zog Bernhard auf den Balkon und flüsterte trotzdem:

»Das Weib plant Hochzeit!«

Fast umarmte er Bernhard bei diesen Worten, und Bernhard fühlte jene Ablehnung, die ein Enkel in den Armen der Oma empfindet, wenn er in der Herzlichkeit ihre Einsamkeit spürt und in ihrer Einsamkeit eine unüberbrückbare Fremdheit.

»Und ich liebe sie über alles.«

Auf dem Balkon befand sich ein zweiter Schachtisch, nicht aus Holz, sondern aus Metall, mit braunen und weißen Feldern und angetrockneten Rotweinrändern. Ein Mobile aus Mücken tanzte ungestört um sich selbst. Wind gab es keinen. Im Hof vor den Garagen spielte eine Grundschülerin in der prallen Sonne mit Kieselsteinen, legte sie zu Mustern und brachte sie wieder in Unordnung, während ihr pinkfarbenes Stofftier, von der Hitze dahingerafft, alle viere von sich streckte.

»Aber die eigentliche Frage lautet doch, bin ich gut genug für sie?«

Auf dem kleinen Stück Rasen ein runder Gartentisch und zwei umgekippte Klappstühle. Auf dem einen Balkon trockneten Jeans und Socken, auf dem anderen die Blumen. Von unten dampfte der Geruch vom Grillanzünder herauf. Es wurde gelacht. An Bernhards Wirbelsäule rann der Schweiß hinab. Am liebsten wäre er nach unten gegangen, um den

Abend bei gegrilltem Fleisch und kaltem Bier zwischen völlig fremden Menschen zu verbringen, statt darüber nachzudenken, ob Tom sich einen perfiden Spaß mit ihm erlaubte, indem er Bernhards Ängste als die eigenen verkaufte. Denn als bei seiner Heirat mit Gabriele gefragt wurde, ob irgendjemand Einwände gegen die Eheschließung vorbringen wolle, fühlte Bernhard den unwiderstehlichen Drang, »Ja, ich!« zu rufen.

»Ehrlich, Bernhard. Glaubst du, dass ich diese Frau glücklich machen kann? Ich meine, bis dass der Tod uns scheidet.«

Bernhard schwieg, schaute auf seine unterschiedlichen Schuhe und bewegte die Zehen, während unten am Grill eine Frau kicherte und Tom weiter auf ihn einredete, gehetzt, als würde ihm die Zeit davonlaufen. Tom mochte eine Witzfigur sein. Aber er war kein schlechter Mensch. Bestimmt hätte er Freude daran, dort unten neben dem Mädchen vor den Garagen zu sitzen und mit ihr gemeinsam die Wunder der Geometrie zu entdecken. Er hätte darauf geachtet, dass das Stofftier ein schattiges Plätzchen bekam, und die Schultern des Kindes mit Sonnenmilch eingerieben. Tom bestand aus dem festen Entschluss, sich Mühe zu geben. Wann immer es ihm möglich war, führte er Klarissa in der Mittagspause aus und holte sie abends ab. Die Haare hatte er sich auf ihren Wunsch kürzer schneiden lassen, das Hemd stopfte er seit Neuestem in die Hose. Er hatte sich vom Kettenraucher zum Gelegenheitsraucher umgezogen. Aber über das Geheimnis, welche Substanz zwei Menschen verbindet und welche sie trennt, sagte das alles herzlich wenig aus.

»Das ist eine Frage, auf die es keine Antwort gibt«, wollte Bernhard erwidern und am liebsten noch hinzufügen: »Vielleicht auch nicht geben darf.«

Und Tom hätte geantwortet: »Mit der Liebe ist es wie mit

dem Bewusstsein. Wir wissen nicht, wie es funktioniert. Und falls wir es eines Tages begreifen, verwandeln wir uns in Maschinen ...« Oder so.

Aber als Bernhard aufsah, den Mund schon zum Sprechen geöffnet, war Tom verschwunden.

»Cut!«, rief eine Frau lachend am Grill, in diesem Augenblick bestimmt glücklich und hörbar außer Atem. »Stopp! Ich kann nicht mehr.«

Der Schachtisch vor Bernhard war gedeckt. Aufgeschnittenes Landbrot, eine große Schüssel mit Schnittlauchquark, Champagnergläser, halb ausgetrunken. Gabrieles Zigarette qualmte, nur zur Hälfte geraucht, im Aschenbecher. Klarissa kam heraus und sagte, dass sie wohl doch keine Pizza bestellen müssten. Tom sei in der Küche ein ausgezeichneter Krisenmanager. Bernhard klappte den Mund zu. Ihm fehlte etwas. Mindestens eine Viertelstunde.

»Das ist ein Pistaziendip«, erläuterte Klarissa, und Bernhard stellte erstaunt fest, dass die leuchtend grünen Schnittlauchröllchen in der weißen Masse verschwunden und durch Pistazienstücke ersetzt worden waren. »Deswegen hat Dombek so viele Pflaster an den Fingern. In der ganzen Stadt hat es keine geknackten Pistazien gegeben. Oder sagt man geschält? Egal. Auf alle Fälle echte Handarbeit.«

Sie tunkte Brot in den Dip und biss hastig ab, da die grünliche Masse abzustürzen drohte, kaute expressiv und gab zustimmende Laute von sich.

»Als Kind«, sagte Klarissa mit dem Stück Brot in der Backe, »habe ich eine ganze Einkaufstüte voll Haselnüsse für Nussecken gesammelt. Und als ich stolz meine Tüte in der Küche ablud und backen wollte, sagte mein Vater: ›Zuerst musst du an die Nüsse rankommen.‹«

Klarissa machte eine Pause. Bernhard hatte sie noch nie so lange am Stück reden gehört.

»Mit der Hand?«

»Mein Vater sagte: ›Knack die Nüsse, dann helfe ich beim Backen.‹ Also bin ich in den Keller gegangen und habe es gemacht. Mit dem Hammer. Auf der Werkbank im Keller. Ich konnte den Hammer kaum heben, er verfehlte aber seine Wirkung nicht.«

»Und dann wurde gebacken?«, fragte Bernhard.

»Als ich die Nüsse geknackt hatte«, sagte Klarissa, »war mein Vater ausgezogen.«

Der unerwartete Ernst sorgte dafür, dass beide nicht wussten, was als Nächstes passieren sollte – müsste. In einer Runde wären die Blicke beschämt zu Boden gesunken. Alle Anwesenden hätten ihre Schuhe gemustert und gehofft, dass der ersten überraschenden Wendung eine zweite folgen und Klarissa mit dieser nicht zu lange auf sich warten lassen würde. Bernhard aber hatte gerade eben schon beim Betrachten seiner Schuhe auf rätselhafte Weise ein Stück Zeit unbestimmter Größe verloren, weshalb er sich jetzt bemühte, den Blick oberhalb des Balkongeländers zu halten. Er begrüßte es, ein Gespräch mit seiner Sekretärin zu führen, in dem es nicht um berufliche Angelegenheiten ging, hätte sich das Ganze aber etwas unverfänglicher gewünscht. Glücklicherweise brauchte Klarissa keine Hilfe beim Weiterreden.

»Die neue Frau war zwanzig Jahre jünger als mein Vater – und die Tochter unserer Nachbarn. Als er mit ihr zusammenzog, war sie schwer erkrankt. Mir sagte er, dass er nie eine andere Frau so geliebt habe. Und dass es ihm leidtue. Ich dachte, er würde sich dafür entschuldigen, mich nicht so sehr lieben zu können wie sie.«

»An den Nussecken wird es nicht gelegen haben«, sagte Bernhard und fragte sich im Stillen, ob sein Sprachzentrum kollabiert sei. Er konnte sich nicht erinnern, diesen völlig bescheuerten Satz selbst hervorgebracht zu haben. Klarissa war höflich genug, um zu kichern, als hätte er einen Witz gemacht.

»Bestimmt nicht«, sagte sie. »Die Frau starb vier Monate später, und mein Vater kehrte zu uns zurück. Meine Mutter nahm ihn wieder auf und tat alles, um ihn über den Verlust seiner Geliebten hinwegzutrösten. Seitdem bin ich allergisch gegen Haselnüsse. Aber Pistazien gehen.«

Klarissa tunkte ein weiteres Stück Brot ein und freute sich über ihre Geschichte. Bernhard gab es auf, diese Frau und seine Sekretärin zur Deckungsgleichheit bringen zu wollen. Er beruhigte sich damit, dass der Abend eigentlich nur noch besser werden konnte und eigentlich bald damit anfangen musste.

»Sätze mit ›eigentlich‹ sind eigentlich aussagelos«, hatte Jonas gerne gesagt.

Als die Standuhr im Flur halb elf schlug, saß Bernhard Duder an einem Tisch mit gestärkter Tischdecke, hielt in der linken Hand eine Gabel, in der rechten ein Messer, beide aus Silber, hatte die Füße dicht nebeneinandergestellt, den Rücken durchgedrückt und hätte dennoch genauso gut in einem zerwühlten Bett sitzen können, mit zerzausten Haaren aus dem Schlaf hochschreckend, während unten namenlose Gestalten zur frühen Morgenstunde ihre polternden Karren durch die Straßen zogen, um die Haushalte der Stadt mit Werbematerial zu versorgen. Es war kein Schrei, der Bernhard aus seinen Träumen gerissen hatte, auch kein Wecker, der sich als Tele-

fon tarnte, sondern, ganz im Gegenteil, eine plötzlich einge-
tretene Stille, die signalisierte, dass sein Typ verlangt wurde.
Es roch nach Essen, Alkohol, Parfüm und Tabak. Die Luft
war heiß und stickig, als würde im Kamin sehr wohl ein Feuer
brennen und jeglichen Sauerstoff verbrauchen. Bernhard
spürte Gabriele neben sich und bemerkte Ackermann, der
ihm gegenübersaß, und dies aller Wahrscheinlichkeit nach
schon während des gesamten Essens. Hinter Ackermann
hing ein dunkles Gemälde. Überall im Raum verteilt die be-
flissenen Töne eines Streichquartetts.

Irgendwann zwischen Vorspeise und Hauptgericht musste
Bernhard verloren gegangen sein. Er wusste noch, dass er das
Bild betrachtet hatte. Es zeigte eine stürmische See, darin ein
Fischerboot mit Ruderriemen und einem winzigen Mast,
nicht gebaut, um auf offenem Meer dem Sturm zu trotzen.
Das Tischgespräch vom Heulen des Windes verschluckt. In
Gesellschaft, wenn sich das Durcheinander aus Stimmen zu
einem wohltuenden Klangteppich verwob, der es Bernhard
erlaubte zuzuhören, ohne etwas sagen zu müssen, gelang ihm
mühelos, was ihm zur gebotenen Stunde, wenn er tatsächlich
im Bett lag, so schwerfiel: Er trat weg, verlor sich in der Abwesenheit von Gedanken und trieb auf seinem eigenen Spiegelbild durch die innere Dunkelheit. Dabei spielte es keine
Rolle, ob er vornehm ein rosiges Lammfilet zerteilte oder
hemdsärmelig in eine Grillwurst biss. Hauptsache, es wurde
um ihn herum geredet. Dann war sein Teller plötzlich leer,
ohne dass er das Gefühl hatte, etwas gegessen zu haben. Bernhard genoss dieses Wegtreten als ein seltenes Geschenk. Allein die Schwierigkeit, das Puzzle der Gegenwart bei Bedarf
ad hoc wieder zusammenzusetzen, machte den angenehmen
Effekt zunichte. Mit dem Phänomen war er also bestens ver-

traut. Gabriele ebenfalls. Sie bohrte ihm den Daumennagel in den Oberschenkel. Unsicher griff Bernhard nach dem Glas und blinzelte in das runde Gesicht Ackermanns, das trotz Rasur am Morgen von Bartstoppeln gesprenkelt war. Irgendwo in diesem Gesicht mussten sich die Spuren einer Frage befinden, denn während Ackermann die nächste Flasche entkorkte, hielt er die hellen Augen konstant auf Bernhard gerichtet.

»Ihr Bruder«, wiederholte Ackermann, »hatten Sie nicht einen Bruder in Leipzig?«

»Ja«, antwortete Bernhard, während ihm sein Kurzzeitgedächtnis Bruchstücke des verpassten Gesprächs anreichte. Es ging um Familiengeschichten. Ackermann hatte von einem Cousin berichtet, der wie er selbst Klaus mit Vornamen hieß und nach Kolumbien ausgewandert war, um Kaffee anzubauen.

»Kaffee«, hatte Ackermann gesagt, »nur Kaffee, sein einziges Thema. Und er machte Profit.«

Bis er glaubte, es mit Kokain versuchen zu müssen. Er gehörte nicht dazu, wurde verraten und landete im Gefängnis.

»Hätte Klaus mal besser eine Kaffeefiliale eröffnet«, hatte Ackermann gesagt und die Brauen zusammengezogen. Die Falte, die sich dabei in seine Stirn zeichnete, reichte vom Nasenbein bis zum Haaransatz. Acht Jahre hatte der andere Klaus im Gefängnis verbracht. Acht Jahre, in denen der eine Klaus mit seiner Kanzlei genug Geld verdiente, um sich feudal einzurichten. Der andere erkrankte unterdessen an Skorbut. Der eine bekam Besuch von Onkel und Tante, die ihm unter Tränen vorwarfen, dass »er als Anwalt« doch in der Lage sein müsse, »irgendetwas« für seinen Cousin zu tun; der andere erhielt Besuch von Konsularbeamten, die ihm erklärten, dass die Mühlen der kolumbianischen Justiz ein wenig langsam mahlten.

»Er hat, wie ich, in Leipzig gelebt«, sagte Bernhard, »aber um ehrlich zu sein, ich weiß nicht, ob er noch hier ist.«

Reste von Soße schwammen auf seinem Teller, darin Spinatfetzen und matschige Champignonstückchen. Die Gabel lag wie ein gefallener Krieger mit den Zinken nach unten. Rote Weinkreise zierten die Tischdecke. Nur Gabriele aß noch. Dreimal hatte sie aus der Schüssel nachgenommen und Parmesan aus der Mühle über die selbst gemachten Tortellini rieseln lassen. Bernhard mochte es, wenn sie aß. Ihre Wangen glühten. Sie zerteilte eine Nudel, und der silberne Ring am Daumen klackte gegen das Silber der Gabel. Er hätte gerne bei diesem Anblick ein wenig verweilt, aber die erwartungsvollen Gesichter am Tisch verlangten, dass er endlich in die Gänge kam. Er fühlte sich wie ein Schüler, der überraschend mit einer Frage konfrontiert wird – ziehe die Wurzel, setze das Ergebnis als X-Wert der Koordinate ein und zeichne die Kurve an die Tafel –, die er nicht beantworten kann. Von Klaus wusste man, dass er Kokain angebaut hatte, dass er im Gefängnis gesessen und von Konsularbeamten Besuch bekommen hatte. Des Weiteren war bekannt, dass Ackermann irgendwann nach Kolumbien geflogen war und alles versucht hatte, was man als Anwalt für deutsches Zivilrecht in einem südamerikanischen Land versuchen kann. Am Tag nach der Abreise des Ackermann-Klaus hatte sich der Kaffee-Klaus aus dem Stoff seiner zerschlissenen Decke einen Strick geknüpft. Immerhin das Ende stand also zweifelsfrei fest, und das Ende war das Wichtigste, denn für nichts anderes interessierten sich die Leute. Warum sollte Bernhard von Jonas weniger wissen? Wie konnte er das Ende nicht kennen? Schließlich waren sie doch Brüder.

»Wir haben uns sehr lange nicht gesehen«, sagte Bernhard.

»Dann ist er weg«, sagte Tom.

Zweimal war Tom noch zum Schachtisch gepilgert, ohne sich um »einfach« oder »doppelt« zu scheren, und hatte sich das Glas mit Scotch gefüllt. Danach hatte er Klarissas Sherry getrunken und eine Flasche Wein. Seine Stimme hatte an Schärfe gewonnen. Von Verbrüderung keine Spur mehr.

»Hat Leipzig verlassen. Die Stadt ist zu klein, um sich nicht zu begegnen.«

»Vielleicht.«

Vielleicht war Leipzig nicht groß genug. Es sei denn, man wollte nicht gefunden werden. Bernhard hatte nicht versucht, in Leipzig unterzutauchen, und Tom auch nicht.

»Das heißt«, sagte Ackermann, »Sie wissen nicht, ob es ihm gut geht?«

»Das heißt es.«

»Ist doch Blödsinn!«, rief Tom. Er hatte Gefallen an dem Thema gefunden. »Brüder sind das Letzte! Wir hassen sie. Komm, Bernhard, lass es uns offen zugeben! Mein Bruder hat sein Leben lang nichts anderes getan, als mir in den Arsch zu treten. Einfach so. Macht der Gewohnheit. Oder das Recht des Stärkeren. Meiner ersten Freundin erzählte er, ich sei ein Zwitterwesen. Ob sie schon mal davon gehört habe?!«

»Ein dummer Kinderstreich«, warf Ackermann beschwichtigend ein.

Tom achtete nicht auf ihn. Dombek ließ einen Eiswürfel in seinen Wein purzeln. Bernhard wischte sich Schweiß aus den Augen und versuchte herauszufinden, ob die Fischer über Bord gegangen und ertrunken waren oder ob sie unsichtbar am Boden der kleinen Nussschale lagen, um sich vor den Naturgewalten zu schützen. Das Zimmer schien zu schwanken.

»Geschwister lassen einen niemals in Ruhe«, rief Tom. »Alles hab ich versucht, um ihn aus meinem Leben zu radieren. Aber kaum gehe ich auf eine x-beliebige Party, ist spätestens mein zweiter Gesprächspartner mit meinem Bruder befreundet.«

Gabriele faltete ihre Serviette. Ackermann trank in kleinen Schlucken. Dombek zerbiss einen Eiswürfel. Obwohl Ackermann aufpasste, hatte Dombek es geschafft, mehr zu trinken, als der Arzt erlaubte.

»Hier kennt niemand deinen Leo«, sagte Klarissa spröde.

Tom breitete die Arme aus.

»Und deshalb liebe ich euch alle so sehr!«

Es wurde pflichtschuldig gelacht. Tom fühlte sich offenbar großartig. Seine Zunge stolperte und rutschte mit zischenden Lauten auf den Zähnen aus. Das Grün seiner Augen schwamm verklärt, während er sein Resümee verkündete.

»Seiner Familie kann man nicht entkommen.«

Tom war für Bernhard immer nur Tom gewesen. Es gab ihn, weil es Klarissa gab, Existenzberechtigung auf unterstem Niveau. Ein störender Gegenstand im Besuchersessel. Den man gern an Kragen und Stiefel gepackt, hochgehoben und weggestellt hätte. Und jetzt drang ihm dieser Tom plötzlich wie mit Messern ins Hirn. Sah ihn an. Lachte triumphierend. Warf den Kopf in den Nacken beim Trinken. Er schien etwas zu wollen, Jonas, Leo, Klaus – Bernhard hatte sämtliche Fäden verloren. Es hatten niemals Fischer in dem Boot gesessen. Es war ein Bild von einem leeren Boot, und das Meer war nur so tief wie die Farbschichten dick. Bernhard prüfte, ob er sich an die angebrochene Schachpartie im Nebenzimmer erinnern konnte, Weiß wurde auf dem rechten Flügel mächtig unter Druck gesetzt, hatte aber gute Chancen auf einen Konter, wenn der Springer freikäme, er sah das Brett bis ins kleinste Detail, kannte den Platz jeder einzelnen Figur, aber ringsum waren die Bilder von den Wänden gefallen und lagen mit den Gesichtern nach unten auf dem Boden, und Bernhard hatte keine Ahnung, was auf ihnen zu sehen gewesen war.

»Die Story mit den Partys ist doch erfunden, Tom«, sagte Gabriele, und Bernhard war glücklich, ihre Stimme zu hören. Es kam ihm vor, als hätte sie seit Stunden nichts mehr gesagt.

Klarissa lachte und stahl Ackermann ein Zigarillo.

»In Wahrheit geht dir doch nur deine Mutter auf die Nerven, weil in ihren Geschichten der Große immer eine Nummer besser ist, ganz egal, was du tust. Und während du versuchst, ihn zu hassen, erstickst du an deiner heimlichen Bewunderung.«

Tom versuchte nicht einmal sich zu verteidigen. Er schaute nicht betreten, empört oder erschrocken. Für all das fehlte ihm plötzlich die Kraft. Man konnte förmlich sehen, wie er in sich zusammensank.

»Kann es sein, dass er Geld verdient?«, fragte Gabriele.

»Start-up. In Amsterdam«, sagte Tom verächtlich, als handelte es sich dabei um eine durch und durch kriminelle Tätigkeit. »Geld ist vorhanden.«

»Verheiratet und Kinder, nehme ich an?«

»Schauspielerin. Blond. Zwei Söhne.«

»Gut aussehend?«

»Alle vier.«

»Und du hast dich nie gefragt, ob du Hass mit Neid verwechselst?«

»Ein Bruder ist eben ein Bruder«, meinte Tom in dem lahmen Versuch, damit das Gespräch zu beenden.

»Wann bist du ihm denn zuletzt begegnet?« Auch Gabriele bediente sich an Ackermanns Zigarillos.

Tom blieb ernst und betrunken. Rührte mit dem Arm einmal durch die abgestandene Luft, lehnte sich weit vor und sagte – nichts.

»Jahre kommen schneller zusammen als Minuten«, sagte Gabriele, trank ihr Glas aus, rauchte, benutzte den Aschenbecher; alles mit ruhigen und präzisen Handbewegungen, als säße sie vor einem Bedienpult, mit dem sie den Abend steuerte. Bernhard konnte sich nichts Schöneres vorstellen, als eine Marionette an Gabrieles Fäden zu sein. »Und plötzlich stellt man fest, dass man keine Ahnung hat, wie es dem anderen geht. Ob er überhaupt noch existiert. Oder vielleicht verschwunden ist.«

»Er lebt in Amsterdam«, verteidigte sich Tom. »Das sind sechshundert Kilometer.«

»Und hat kein Telefon?«

Klarissa lachte laut: »Touché!«

Gabriele wandte sich an sie. »Kennst du Toms Bruder?«

»Nein.« Klarissa schüttelte den Kopf. »Tom hätte niemals zugelassen, dass ich Leo begegne.«

Bernhard legte Gabriele eine Hand auf den Unterarm. Lass gut sein, sollte das heißen. Du hast ihn bereits zu Sägemehl verarbeitet, und er tut mir leid. Gabriele verstand und schwieg.

Dombek, der bis jetzt nur stumm vor sich hin gekaut und sein Essen wieder und wieder mit einer Zigarette unterbrochen hatte, sagte plötzlich: »Und ich? Hab ich eigentlich Geschwister?«

Freute sich und wiederholte: »Hab ich?«

»Hast du nicht«, sagte Ackermann.

Tom war verstummt. Er erweckte den Eindruck, als würde ihm seine eigene Existenz Übelkeit bereiten. Bernhard fühlte sich, als drücke nicht nur sein Körper, sondern auch noch Toms Gewicht ihn in den Stuhl, der zum Sitzen plötzlich zu klein und zu zerbrechlich schien.

»Ich glaube, ich liebe meine Geschwister«, sagte Dombek, fixierte unter halb geschlossenen Lidern Bernhard und versuchte, das Gewinde des Deckels mit dem Gewinde der Wasserflasche in Einklang zu bringen.

Tom sprang auf und rannte hinaus. Bernhard öffnete die Gürtelschnalle. Seine Schuhe, egal welcher Farbe, saßen zu eng und stauten Blut. Waren es drei, zehn oder eher hundert Schritte bis zum Schachtisch? Er konnte es nicht mehr schätzen. Hinter seinem Rücken weiteten sich die Räume der Wohnung, blähten sich nach oben hin auf, ließen vereinzelte Möbel an ihrem Grund zurück, Puppenmöbel in einem Haus für Riesen. Der Teppich ein winziger Flicken, der den Abgrund verbarg. Blanker Irrsinn, einen Fuß daraufzusetzen.

Gabriele schenkte sich Wein nach und warf ihm einen besorgten Seitenblick zu. Er gab ein Alles-okay-mir-geht's-gut-Lächeln in Auftrag und spürte, dass sein Mund ihm nicht gehorchte. Er verstand, dass Gabriele versucht hatte, ihn gegen Tom zu verteidigen. Äußerst erfolgreich sogar. Geschehen war trotzdem etwas anderes. Sie hatten Jonas aus der Kiste gezerrt. Bernhard konnte das sargartige Gebilde förmlich sehen, wie es in der Mitte des Tischs zwischen leeren Schüsseln und abgegessenen Tellern stand, wie Ackermann den Deckel öffnete, Tom hineingriff und alle anderen sich vorbeugten, um besser sehen zu können, während Gabriele in einem wissenschaftlichen Vortrag bewies, dass diese Kiste nichts Besonderes war, weil in anderen Häusern die gleichen

Kisten standen und ebenfalls Brüder, Schwestern, Väter oder Mütter enthielten. Seit Jahren hatte Bernhard nicht mehr so deutlich gespürt, dass Jonas existierte. Er spürte es physisch. Er fühlte Fleisch, Blut und Knochen des Bruderkörpers, der irgendwo zurückgelehnt in einem Sessel lag und grinste. Gar nicht besonders weit weg, wie ihm schien.

»Es ist doch so«, hörte er Ackermann sagen, »dass wir Menschen schneller vergessen, als uns lieb ist.«

»Und kotz nicht das ganze Klo voll, bitte!«, schrie Klarissa.

Es war lange nach Mitternacht. Zwischen den Gebäuden steckte die Hitze des Tages fest wie ein in die Enge getriebenes Tier. Das Mobile aus Mücken hatte sich gemeinsam mit dem Grillfest der Nachbarn in Luft aufgelöst. Es war still im Hinterhof. Und dunkel. Kein Mond, keine lebenden Bewohner. Nur ein einzelnes Fenster leuchtete wie ein Loch in der Fassade, und eine einzige Gartenlampe, wahllos irgendwo in die Erde gesteckt, streute einen matten Schimmer über die Pflastersteine des Garagenplatzes, der drei Etagen unter Bernhard mit ausgefransten Rändern im Nichts versank. Ohne hinzusehen, betastete Bernhard die lackierten Schachfelder und überlegte, ob er den Unterschied zwischen Schwarz und Weiß spüren konnte. Unten im Hof blitzte eine zweite Lampe auf, dann eine dritte, vierte und fünfte. Plötzlich hatte der Innenhof wieder einen Boden, die Garagen Wände aus Beton und ein ordentlich geteertes Dach, ohne Brandblasen, trotz der sengenden Sonne am Tag.

Mit den Garagen, von denen Gabriele in den Sandhaufen gesprungen war, hatten diese hier nichts gemein. Dafür erinnerten sie Bernhard an die Garagen seiner Kindheit, vor denen er als Torwart gestanden hatte. Jonas hatte abwechselnd auf die verschiedenen Ecken gezielt, links oben, rechts unten, rechts oben, um Bernhard zu trainieren. Er erinnerte sich an die Furcht vor der Wucht, mit der der Ball gegen seine Fäuste prallte, wenn er richtig reagiert hatte. Er war ein miserabler Torwart gewesen. Aber es waren schöne Nachmittage. Vielleicht die schönsten seiner Kindheit. Es gab ein gemeinsames Ziel – Bernhard sollte für die Mannschaft der Unterstufe aufgestellt werden – und jede Menge Zeit. Die Sommerferien hatten gerade erst begonnen, der Tag der Entscheidung lag noch in weiter Ferne. Und Jonas war ein guter Trainer, der schnell erkannte, dass Bernhards Problem die Beine waren. »Du stehst da wie ein Kaktus«, schimpfte er, »sei beweglich, flexibel, das 20. Jahrhundert ist bald zu Ende, da heißt es laufen lernen.« Er malträtierte seinen Schützling mit flachen Bällen und nahm ihn mit, wenn er joggen ging. Erschöpft saßen sie nach dem Schlusssprint auf dem Schwebebalken des Spielplatzes, diskutierten das Ergebnis ihrer Stoppuhren und verspürten keinen Drang, die letzten Meter bis nach Hause hinter sich zu bringen. Lieber blieben sie noch ein wenig sitzen, einfach so, nur zu zweit, während Kinder in ihren Schaukeln lachten und die Mütter auf der Parkbank fröhlich aussahen. Sie waren erschöpft und zufrieden, auch wenn beiden klar war – Bernhards Talent hielt sich in Grenzen.

Es war nicht ein alter, griesgrämiger Nachbar mit Lesebrille, der ihnen das Bolzen auf dem Garagenplatz verbot, weil er sich um die Ruhe seiner Rente betrogen fühlte. Es war die eigene Mutter, der das »Gekicke« – Ball, Blech, Hohlkörper – an den Nerven zerrte. Ein jämmerlicher Vorwand. Genauso gut hätten die Brüder mit einem Ball aus Schaumstoff trainieren oder einem Backgammon-Club beitreten können.

Es hätte nicht minder an ihren Nerven gezerrt. In Wahrheit störte die Mutter, dass ihre Söhne aufeinanderhockten, von früh bis spät, und es für die kommenden sechs langen Wochen so halten würden, während der eine besser daran getan hätte, ihr bald ein nettes Mädchen vorzustellen, und der andere weiterhin mit seinen Plastiksoldaten vorliebnehmen sollte. Aber Bernhard hatte gerade die sechste Klasse abgeschlossen. Er war in die Höhe geschossen, und die Wunden der Pubertät, rot und rund, verunstalteten sein Gesicht, das seine kindliche Form einbüßte, schmaler und hohlwangiger wurde. In der Schule hatte er nur noch ein unbeholfenes Krächzen herausgebracht. Sein Interesse an Plastiksoldaten verflüchtigte sich, und die Mutter hatte Schwierigkeiten, den Gesprächen der Brüder bei Tisch zu folgen. Es war der Nachbar, alt und mit Lesebrille, aber gar nicht griesgrämig, der das Unübersehbare aussprach:

»Er sieht seinem Bruder immer ähnlicher. Finden Sie nicht?«

Als die Mutter Bernhard in Jonas' Büchern lesen sah, ohrfeigte sie ihn.

»Du bist nicht Jonas, also versuch auch nicht, Jonas zu sein!«

Sie war eine unglückliche Frau. Zweimal die Woche ließ sie sich ihr Unglück für teures Geld von einem Psychiater bestätigen. Verbissen kurierte sie ihre Wehwehchen, Kopfschmerzen, Brustschmerzen, Ohrenschmerzen. Das Schränkchen im Bad glich einer Apotheke. Im Kühlschrank weichte über Nacht Weizenkleie ein, während sie sich an Klosterfrau Melissengeist betrank. Viele Jahre hatte es gedauert, bis sie mit Jonas schwanger geworden war. Bernhard hingegen kam zur Welt, als nur noch der Anwalt die Adresse des Vaters kannte. Ängstlich war die Mutter darauf bedacht, dass seine Geburt dem Erstgeborenen nicht zum Nachteil gereichte, als müsste sie ihre Liebe zu Jonas gegen Bernhard verteidigen. Mit jedem weiteren Bleistiftstrich am Türrahmen, der sein Heranwachsen dokumentierte, nahmen die Spannungen zu. Bernhard versuchte sich einen Bart stehen zu lassen, was mangels Bartwuchs kläglich scheiterte. Schließlich verfiel Jonas auf die Idee mit der Münze. Er hatte es gut gemeint. Im Ergebnis hasste die Mutter Bernhard dafür, dass sich Jonas seine wunderschönen Locken abrasierte.

Der vw Passat drei Etagen unter ihm hatte eine glückliche Familie nach Hause gebracht. Mit den abgespreizten Türen sah der Wagen aus wie ein platt getretenes Insekt. Der Vater kümmerte sich um das Tor. Die Mutter brachte die Kinder in die Wohnung. Es roch süßlich, ein Geruch, der das Atmen nicht angenehmer machte. Bernhard spuckte in die Tiefe.

»In Wahrheit«, hatte Gabriele gesagt, »geht dir doch nur deine Mutter auf die Nerven mit den ewigen Geschichten vom Großen, der immer eine Nummer besser ist.«

Mochte Toms Mutter eine kleine dicke Frau mit Wasser in den Beinen sein, die selbst gebackene Plätzchen in eine Schale schaufelte und dabei drauflosschwatzte wie eine Elster. »Hab ich dir schon erzählt … der Leo, der Leo, der hat … ist doch toll, oder? Willst du noch einen Keks?« Mochte Tom darunter leiden. Bei Bernhard war es anders. Bernhard hatte das letzte Mal mit der Mutter telefoniert, um ihr zu sagen, dass er das Zweite Staatsexamen bestanden hatte. Er hatte angerufen. Sie hatte abgenommen. Er hatte »Hallo, Mutter« gesagt. Sie hatte »Jonas, bist du es?« gefragt und aufgelegt, als sie Bernhard erkannte.

Bernhard schüttelte sich, als würde er frösteln, und versuchte, quer durch die Wohnung ins Esszimmer zu sehen. Ein Stück Mauer schnitt Gabriele aus dem Bild. Er sah Klarissa, die trotz der Schwüle auf dem Chesterfield-Sofa in eine weinrote Wolldecke gewickelt lag, aus der, rosa und sauber, ihre Füße hervorlugten. Er sah Dombeks Ellbogen und Ackermann, der schon wieder einen Korkenzieher in eine Weinflasche schraubte. Sie saßen am Tisch, den niemand abgeräumt hatte und der zu weitläufig wirkte für drei Personen und einen Kerzenleuchter. Bernhard machte einen Schritt zur Seite, bis ihm Gabriele ins Blickfeld geriet. Sie hockte schräg auf dem Stuhl und hatte ein Bein vor dem Brustkorb angewinkelt. Sie zwirbelte Haarsträhnen zwischen den Fingern, drehte sie auf und ließ sie fallen, als suchte sie Spliss in den Spitzen. Tat sie aber nicht. Sie hörte zu, während die Kerzen flackerten und Ackermann anscheinend Mühe hatte, aus dem ihm zur Verfügung stehenden Repertoire an Sätzen den passenden auszuwählen. Eine Fliege flog in die Flamme einer Kerze und kroch mit versengten Flügeln im Kreis, gefangen in der Mulde eines Silberlöffels, auf ihrem Spiegelbild, um sich selbst. Zu seinem Erstaunen stellte Bernhard fest, dass er verstehen konnte, was gesprochen wurde.

»Wo ist es passiert?«, fragte Gabriele.

»In einem Ort an der Westspitze. Ein verschlafenes Nest. Im Urlaub lasen wir immer viel Zeitung. So auch nach dem Mittagessen.«

»Und das war, bevor …«

»Ja«, sagte Ackermann. Auf die Ellbogen gestützt, besaß sein runder Körper keinen Hals mehr. »Kurz danach passierte es.«

Seinen Finger hielt er, dem Insekt zum Hohn, über die Flamme der Kerze und zerrieb den Ruß zu dünnen schwarzen Röllchen, die bei der Fliegenleiche auf dem Silberlöffel landeten.

»Es war ein gutbürgerliches Lokal, dunkel, wie solche Lokale eben sind. Sie saß seitlich vom Fenster, so wie du jetzt, damit ihr Kopf kcinen Schatten auf das Papier warf.«

Ackermann lachte kehlig und öffnete die lange Schachtel seiner Curlys. Gabriele versuchte unauffällig, ihre Haltung zu ändern.

»Sie sagte, das Wetter sei so schön geworden. Und wollte noch einmal schwimmen gehen. Ich hatte mir Arbeit mitgenommen. Zwei Stunden später saß ich mit den Akten am Strand und sah ihr beim Ertrinken zu.«

Ackermann schob die Schachtel, weiter als nötig, von sich. Das Zigarillo steckte zwischen seinen Lippen.

»Ich bin kein guter Schwimmer«, sagte er, »und kam viel zu spät.«

Ein Spaziergänger zog Ackermann aus dem Wasser, als er blau angelaufen und am Ende seiner Kräfte war.

»Deswegen sind Sie zusammen mit Dombek nach Leipzig gegangen?«

»Um mich in Arbeit zu ertränken, ja. Eine Kanzlei in Ostdeutschland aufzubauen, schien mir absolut geeignet, um sich vor lauter Schuften um den Verstand zu bringen. Und ich behielt recht. Eine Zeit lang konnte ich vergessen.«

Ackermann hustete den Husten eines langjährigen Rauchers und erholte sich nur langsam.

»Aber wissen Sie, letzte Woche habe ich für meinen Kaktus einen besonders teuren Dünger gekauft.«

Gabriele konnte sich nicht erinnern, irgendwo einen Kaktus gesehen zu haben. Ackermann deutete ihren Gesichtsausdruck richtig.

»Er ist nicht mehr da«, sagte er. »Ich hab ihn weggeworfen. Verstehen Sie?«

»Nein«, sagte Gabriele.

Ein Falter flog zwischen ihnen hindurch.

»Es gibt etwas, dass viel schlimmer ist als Alleinsein.«

Und auf einmal verstand sie ihn doch: »Dass es keinen Sinn mehr hat, Kaktusdünger zu kaufen?«

Ackermann nickte. Der Falter beschrieb einen Bogen Richtung Decke und knallte im Sturzflug auf einen Teller, sprang erschrocken weiter und blieb an einem Zierring des Kerzenleuchters hängen. An seinen staubfarbenen Flügeln hing ein winziger Tropfen Soße. Bernhard war nicht sicher, ob er das alles auf die Entfernung wirklich erkennen konnte.

»Ich kann nichts mehr tun, um sie glücklich zu machen«, sagte Ackermann.

Mit zwei Fingern löschte er die Kerze, unter der der Falter kauerte. Es zischte. Die drei restlichen Kerzen brannten weiter.

»Ich kann nur hoffen, dass sie glücklich war.«

Gabriele weigerte sich mit verkniffenen Lippen, das Naheliegende zu sagen. Dass Frau Ackermann bestimmt der glücklichste Mensch unter der Sonne gewesen sei. Ackermann lachte.

»Nun schauen Sie nicht so betroffen«, rief er und griff über den Tisch, um Gabriele einen freundschaftlichen Klaps zu versetzen.

Bernhard verlagerte das Gewicht. In seinem Kopf drehte sich eine Armee von Fragen und trampelte Furchen, aus denen es kein Entkommen gab. Bernhard war zu müde, um auch nur eine davon zu beantworten. Zu betrunken, zu durstig. Liegen wollte er, weil er glaubte, nicht mehr stehen zu können. Neben Gabriele wollte er liegen und ihre Gegenwart alle Antworten geben lassen. Er fühlte sich unendlich schwer, vollgestopft mit Essen und Alkohol. Er fragte sich, warum Klarissa fror, während Dombek seinen Wein mit Eiswürfeln trank. Warum konnte er nicht aufhören, an das Fußballspielen mit Jonas zu denken? Warum hatten die beiden Jungen mit dem Rasensprenger im engen Vorgarten gespielt und nicht im Garten bei den Garagen? Wer hatte es ihnen verboten? Warum hatte Ackermann das Bild aufgehängt? Warum trieb das Boot ohne Besatzung im Meer? Hatte es sich im Sturm losgerissen? Er würde ihn fragen. Aber erst morgen. Alles morgen. Bernhard wollte nach Hause, kein einziges Wort mehr sprechen müssen, schon die bevorstehende Abschiedsszene mit »Auf Wiedersehen«, »Tschüs«, »Danke« und »Schön war's« erschien ihm als reine Zumutung.

Gabriele hatte sich erhoben und sprach im Stehen weiter mit Ackermann. Was sie sagte, konnte Bernhard nicht mehr hören, als hätte jemand die Unterhaltung mit einem Lautstärkeregler leise gestellt. Dombek starrte unbeteiligt Richtung Balkon. Ein Hund bei Tisch, zufrieden, weil er bleiben durfte. Bernhard erschrak, als er feststellte, dass Dombeks Augen schon eine ganze Weile auf ihm ruhten, bis er begriff, dass die Balkontür zu war und Dombek nur sich selbst in der spiegelnden Scheibe betrachtete. Es wurde höchste Zeit, ein Taxi zu bestellen, als ein halbvolles Glas auf E2, E4 abgestellt wurde. Tom lehnte am Geländer, roch nach Erbrochenem und redete, mal wieder. Bernhard stellte sich Tom auf der Toilette vor, über die niedrige Kloschüssel gebeugt. Ein in blauen Hemdenstoff gehüllter Haufen vor der hochgeklappten Brille, der würgte und sich erbrach. Bernhard wurde wütend, als täte es ihm um den Scotch leid. Wenigstens war Tom jetzt nüchtern. Zum ersten Mal an diesem Abend. Er kam ohne große Gesten und Anspielungen aus. Verzichtete darauf, Bernhard zu berühren.

»Wenn Ackermann von seiner Frau spricht ...« Pause. »Ich habe mir so etwas oft vorgestellt. Ein Autounfall zwischen Dittersdorf und Schleiz, ein Flugzeugabsturz, Raubmord oder Krankheit. Von mir aus auch ertrinken. Aber immer war ich es, der starb. Der verschwindet, während Klarissa am Leben bleibt. Wie sie trauert. Wie sie beginnt zu vergessen und eines Tages etwas Neues findet, vielleicht an einem anderen Ort, mit einem anderen Mann.«

Seine Stimme klang vertraulich, aber gelassen. Wie von einem Mann, der seinem besten Kumpel das Herz ausschüttet, ohne es dabei besonders eilig zu haben. Nur, Bernhard wollte keinen Kumpel. In keiner Kneipe der Stadt besaßen sie einen Stammplatz, weil sie keine Stammkneipe hatten. Aber allein das sich wiederholende Ritual, wenn Tom Klarissa abholte und mit ihm ein paar Minuten sprach, da konnte Bernhard sich sträuben wie er wollte, machte Tom und ihn zu Freunden.

»An Abenden wie heute, wenn wir in einer Runde zusammensitzen und Klarissa so wunderbar ist und ich mich wie ein Idiot benehme ...« Tom unterbrach sich selbst, als müsse er über den Wortverlauf des Satzes nachdenken. »Manchmal wünsche ich mir, etwas Unvorhersehbares würde geschehen und dem Ganzen ein Ende machen.«

Bernhard hatte Lust, Tom wehzutun, wie Leo es immer getan hatte. Mit dem Rücken lässig gegen das Eisengeländer gelehnt, tat Bernhard, als habe er nicht zugehört.

»Ist Klarissa kalt?«

Tom stutzte.

»Wie meinst du das?«, fragte er und vergaß, was ihm auf

der Seele brannte. Sein schöner Monolog durch eine einzige Zwischenfrage gesprengt.

»Kalt.« Bernhard schlang die Arme um den Leib und simulierte ein Schaudern. »Du weißt schon. Das Gegenteil von warm.«

»Ach so«, sagte Tom. »Sie friert leicht, wenn sie schläfrig ist.«

»Egal, wie heiß es ist?«

»Hm-hm.«

Tom klopfte seine Taschen ab.

Bernhards erhoffte Befriedigung blieb aus. Es war ein halbherziger Tritt in Toms Arsch gewesen. Wenn in den Arsch treten, dann bitte mit ganzer Kraft. Es war quälend zu sehen, wie Tom nach dem verlorenen Faden suchte, mit Lippen, die sich stumm bewegten, und Augen, die ziellos durch die Dunkelheit irrten. Bernhard hielt es nicht mehr aus. Jetzt war er es, der Tom am Arm fasste.

»Der Wunsch nach dem Ende, Tom«, sagte er. »Hör zu, die Angst gehört zum Heiraten wie das Ja und der Ring.«

»Wahrscheinlich hast du recht, es ist normal«, sagte Tom und machte eine Pause. »Ich bin sicherlich nicht der erste und werde auch nicht der letzte Mann sein, dem beim Anblick des Altars der Arsch auf Grundeis geht.«

Normal ist, dachte Bernhard, wenn zwei Fischer miteinander reden können, über den Sturm, über Frau, Kind und die Schleppnetztrawler der Scheißspanier, ohne dass es dem einen peinlicher ist als dem anderen. Tom würde ein wunderbares Mädchen heiraten, mit wunderbaren Knien und sauberen Füßen. Danach wollten sie zusammenziehen. Klarissa wohnte in einer bunt gestrichenen Wohnung, Tom in einer WG mit abgelaufener Leberwurst im Kühlschrank.

»Das Taxi kommt gleich«, sagte Ackermann.

Er stand in der Balkontür, zur Hälfte draußen, zur Hälfte drinnen, und schwankte leicht. Bernhard konnte sich nicht erinnern, um ein Taxi gebeten zu haben.

»Ihre Verlobte schläft schon«, sagte Ackermann zu Tom. »Sie können im Gästezimmer übernachten.«

»Danke, Herr Ackermann.«

Die typische Atmosphäre eines zu Ende gegangenen Abends hatte sich im Esszimmer ausgebreitet. In der verbrauchten Luft klangen Worte nach, die so nie wieder gesagt werden würden. Man war leise, um Klarissa nicht zu wecken. Tatsächlich lag sie da wie tot. Bernhard musste an Toms Worte denken. Wäre Tom an seiner Kotze erstickt, wie würde Klarissa reagieren, wenn man sie aus dem Schlaf riss, um ihr die Nachricht zu überbringen? In ihrer Kniekehle eine blaue Ader. Und was würde Tom tun, wenn sich jetzt herausstellte, dass sie gar nicht schlief, sondern an plötzlichem Herzversagen gestorben war? Würde er auf den Balkon rennen und über das Geländer flanken? Reichte ein Sprung aus dem dritten Stock überhaupt?

Bernhard konnte zu Gabrieles »Schön« und »Lecker« und »In dreihundertvierundsechzig Tagen wieder« nicht viel beisteuern. Stattdessen stellte er fest, dass sein Jackett nicht mehr am Haken hing. Tom versuchte sich ein letztes Mal als Dienstbote, indem er die Garderobe durchwühlte. Währenddessen fragte Gabriele, wo eigentlich Dombek sei. Die Abschiedsszene geriet in Unordnung, weil jeder eine Idee hatte, wo Dombek stecken könnte, bis Ackermanns Vermutung, Dombek sei wohl in Bernhards Jackett zu einem kleinen Ernüchterungsspaziergang aufgebrochen, von der Allgemeinheit akzeptiert wurde.

»Er wird schon nichts anstellen«, sagte er und drückte Bernhard das Jackett von Dombek in die Hand, als wäre Bernhard bei diesen Temperaturen auf ein Jackett angewiesen. Die Haustür stand offen, der Taxifahrer saß auf der Motorhaube und rauchte.

»Du warst heute wieder ein Ausbund an Geselligkeit«, sagte Gabriele im Taxi und lehnte sich an ihn. Er wusste, dass er sich bei ihr für nichts entschuldigen musste. Er drückte sie an sich. Seine Zärtlichkeit hüllte sie beide ein, so intensiv, als hätte er geahnt, dass dies die letzte Nacht sein sollte, die sie gemeinsam verbrachten. Verfolgt von den Gute-Nacht-Wünschen des Hausmeisters, einem Koloss im roten Overall, der nachts um halb zwei, mit einem kalten Zigarrenstummel zwischen den Zähnen, an der Halterung des Handlaufs herumschraubte, stiegen sie die Treppe hinauf.

Im Schatten der Hauswand lag letzter Tau. Die Sonne war erst zur Hälfte über die Dachterrasse des Nachbarhauses geklettert und steckte dort zwischen zwei Liegestühlen aus Teakholz fest. Es war kurz vor neun Uhr morgens. Bernhard, in Shorts und T-Shirt, war steif vom langen Sitzen. Auf dem Fensterbrett neben ihm lagen tote Eintagsfliegen. Ein Haufen lebloser Körper. In der Nacht schwirrten sie um brennende Lampen, krochen in Nasenlöcher und stürzten sich in Weingläser, als könnten sie ihren Tod gar nicht erwarten. Bernhard versuchte, eine Fliege mit der Fingerkuppe aufzunehmen, und zerquetschte sie dabei. Ein kleiner Fleck. Mehr bleibt nicht, dachte er. Das Rätsel des Lebens hat eine recht simple Lösung, wenn man es in aller Klarheit betrachtet. Zellhaufen. Tom würde es nicht anders ergehen, wenn er tatsächlich zwischen Dittersdorf und Schleiz in ein Stauende rasen sollte, und auch von Bernhard selbst bliebe nicht mehr zurück, wenn er es sich beim nächsten Mal endgültig mit der Straßenbahn verdarb. Ein Zellhaufen in einem Kühlraum mit einem Namensschild am Zeh, sofern ein Zeh übrig geblieben war: Bernhard Duder.

»Das Schlimmste war, meine Frau noch einmal anzufassen«, hatte Ackermann zu Gabriele gesagt. »Eine Tote können Sie nur noch betatschen, aber nicht mehr berühren.«

Während des Studiums hatte Bernhard einer gerichtsmedizinischen Obduktion beigewohnt; die Teilnahme war freiwillig gewesen. Der Saal glich einer Waschküche, die kaum genug Platz für die Studenten bot. Sie trugen vergilbte Kittel und drückten sich an die Wände. Die Studentinnen waren froh, dass es ein Opa, die Studenten enttäuscht, dass es keine junge Frau war. Der alte Mann, in Schkeuditz geboren und gestorben, war tatsächlich von einer Straßenbahn erfasst worden. Während er der anderen hinterherrannte. Seine Lunge lag schmutzig rot auf dem Seziertisch. Zwei Rippen hatten den Fleischlappen durchbohrt.

»Raucher?«, fragte ein Kommilitone mit geradem Scheitel und sauberer Rasur.

»Beachtet man sein Alter, kann die Verfärbung Folge normaler Umwelteinflüsse sein.«

»Braunkohle«, präzisierte der allwissende Jurastudent.

»Nicht ausgeschlossen. Im Grunde«, erläuterte der Mediziner, »ist der Mann an seinem eigenen Blut ertrunken.«

»Klingt romantisch«, sagte ein blondiertes Mädchen heiter.

Milz und Niere wurden untersucht, hier und da ein Steinchen. Das Hirn lag lose im Schädel und ließ sich ohne Mühe herausnehmen, während das vom Knochen abgelöste Gesicht wie eine billige Gummimaske wirkte. »Sieht total unecht aus«, sagte einer. »Wie in einem B-Movie«, ergänzte ein anderer. Aber in dem Moment, als der alte Mann an Schultern und Füßen gepackt und wie ein Brett auf den Bauch gedreht wurde, machte sich eine Stille breit, in der das Krachen, mit dem das Kinn des blondierten Mädchens ungebremst auf die Fliesen schlug, erschreckend laut klang. Alle waren viel zu fasziniert von der Leiche gewesen, um die plötzlich Bewusstlose aufzufangen. Die Wunde wurde noch vor Ort mit zwei Stichen genäht.

Viertel nach neun. Ein Fortschritt. Bernhard war nie aufgefallen, wie unbequem die Stühle waren. Das grüne Polster war durchgesessen und hatte sich an einigen Stellen gelöst. Die Schnitzereien der Rückenlehne drückten ins Kreuz. Vor Stunden war er mit der Gewissheit aufgestanden, nicht mehr einschlafen zu können, war vom Schlafzimmer ins Bad getorkelt und vom Bad in die Küche. Er hatte sich einen Kaffee gemacht und ihn nicht angerührt. Auf der Suche nach einer Beschäftigung hatte er den Müllsack aus dem Eimer gehoben und dreiunddreißig Stufen die Treppe hinuntergetragen. Während er bei den Tonnen stand, bemerkte er Thery in der Nähe des Klettergerüsts. Er mit Müllsack, sie mit Gemüsetüte. Thery rupfte Gras auf der Spielplatzparzelle.

»Guten Morgen, Herr Duder.«

»Hallo, Thery.«

Das Mädchen wohnte im Nachbarhaus, in der Wohnung hinter der Dachterrasse, wo die Sonne an den Gartenmöbeln hängen geblieben war. Dort oben befand sich eine Auslaufzone für Zwergkaninchen, mit Maschendraht umzäunt.

»Das ist bestes Futter.«

Thery hielt einen Büschel Gras hoch und tapste weiter umher, flink und gleichzeitig tollpatschig. Trug Gummistiefel wegen des Taus, kurze Hosen und Daunenweste. Keine Wasserleichen, hatte es vor der Obduktion geheißen, und keine Kinder. Das packen die Juristen nicht. Die Tonne schlug zu.

»Auf Wiedersehen, Herr Duder.«

»Warum trinkst du den Kaffee nicht?«

Die Sonne hatte einen Sprung gemacht. Den ganzen Morgen hatte Bernhard auf Gabriele gewartet, jetzt überraschte ihn ihre Anwesenheit. Die langen Haare hingen in Strähnen über dem Schlüsselbein, nass und glatt, Wasser tropfte auf Brust und Füße. Ihr Zug fuhr in einer Stunde. Mit den Fingern betastete sie sein Gesicht, als suche sie dort nach dem Grund für sein Verhalten. Wenn er saß und sie stand, war sie einen Kopf größer als er.

»Du solltest ihn trinken.«

Bernhard küsste ihre Finger.

»Er wird sonst kalt.«

Sie bemerkte die zweite Tasse auf der Spüle. Die Milch schimmerte an der Oberfläche.

»Wie du schon feststellen konntest.«

Gabriele ließ von ihm ab, um die Espressomaschine in Gang zu setzen. Bernhard konnte den warmen Abdruck ihrer Hand noch auf der Wange spüren.

»Gabriele?«

Sie saßen sich gegenüber.

»Sollen wir Küchenstühle kaufen?«

»Was für ein Satz«, lachte sie und blies in ihren Kaffee.

»Jonas hat sie mir geschenkt. Sie stammen vom Sperrmüll.«

»Bernhard?«

»Sie sind unbequem, oder?«

»Warum denkst du dauernd an ihn?«

Bernhard hörte sie schlucken.

»Hat Jonas sich gemeldet?«

Nicht direkt gemeldet. Stattdessen hatte er sich in seine Träume eingeschlichen und es sich neben dem Doppelbett bequem gemacht, von wo aus er Gabriele und Bernhard wie etwas betrachtete, das er vielleicht kaufen wollte. Unschlüssig hatte Jonas dreingeschaut. Und diese Unschlüssigkeit war das Entsetzliche. Selbst jetzt, am helllichten Tag. Bernhard wollte Gabriele davon erzählen. Aber er schwieg, weil er fürchtete, eine unsichtbare Grenze zu überschreiten. Was ausgesprochen wurde, erhielt Realität. Behauptet ein Mädchen seiner Freundin gegenüber, sie habe den Jungen, in den beide verliebt sind, an der Bushaltestelle geküsst, ist das für die Freundin genauso schmerzhaft, als wäre es tatsächlich passiert. Sagt der Vater zur Mutter: »Ich liebe dich nicht mehr«, wird ihr Zusammensein nie wieder so sein wie zuvor, auch wenn sie es schaffen, sich irgendwie wieder zusammenzuraufen. Worte schlagen Breschen in die Wirklichkeit, die nicht mehr geschlossen werden können. Jonas durfte keine solche Bresche werden. Er sollte gefangen bleiben im Reich der Wahrnehmungsfehler. Schlimm genug, dass bei Ackermann über ihn gesprochen worden war. Bernhard trank einen Schluck aus seiner Tasse. Kalt schmeckte der Kaffee scheußlich.

»Nein, er hat sich nicht gemeldet.«

Zehn nach zehn. Nicht mehr lange, dann würde ihr Chef Gabriele abholen und mit ihr zum Bahnhof fahren.

»Ich weiß nicht«, sagte Bernhard, »ob ich ihn vermisse oder mich davor fürchte, dass er eines Tages wieder auftaucht.«

»Du hast Angst vor ihm. Das ist offensichtlich. Und vollkommen irrsinnig.«

Bernhard griff nach dem Tabak, fand aber keine Blättchen. Für eine Sekunde stieg Nervosität in ihm auf. Dann ließ er sich nach hinten sinken.

»Du hast mir einmal von deinem Kinderversteck erzählt«, sagte er. »Hinter dem Schrank, auf dem Dachboden.«

Über eine Truhe hinweg war Gabriele hineingekrochen. Ein finsterer Winkel, den die Eltern vergessen hatten. Zu der Zeit, als ihr Vater auszog, war dies der letzte sichere Ort im Haus, wenn sie nicht zwischen die Fronten geraten wollte. Gabriele war Einzelkind. Vater und Mutter kämpften verbissen um die Gunst ihrer Tochter. Versuchten sie mit Detailinformationen zu füttern, die ein Kind nicht wissen will, aber wissen muss, damit es zum Richter werden kann. Die Mutter wollte sie davon überzeugen, dass der Vater an allem schuld war. Der Vater wollte sie zur Einsicht bringen, dass alle Schuld bei der Mutter lag. Gabriele kauerte ganze Nachmittage in ihrem Versteck und stellte sich vor, ein Waisenkind auf der Flucht zu sein.

»Wir hatten auch ein Versteck«, sagte Bernhard.

Natürlich hatte es Jonas gehört. Der Zugang befand sich auf dem Dachboden. Hinter der Holzverkleidung der Wand lag eine Art Kammer, gerade groß genug für ein Regal und eine Matratze. Die Luke war kaum zu erkennen. Als Griff diente ein Loch. Ein Raum hinter dem Raum. Jonas war darin kein Gefangener, weil er nicht eingesperrt war, sondern die anderen aussperrte. Dort schlief er, dort verlebte er ganze Tage oder sogar Wochenenden; in den Ferien hatte er es einmal auf eine komplette Woche gebracht. Über die Gründe konnte man nur mutmaßen. Selbst Bernhard gegenüber verweigerte Jonas jede Auskunft. Er stellte sich einen Wecker zum Scheißen, nicht vor drei Uhr früh, drei Uhr früh war eine gute Uhrzeit, dann schliefen die anderen. Frühstück, Mittag- und Abendessen wurden vom kleinen Bruder serviert. Bei dem Versuch, ihn auszuhungern, hatte Jonas die besseren Nerven bewiesen. Bernhard klopfte und sagte: »Essen!«

»Kennst du den Witz, wie ein Philosoph einen Löwen fängt?«, hatte Jonas einmal durch die Holzwand hindurch gefragt.

»Wer ist der Löwe?«

Der Teller war heiß. Das Küchentuch dämmte die Hitze nur kurz, zu kurz, um zwei Treppen von der Küche in den ersten Stock und vom ersten Stock bis unters Dach zu laufen, ohne sich dabei zu verbrennen.

»Ich glaube, alle«, sagte Jonas. »Ich meine, der Löwe ist die Welt.«

»Ein großer Löwe.«

Bernhards Finger schmerzten. »Nimmst du den Teller, Jonas?!«

»Wie lautet die Antwort?«

»Keine Ahnung.«

Ein Philosoph konnte alles denken. Mehr wusste Bernhard nicht. Er war zehn Jahre alt und fest davon überzeugt, dass es sich bei seinem Bruder um einen großen Denker handelte, während er selbst für hochtrabende Gedanken zu dumm war. Immerhin begriff er, dass er den Teller erst abstellen durfte, wenn er eine Antwort gegeben hatte.

»Er knetet die Welt zusammen und steckt sie in die Hosentasche – Mist!« Schnell setzte er den Teller auf den Boden.

»Gar nicht schlecht«, sagte Jonas und schob die Tür einen Spalt weit auf, nicht weiter als nötig, um die Ration in Empfang zu nehmen. Für einen Augenblick konnte Bernhard ihn sehen: einen kleinen Streifen Bruder. Heute war er in Redelaune. Meistens sprach Jonas kein Wort. Dann stellte Bernhard das Essen ab und berichtete, was draußen so passiert war, heimgesucht von der Vorstellung, Jonas befinde sich gar nicht in seinem Versteck, sondern habe sich längst in Luft aufgelöst, während Bernhard mit der Wand redete.

»Du hast nie nachgesehen?«, fragte Gabriele. In ihrem Kaffee schwamm ein Krümel. Sie fischte ihn heraus. »Du hättest doch nur den Finger durch das Loch stecken und die Luke aufziehen müssen.«

»Ich war zu klein«, sagte Bernhard. »Jonas hätte mich windelweich geprügelt, wenn ich versucht hätte, die Luke zu öffnen. Nicht mal unsere Mutter hat es gewagt, nach ihm zu sehen.«

»Bei Eltern nennt man das Pädagogik, nicht Feigheit.«

»Nur weil sie Eltern sind?«

»Genau.«

Ein Lächeln huschte über ihre Gesichter. Der Baustellen-Kuckuck sprang aus seinem Haus. Halb elf. Plötzlich lief ihnen die Zeit davon. Die Zeitverstopfung des schlaflosen Morgens hatte sich gelöst, jetzt flossen die Minuten umso schneller. Bernhard überlegte, ob es sich vielleicht um einen ganz normalen Tag handelte. Gabriele stand auf, im Bademantel, die Haare immer noch feucht.

»Ich bin nur ein paar Tage weg, Bernhard. Schlaf dich aus, damit du wieder klar wirst. Und dann versuche deinen Bruder zu finden.«

»Ich bin mir nicht sicher, ob das eine gute Idee ist.«

»Ich aber. Vielleicht wartet er auf dich. Und wenn nicht, dann findest du ihn, damit er endgültig verschwinden kann. Verstehst du?«

»Schon«, sagte Bernhard.

»Versprich es.«

Bernhard nickte.

»Und dann«, sagte Gabriele, »weißt du, was dann?«

»Nein.«

»Dann kannst du in Herrgotts Namen so viele neue Stühle kaufen, wie du willst.«

Bernhard trug noch das T-Shirt und die Shorts, in denen er die Nacht verbracht hatte, warf kurz entschlossen das Jackett über und ging voraus. Schmerzhaft schlug Gabrieles Koffer gegen sein Knie. Im Treppenhaus roch es nach Panade und gerösteten Zwiebeln. Die Wohnung unter ihnen stand offen. Eine abgestellte Leiter markierte die Anwesenheit des Hausmeisters.

Draußen lag die Hitze auf der Lauer, nach einer langen Nacht gierig auf Menschenfleisch. Abgestellt auf dem Bürgersteig, sah Gabrieles Koffer wie einer jener Koffer in Filmen aus, die im nächsten Moment ausgetauscht werden. Eine lehmfarbene Katze überquerte die Straße und trug etwas Undefinierbares im Maul. In der Erdgeschosswohnung lief ein Fernseher. Zwei Straßen weiter krähte der Tonband-Hahn des fahrenden Geflügelhändlers: »Eier, Keulen, Brust, nur ...« – jedes Wort durch Rauschen vom nächsten getrennt.

Reinhards parkte in der zweiten Reihe, stieß die Beifahrertür auf, wirkte stark in Eile. Dann besann er sich auf Gabrieles Gepäck, stieg aus und lief zum Kofferraum. Mit laufendem Motor kauerte der rote Sportwagen auf dem Asphalt. Reinhards' Stimme klang gereizt. Er sprach schnell, um sich selbst oder Gabriele oder Bernhard anzutreiben. Sein Gesicht war schmal und wurde von einer großen Nase dominiert; die Augen lagen tief in den Höhlen; die schütteren Haare trug er in den Nacken gekämmt. Gekleidet in eine Hose aus hellem Leinenstoff und ein bordeauxrotes Poloshirt mit Rippkragen, farblich auf den Sportwagen abgestimmt, hätte er wie ein Mann aussehen können, der es geschafft hatte. Mein Haus, mein Boot, meine Frau – meine Insolvenz, mein Insolvenzverwalter, mein Neuanfang. Seine linkische Art, sich zu bewegen, verriet jedoch eine Nervosität, die den Anschein einer souverän überwundenen Midlife-Crisis zunichtemachte. Reinhards war kein Mann, der die Tücken des Älterwerdens gemeistert hatte. Sondern einer, der mittendrin steckte. Bernhard kam es vor, als hätte er nie im Leben einen unsympathischeren Menschen gesehen.

Die Hand gegen die Stirn gepresst, wusste Reinhards nicht, an wen er sich wenden sollte, Bernhard oder Gabriele. Er fragte: »Darf ich?«, als wollte er Gabriele, die in Bernhards Armen hing, um einen Tanz bitten. Meinte aber nur den Koffer. Er versetzte Bernhard einen Stoß gegen die Schulter und griff nach Gabrieles Gepäck. Der Kofferraumdeckel schlug zu, es blieben nur noch ein paar Sekunden. Bernhard versuchte in aller Eile, sich für irgendetwas zu entschuldigen.

»Sei mir nicht böse. Ich …«

Reinhards faltete sich zusammen und verschwand im Wagen.

»Das bin ich nicht«, unterbrach ihn Gabriele.

Die Hupe, kurz gedrückt, klang lächerlich. Der Sportwagen fuhr an, bog in einer wunderbar gleichmäßig gekrümmten Linie ab und verschwand hinter der Hausecke. Zwanzig Minuten bis zum Zug.

»Das bin ich nicht«, sagte Bernhard und schlenderte in Jackett und Boxershorts um den Häuserblock, ohne sich zu beeilen, vorbei an dem Geschäft für Damenunterwäsche, dem vietnamesischen Gemüseladen, der jahrelang von zwei jungen Arabern betrieben worden war, bevor das Viertel wieder von der asiatischen Seite übernommen wurde, und vorbei an der Fleischerei, in der Handwerker mit schmutzigen Hosen und blauen Augen zu Mittag aßen. Bernhard wäre zufrieden gewesen, wenn er in den kommenden fünf Tagen nur immer diese Strecke hätte abgehen dürfen, um den luftleeren Raum, den Gabriele zurückgelassen hatte, mit bewegtem Selbstzweck zu füllen. Er würde immer im Kreis laufen, rund um den Block, die Verkäuferin im Unterwäscheladen würde ihn freundlich grüßen, die vietnamesische Gemüsefrau verlegen lächeln, ein Frikadellen verzehrender Dachdecker die Plastikgabel auf ihn richten. Das, dachte Bernhard, würde den Status quo stabilisieren. Stoische Wiederholung würde die Wirklichkeit absichern. Ein tragfähiges Fundament für die sogenannte Realität.

»So ein Quatsch«, sagte er zu sich selbst, wieder vor der eigenen Haustür angekommen. »Was soll schon passieren.«

Er holte den Schlüssel heraus und stellte fest, dass dieser nicht ins Schloss passte. Bernhard trat ein paar Schritte zurück, um zu prüfen, ob er vielleicht vor dem falschen Haus stand. Diese etwas naiv ausgeführten Rankenmuster rechts und links des Erkers – hatte es die schon immer gegeben? Antwort: Sehr wahrscheinlich ja. Außerdem stimmte die Hausnummer. Es gab auch keinen zweiten Eingang, keine Zwillingstür, kein doppeltes Treppenhaus. Der Schlüssel passte trotzdem nicht. Auch nicht beim dritten und vierten Versuch. Bernhard hatte Lust, die Nerven zu verlieren. Zusammenbrechen. Die Tür eintreten. Ein öffentliches Telefon suchen, in der ehemals eigenen Wohnung anrufen und Jonas sagen, dass das nicht fair sei. Nicht so.

Bernhard tat nichts dergleichen. Er versuchte, nicht zu hyperventilieren, betrachtete den Schlüsselbund in seiner Hand, an dem eine Hundepfeife hing, die er noch nie zuvor gesehen hatte, und beobachtete den eigenen Verstand dabei, wie er sich erstaunlich hartnäckig weigerte, die einfache, logische, letztlich völlig harmlose Erklärung zu akzeptieren. Der Schlüssel, den er im Jackett gefunden hatte, war nicht sein Schlüssel. Weil das Jackett nicht sein Jackett war. Sondern Dombeks, in dem er letzte Nacht nach Hause gekommen war.

Er lachte. Vielleicht ein bisschen hysterisch. Schüttelte den Kopf und klingelte bei Frau Wätzen. Gabriele hatte recht, er war übernächtigt und sollte sich ausschlafen. Frau Wätzen war zu Hause, herzlich wie eh und je und nicht einmal wütend, dass Bernhard sie aus der Dusche geklingelt hatte. Mit der einen Hand sorgte sie dafür, dass das Handtuch nicht herunterrutschte, mit der anderen reichte sie ihm den Ersatzschlüssel. Sie wünschte noch einen schönen Tag.

»Kann ja nur besser werden«, sagte sie und zwinkerte ihm zu.

III. Teil

Dreizehn Uhr fünfundvierzig, der Eckladen hatte geöffnet. Ohne den zusätzlichen, weiß tapezierten Raum, abgetrennt durch drei Stufen, wäre der Laden nicht mehr als ein Kiosk mit Tür gewesen. Die Frau an der Kasse trug über dem Kragen der Bluse einen zweiten aus Halsfett, vibrierender Verstärker des gebrummten »Hallo«. Die Bluse hatte Kaffeeflecken. Die Frau schlief schlecht. Nachts sah Bernhard sie spazieren gehen. Sie führte keinen Hund aus, sondern streifte ohne Ziel, ohne Uhrzeit und ohne Regenschirm durchs Viertel.

Bernhard hatte heiß geduscht, sich zweimal rasiert und sein bestes Hemd übergezogen, nachdem er sich für den besten Anzug entschieden hatte, der, eigentlich für Hochzeiten und Beerdigungen reserviert, in Plastikfolie gehüllt im Kleiderschrank auf seine Einsätze wartete. Er hatte sich einen weiteren Espresso gemacht und ihn dieses Mal getrunken. Er wollte dem Tag eine zweite Chance geben. Er wollte ins Büro fahren, als wäre es frühmorgens, gute Arbeit leisten und am Abend, nach einem gepflegten Glas Wein, früh zu Bett gehen. Vielleicht vor dem Wein sogar eine Runde joggen, überlegte er, während er Kurs auf den Eckladen nahm. Der Anzug war viel zu warm für einen Sommertag. Außerdem wusste er nicht, warum er Klarissa unbedingt eine Packung Pralinen mitbringen wollte. Und ob es in solchen Eckläden Pralinen gab. Wenigstens Letzteres würde sich klären lassen.

Vor dem Laden trank ein Mann Dosenbier. Er trug einen

Ledermantel, bei dessen Anblick Bernhard der Schweiß auf die Stirn trat. Der Mann schien nicht zu schwitzen. Er drückte Beulen in die Dose und leckte mit langer Zunge Biertropfen von den Bruchstellen. Er gehörte zum Geschäft wie der blaugraue Transporter, der auf dem immer gleichen Stück Straße parkte, als würde er niemals bewegt. Auf der Seite des Transporters prangte ein pinkfarbener Schriftzug: RATINGEN. Wer Vodafone kündigen will, muss einen Brief nach Ratingen schicken, mehr wissen die wenigsten. Eine an den Rändern absackende Landstraße verband Ratingen mit Bernhards Heimatort, führte wie ein Trampelpfad durch die Kornfelder, schmal und ausgefahren. Ein Bus pendelte zwischen den Orten und sammelte Mädchen in Reithosen ein, fuhr vorbei an hölzernen Kreuzen, auf denen die Namen junger Männer verblichen. Die Autobahnauffahrt umarmte ein Bordell sowie die einzige Bushaltestelle mit Bucht und Wartehäuschen. Bernhard hatte kein Problem mit Ratingen, wohl aber mit Zufällen, die einem mitten in Ostdeutschland das benachbarte Heimatkaff in Form eines unbeweglichen Transporters vor die Tür stellen. Im Eckladen roch es nach frischen Backwaren, obwohl es keinen Ofen gab. Der Käse im Kühlregal war nur noch zwei Tage haltbar. Die dicke Frau sächselte. Ein Kind sprang die drei Stufen aus dem Hinterzimmer herunter und stieß gegen Bernhards Hüfte. Die Sonne schien durch das Regal vor dem Schaufenster. Unter der Decke hing eine verstaubte Kamera. In der Mitte des Raums mannshoch gestapelte Bierkästen. So klein der Laden war, blieb es doch unmöglich, ihn mit einem Blick zu erfassen.

»Ja, ja«, piepste das Kind.

Geld klimperte.

»Stimmt's?«

Die Frau brummte.

Bernhard versuchte sich zu besinnen. Es ging nicht nur um Pralinen. Die Zahnpastatube war fast aufgebraucht. Nur noch zwei Klopapierrollen neben der Toilette. Er drehte sich. Das Kind rief etwas, schrill und unverständlich. Bernhard glaubte, einen Schatten hinter den Kästen verschwinden zu sehen. Der Boden war mit weißen Kacheln gefliest, Dreck knirschte unter den Sohlen, die Tiefkühltruhe rumorte und Wasser perlte an den Schiebetüren. Bernhard warf einen Blick über die Schulter. Auf dieser Seite waren es Wasserkästen. Ebenfalls mannshoch. Das Kind schlug die Tür ins Schloss. Ein Glockenspiel schepperte überrascht und klimperte noch vor sich hin, als das Kind längst aufs Rad gesprungen war. Pralinen, dachte Bernhard und lief noch einmal um die Getränkesäule. Nougat, Krokant, Schnaps, rot und himmelblau verpackt, rund oder sechseckig; Preise wie an der Tankstelle. Die teuersten sollten es sein. Er umrundete den Turm aus Getränkekästen und traf an der Treppe die Frau.

»Die möchte ich kaufen«, sagte er.

»So.«

Hinter Duschgel und Shampoo ratterte die Straßenbahn vorbei, ließ den Boden vibrieren und warnte rasselnd vor sich selbst. Das Kind?, überlegte Bernhard. Und was bedeutete das »So« der Frau?

»Natürlich, Herr Duder«, ergänzte die Ladenbesitzerin.

Sie kannte seinen Namen. Ihre fleischigen Finger nahmen ihm die Pralinen ab. Ihr Hintern hing formlos in der Stoffhose und ging ohne sichtbare Grenze in die Schenkel über. Sagen Sie mal, hätte Bernhard gerne gefragt, warum besitzen Sie einen Transporter aus Ratingen? Wollen Sie mich verarschen?

Der Mann im Ledermantel kam herein, nahm sich eine neue Bierdose, ohne zu zahlen, und ging wieder vor die Tür. Bernhard vergaß, Zahnpasta, Klorollen und Brötchen zu kaufen, und würde es bis zwei nicht ins Büro schaffen. Teilsperrung auf dem Schleußiger Weg. Aus zehn Minuten wurden dreißig.

Um zwei Uhr rollte Gabrieles Zug an einem namenlosen Dorf vorbei, auf dessen Hauptstraße eine entlaufene Kuh unschlüssig herumstand. Um fünf nach zwei hielt er auf freier Strecke. Um zwei hatte Klarissa eine Heftklammer aufgebogen und die Seiten eines Schriftsatzes voneinander getrennt. Klaus Ackermann hatte telefoniert. Dreißig Minuten später standen beide vor Bernhards Bürotür und beugten sich über die Klinke wie über einen interessanten Forschungsgegenstand.

Zeitgleich saß Bernhard am Steuer, während zwei Hände in fingerlosen Handschuhen auf seine Motorhaube knallten. Ein gepierctes Mädchengesicht schaute eine Sekunde lang durch die Windschutzscheibe, sagte etwas Unfreundliches, rollte mit ihren Inlinern auf die andere Straßenseite und hatte ihn schon vergessen. Bernhard hatte den freien Parkplatz zu spät bemerkt und hart gebremst. Die anderen Verkehrsteilnehmer waren nicht leicht davon zu überzeugen, dass er tatsächlich zurücksetzen wollte. Es wurde gehupt, im Rückspiegel gestikulierte ein Mann mit grau melierten Schläfen. Die Kupplung schleifte. Bernhard setzte den Blinker und schaffte es in die Lücke.

»So, ihr Lieben«, sagte der Zugführer durch die Lautsprecher. »Jetzt stehen wir hier und gucken aus dem Fenster.« Im Großraumabteil wurde gemurmelt, manche lachten. »Achtung, ein wichtiger Hinweis: Das ist nicht der Bahnhof Jena! Bitte nicht aussteigen!«

Das Gelächter wurde lauter, einige klatschten. Vor den Fenstern brachliegende Felder, ein Flickenteppich aus unterschiedlichen Grün- und Brauntönen, zusammengehalten von kleinen Apfelbäumen, die wie halb eingeschlagene Nägel in der Landschaft steckten und die Nähte markierten. Kein einziges Haus, nicht einmal eine Straße, die zum Dorf hinter der kulissenartigen Hügelkette hätte führen können. Gabriele stemmte die Knie gegen den Klapptisch und fühlte sich alles andere als gut untergebracht. Die Bezüge der Sitze elektrisierten ihre Haare, der Großraumwagen war zu hundert Prozent ausgelastet und roch nach Salami. Sie versuchte, in Ruhe über Bernhard nachzudenken. Bernhard in Shorts und Sakko, über den sie schmunzeln musste und sich gleichzeitig Sorgen machte. Wie viele Nächte hatte er jetzt schon nicht richtig geschlafen? Zehn? Oder waren es zwanzig? Dass sie einen nervösen Mann geheiratet hatte, dessen Selbstzweifel bisweilen manische Züge annahmen, war ihr bekannt. Aufschneider waren ihr zur Genüge über den Weg gelaufen und hatten am Ende doch immer nur um die Rettung ihrer kleinen Seelen gebettelt. Bernhard würde sich eher einen Arm abhacken, als ihr die Verantwortung für sein Seelenheil zu übertragen. Im Gegenteil. Sein größtes Anliegen war, ihr nicht zu Last zu fallen. Er hielt sich für einen Klotz am Bein und obendrein für peinlich. Gabriele widersprach nicht. Sie gab ihm nicht etwa recht. Aber sie wusste, dass in den Verhandlungen eines Menschen mit sich selbst kein anderer eine Stimme besaß. Und sie vertraute darauf, dass die Zeit ihm langsam, aber sicher beweisen würde, was er partout nicht glauben wollte: dass sie gern mit ihm zusammenlebte.

Neu war seine Fähigkeit, von zwei Paar Schuhen jeweils ein Exemplar zu verlieren. Das hatte nichts mehr mit seinen Schuldgefühlen zu tun. Etwas hatte sich verändert und eine neue Stufe erreicht, so dass sich Gabriele fragte, seit wann sie sich auf einer Treppe befanden, deren Ende im Nebel lag. Sie wurde von dem Gefühl geplagt, mit dieser Reise einen Fehler begangen zu haben. Bei der es nun nicht weiterging, kaum dass sie begonnen hatte.

Seitdem Gabriele in den Sportwagen gestiegen und Bernhard in einer scharfen Kurve aus ihrem Blickfeld verschwunden war, redete Reinhards. Zuerst darüber, dass sie den Zug verpassen würden. Dann davon, dass sie es doch geschafft hatten. Er habe es nicht mehr für möglich gehalten. Ein kleines Wunder. Ein Zeichen. Gewiss aber sein Verdienst. Und Anlass für ein Referat über die Bedeutung des Reisens an sich. Kultureller Austausch, wirtschaftlicher Fortschritt. Genau genommen ist die Globalisierung ein halbes Jahrtausend alt. Am Ende versteifte er sich auf die These, dass das Reisen nicht nur irgendeine beliebige Stufe der menschlichen Entwicklung markiere, sondern einen evolutionären Sprung, vielleicht den größten in der Geschichte der Menschheit. Schließlich seien Marco Polo und Neil Armstrong quasi Geschwister im Geiste, und bei der ersten Eisenbahn, lächerliche 24 km/h schnell, habe man noch geglaubt, solch rasante Geschwindigkeiten würden unweigerlich das Gehirn zerstören. Was würden wohl Stafford, Young und Cernan dazu sagen?

»Die Landekapsel der *Charlie Brown* erreichte auf ihrem Rückflug zur Erde eine Spitzengeschwindigkeit von 39.897 km/h.«

Reinhards gehörte zu den Menschen, die das Schweigen

eines Gesprächspartners als Ausdruck gespannten Interesses deuten. Er war Gabrieles Arbeitgeber, insoweit respektierte sie ihn. Wenn er aber glaubte, sie mit solchem Gerede beeindrucken zu können, täuschte er sich. Gabriele wusste, warum sie ihn begleiten sollte. Aus dem gleichen Grund, warum sie mit auf jede Messe musste und auf jede mittelmäßige Baustelle. Gewiss schätzte Reinhards ihre Kompetenz. Vor allem aber liebte er die Vorstellung, zwischen ihnen könnte es eines Tages tatsächlich zu einer Affäre kommen. Gabriele war das egal. Von Reinhards hatte sie nichts zu befürchten. Aber sein Gerede nervte. Sie kaute auf dem Daumennagel und dachte, dass sie in ihrem Alter nicht auf den Nägeln kauen sollte. Leider ließen sich Reinhards' Versuche, von Hongkong, Kolonialzeit, Demokratie und der gelben Gefahr möglichst elegant nach Hause in den sächsischen Garten überzuleiten, ohne Nägelkauen nicht ertragen. Der aufgebauschte Tonfall des Referats erfasste jetzt seine beiden Kinder, über die er »als solches« reden wollte, als gäbe es am Phänomen ihrer Existenz etwas zu lernen. Er benutzte Formulierungen wie: »Früher hätte ich mir nicht vorstellen können, dass …« und »Habe ich eine andere Sicht auf das Leben bekommen, seit …« Von seinen Kindern Nele und Marvin sprach er, aber mit keinem Wort von seiner Frau.

Plötzlich unterbrach er sich: »Gabriele?«

Für einen Moment glaubte sie, er wolle fragen, ob alles in Ordnung sei. Das wäre eine Premiere gewesen. Stattdessen war er wohl zu dem Schluss gekommen, sie ausreichend weichgekocht zu haben, um das Eigentliche anzusprechen.

»Ich wollte dir danken, dass du mitkommst.« Er machte eine Pause für »Keine Ursache« oder »Mach ich doch gern«

und fuhr fort, als er einsah, dass Gabriele nicht in Stimmung für Freundlichkeiten war.

»Ohne dich wäre ich aufgeschmissen bei diesem Geschäft.«

»Diesem Geschenk«, antwortete Gabriele.

»Wie du meinst.«

»Boulanger spricht fließend Deutsch.«

Gabriele bekam ein trockenes Stück Nagelhaut zwischen die Zähne.

»Trotzdem«, beharrte Reinhards, »ohne dich bin ich auch auf Deutsch aufgeschmissen.«

Gabriele zog an dem Fetzen, der sich erstaunlich hart anfühlte. Sie wollte nicht aufschauen, um nicht in Reinhards' treuherzige Miene zu blicken. Denn dann, das wusste sie, würde er ihr leidtun. Sie wollte nicht den Rest der Reise nett zu ihm sein müssen. Die Haut riss ab bis ins Nagelbett.

»Du blutest«, sagte Reinhards.

Er hatte recht. Sie war erstaunt über das viele Blut. Es stand in keinem Verhältnis zur Verletzung. Mit Verletzungen solcher Art hatte sie Erfahrung. Sie steckte den Daumen in den Mund und stand auf, um auf die Toilette zu gehen.

Von ein bisschen Stau und einer fast überfahrenen Skaterin wollte sich Bernhard nicht aus der Ruhe bringen lassen. Mochte sich der Tag auch im zweiten Anlauf als holprig erweisen, er hatte sich viel vorgenommen. Als Erstes – einundzwanzig, zweiundzwanzig – tief durchatmen und Gabrieles Reise als das betrachten, was sie war: ein gewöhnliches Ereignis. Fünf Tage, nicht schön, aber kein Grund zur Panik. Er hatte ein Versprechen abgegeben. Viel schlafen und Jonas finden. Vor allem aber hatte er unter der Dusche die Entscheidung getroffen, von nun an seine Gerichtstermine selbst wahrzunehmen und sich nicht länger vertreten zu lassen. Er war Anwalt, und ein Anwalt gehörte vor Gericht. Wenn Ackermann seine Andeutungen wahr machte und Bernhard eines Tages die Kanzlei überschrieb – wie sollte das funktionieren, wenn er im Angesicht von Richter und Staatsanwalt zur Salzsäule erstarrte? Gar nicht. Deswegen musste das geändert werden. Seine Entscheidung wollte er Ackermann gleich mitteilen, bei einem Gespräch um vierzehn Uhr, damit die Sache besiegelt war. Bernhard fühlte sich gut. Der Anzug würde ihm helfen. Und eine halbe Stunde Verspätung ist keine Tragödie, dachte er, während er das Auto abschloss und ein Lkw auf der Baustelle den Hinterleib in die Höhe stemmte und einen Schwall Erde zu einem spitzen Hügel auftürmte, so dass sich die einzige Windböe, die an diesem Tag über Leipzig streichen und den Bewohnern der Stadt für wenige Augenblicke Erleichterung von der mittäglichen Hitze verschaffen sollte, eine Handvoll Staub greifen und sie Bernhard ins Gesicht werfen konnte. Er lachte, klopfte sich ab, so gut es ging, und dachte: Mach nur weiter so, sperriger Werktag. Eine Straßenbahn hielt, spuckte mit Nummernschildern bewaffnete Menschen aus, die sich zu einem zweiarmigen Strom sortierten und in Richtung des Bürokomplexes bewegten. Bernhard ließ sich mittreiben, war noch damit beschäftigt, den Dreck von der elektrisch aufgeladenen Plastikfolie der Pralinenschachtel zu wischen, als ihn das Mädchen auf Inlinern nach dem Weg zur Kfz-Zulassungsstelle fragte. Ohne Auto erkannte sie ihn nicht. Bernhard konnte den Weg erklären, es war ganz einfach, und obwohl das Gesicht des Mädchens nicht gepierct war, beschloss er, dass soeben etwas funktioniert hatte. Er nahm die letzten Stufen zur Kanzlei auf einmal, versteckte die Pralinenschachtel wie einen Blumenstrauß hinter dem Rücken und trat ein. Weder Klarissa noch Ackermann bemerkten ihn.

»Was hältst du von einem Spaziergang?«, sagte Ackermann zu Bernhards Bürotür.

Klarissa beugte sich noch tiefer, anscheinend versuchte sie, durchs Schlüsselloch zu spähen. Sie trug ein anthrazitfarbenes Kostüm mit Caprihosen und sah aus wie seine Sekretärin. Der Flur war ein schmaler Schlauch mit einem dunklen Teppich. An der Garderobe hingen die vergessenen Mützen des vergangenen Winters.

»Du arbeitest zu viel«, rief Ackermann. »Das kann doch warten. Wir könnten was Schönes unternehmen.«

Klarissa räusperte sich, als hätte sie das gesagt. Stattdessen rief sie: »Außerdem ist hier ein Brief für Sie.«

Abwechselnd beruhigend und energisch redeten sie auf das Türschloss ein. Klarissa klang wie eine Mutter vor einer verschlossenen Badezimmertür, hinter der sich die Tochter die Seele aus dem Leib kotzt. Ackermann wie ein Vater, der gerade die Grenzen seiner Autorität kennenlernt. Beide vermieden es, die Klinke zu berühren. Auf eine Antwort warteten sie vergeblich. Klarissa drückte ihr Kreuz durch und bemerkte Bernhard.

»O nein«, sagte sie.

Und mit diesem »O nein« brachen alle Vorsätze Bernhards in sich zusammen. Es würde kein Gespräch mit Ackermann geben. Er würde nicht joggen gehen, wie es ein gesunder und guter Bürger tat. Er ahnte, dass es kein gepflegtes Glas Wein werden würde, sondern eine Flasche. »O nein, das bin ich nicht.« Noch nie hatte Klarissa ihn so direkt angeschaut. Normalerweise brachte sie nichts aus der Ruhe. Mochte es in der Kanzlei noch so sehr drunter und drüber gehen, sie schaute gleichmütig drein, fast so, als ginge sie das alles nichts an. Jetzt aber war sie erschrocken. Vor Bernhard. Er konnte sich keinen Reim darauf machen. Deutlich spürte er, dass er dem Abwärtssog nicht genug entgegenzusetzen hatte. Alle Zuversicht wich dem Zweifel. Im Zweifel ist alles möglich. Außer vielleicht, dass Bernhard selbst sich in diesem Büro eingeschlossen hatte. Oder vielleicht sogar das. Wenn der Zweifel nur mächtig genug wurde.

»Rede mit mir!«, rief Ackermann.

Dann bemerkte auch er ihn. »Bernhard!«, fuhr herum und schlug sich die Hand auf den Mund, als hätte er etwas Verbotenes gesagt. Ackermanns sonst so klarer Blick flackerte nervös. Alle Verhandlungen verstummten.

»Komm her.«

Ackermann flüsterte und gab Zeichen mit dem Kopf. Der Schweiß stand ihm auf der Stirn. Er sah nicht aus, als wäre er froh über Bernhards Auftauchen.

»Was ist das?«

»Wie bitte?«

Ackermann zeigte auf die Pralinen. Für einen Moment war Bernhard selbst überrascht. Dann drückte er die Schachtel ohne weiteren Kommentar Klarissa in die Hand.

»Ach so«, flüsterte Ackermann.

Klarissa simulierte lautlose Freude. Am nächsten Tag würde sie dreimal versichern, was das für eine nette Geste gewesen sei. Sie würde ihm zweimal einen der süßen Klumpen anbieten, und er würde aus Höflichkeit einmal annehmen.

»Mit wem redet ihr da?«

Das kam aus Bernhards Büro.

Wie fängt ein Philosoph einen Löwen? Er zäunt sich ein und definiert sich als draußen.

Tatsächlich empfand Bernhard Erleichterung, als er Dombeks Stimme erkannte.

»Hier sind nur Klarissa und ich.«

»Bernhard! Ist Bernhard bei euch?«

»Nein.«

Ackermann dirigierte Bernhard in die Kaffeeküche; tropfender Kühlschrank, Mikrowelle, Kaffeemaschine, Tassen, ein Plastikklappstuhl, von dem niemand wusste, warum er dort stand. Ackermann legte einen Finger auf die Lippen und bedeutete ihm, still zu warten. Aus dem Fenster war die Baustelle zu sehen, der Erdkegel mit seiner wunderbar runden Grundfläche. Ein Bauarbeiter hockte auf einer Holzpalette, und Bernhards Wagen stand an seinem Platz.

»Sagt ihm …«

Dombeks Stimme schnappte über.

»Er ist nicht hier«, sagte Ackermann mit ungewohnter Strenge.

Bernhard entschied sich für den Stuhl, in der Hoffnung, dieser würde, benutzt wie gedacht, das Groteske normaler erscheinen lassen. Seine unterschiedlichen Schuhspitzen tippten gegen den Kühlschrank. Mit blauen, roten und grünen Nadeln waren Postkarten dankbarer Klienten an der Wand befestigt, so dass sich Bernhard einem Mosaik aus schroffen Wanderlandschaften oder Strandansichten mit glasklarem Wasser und pinkfarbenen Bikinis gegenübersah. Er drehte eine Zigarette und rauchte sie nicht. Er war der Einzige in der Kanzlei, der Selbstgedrehte rauchte. Der Geruch hätte ihn verraten. Er fragte sich, warum niemals die Mutter auf Jonas' Versteck eingeredet hatte, so wie Ackermann und Klarissa es taten, sondern immer nur er selbst.

»Mein Lieber, noch einmal von vorn. Nur damit ich es verstehe. Warum bist du in Bernhards Büro?«, fragte Ackermann.

Während des Referendariats hielt ein Ermittlungsrichter eine kleine Einführung zum Thema Verhörtechnik. Sich dumm stellen. Auf diese Weise zu irgendeiner beliebigen Antwort verleiten. Zeit gewinnen. Tempo aus dem Wortwechsel nehmen. Es funktionierte. Eine Pause entstand.

»Bernhard hat es mir erlaubt.«

»Das kann ich mir ehrlich gesagt nicht vorstellen«, sagte Ackermann.

»Er hat es mir nicht erlaubt?«

»Eher nicht.«

Lange Pause.

»Das sieht ihm ähnlich.«

Noch längere Pause.

Als Dombek wieder zu sprechen begann, war er wie ausgewechselt, nichts drohte zu kippen, er sprach bedachtsam, mit einer tiefen, kehligen Stimme, die klang, als säße er in einem Radiostudio vor dem Mikrofon. Bernhard beschloss, am offenen Fenster zu rauchen.

»Sagt ihm, es hat nichts mit Vertrauen zu tun.«

»Was hat nichts mit Vertrauen zu tun?«

»Es gibt immer das Ich und das Andere. Er darf diese Schwelle nicht überschreiten.«

»Aber Bernhard muss doch in sein Büro.«

»Was er denkt, ist egal! Spielt keine Rolle. Sagt es ihm! Er darf auf keinen Fall diese Schwelle überschreiten.«

Bernhard rauchte ratlos, und Dombek sprach kein Wort mehr. Die ausgerauchte Kippe trudelte hinab in die vertrockneten Gräser, die von der gleichen braunen Farbe waren wie der Bauschutt, zwischen dem sie wuchsen. Er schaute von der Küche in den Flur, als Ackermann die Nerven verlor und die Tür eintrat. Es ging einfacher, als Bernhard geglaubt hätte. Dombek lag auf dem Rücken und trug Bernhards Jackett. Ackermann griff nach dem Telefon.

»Die Nummer von Dr. Wiecken!«

»4012679«, sagte Klarissa.

»Sieben sechs neun.«

»*Sechs sieben* neun.«

Der Tag hatte unversöhnlich begonnen und sollte unversöhnlich enden. Bernhard gehörte nicht zu den Menschen, die abends ein heißes Bad einlassen, einen Wellness-Drink mixen und sich bei einem guten Buch entspannen. Er wusste nicht einmal, warum er nach Hause ging, statt gleich bis spät in die Nacht zu arbeiten. Im Treppenhaus stolperte er über den Hausmeister, der genau an derselben Stelle saß wie in der vergangenen Nacht. Nur der Schraubenzieher war durch einen Akkubohrer ersetzt worden. Der Hausmeister hatte die Beine quer über die Treppe gestreckt und rückte, da er vorgab, ganz in seine Arbeit am Geländer vertieft zu sein, demonstrativ nicht zur Seite. Das Abendlicht baute Skulpturen aus Staub. Bernhard schwitzte, der Hausmeister stank.

»Herr Duder!?«

Die Stimme war feucht, als schwappte ihm beim Sprechen Spucke im Hals. Bernhards Fußspitze berührte die Hausmeisterhose.

»Ich muss in Ihre Wohnung.«

Bernhard machte einen weiteren Schritt. Er stand über ihm.

»Die Heizung. Das Problem liegt bei Ihnen.«

»Es ist Sommer.«

»Und Winter wird es wieder werden.«

Ein Speichelspritzer landete auf Bernhards Schuh.

»Ich habe zu tun.«

Ein kleiner durchsichtiger Tropfen mit einer winzigen Blase obendrauf. Sein Fuß begann zu jucken, er wollte weiter und dieses Gespräch beenden.

»Ja«, rief der Hausmeister ihm nach, »und wir haben ständig mit Leuten wie Ihnen zu tun!«

Wer, dachte Bernhard, ist »wir«? Der Handlauf wackelte seit Monaten und wurde seit Monaten repariert. In der Wohnung drehte Bernhard die Heizung auf, sie funktionierte. Er betätigte den Lichtschalter, obwohl es noch hell war. Dass beides, Heizung und Licht, funktionierte, hätte ihn eigentlich beruhigen sollen. Aber während er dem Sirren einer Fliege lauschte, die vergeblich versuchte, dem Glaskörper der Deckenlampe, in den sie gestern unbedingt hatte eindringen wollen, zu entkommen, wurde ihm klar, wie falsch es gewesen war, nach Hause zu gehen. Es würde eine Nacht ohne Ende und ein Tag ohne Anfang werden. Er probierte es mit Alkohol. Dann mit Sit-ups. Er versuchte, die Zeit auszuschalten wie eine Lampe, indem er die Augen zukniff und sich in die Dunkelheit des eigenen Kopfes zurückzog, aber je länger er einzuschlafen versuchte, desto unmöglicher wurde es.

Seine Gedanken drehten sich wie Kreisel um sich selbst. Dombek. Dombek war im Krankenhaus. Nachdem Dr. Wiecken nicht ans Telefon gegangen war, hatten sie den Notarzt gerufen. Zwei Männer in feuerroten Jacken hatten sich über Dombek gebeugt und ihn hinausgetragen. Tom. Tom, der ununterbrochen redete. Gehetzt von der Angst, auf Dauer nicht gut genug für Klarissa zu sein. Klarissa, die Toms Sorgen nicht zerstreuen konnte oder vielleicht auch nicht wollte. Ackermann, der Nacht für Nacht in seiner viel zu großen Wohnung saß und ohne Gegner Schach spielte, strategische Probleme erfand und löste, weil sein bester Freund nur noch an guten Tagen in der Lage war, nach gemeinsamen Regeln zu spielen. Gabriele. Gabriele und die Stadt, die von Liebe erzählt, ohne zu begreifen, wovon sie redet, weil sie Liebe für eine Serie von Schwarz-Weiß-Bildern hält. Glückliches Pärchen auf Vespa, er lenkt, sie hält ein Baguette unter dem Arm. Schöne Frau mit schmachtendem Blick auf Balkon mit schmiedeeisernem Gitter. Jonas. Jonas, der überall und nirgends war, der Gabriele geliebt hatte und vielleicht noch immer ein Foto von ihr in der Brieftasche trug. Oder sich kaum noch an ihren Namen erinnern konnte, weil sie ihm schon lange scheißegal war. Reinhards, der verheiratet war und trotzdem mit Bernhards Frau schlafen wollte. Dombek. Dombek wollte sein Büro zurück. Vielleicht wirklich nur das. Klarissa wollte einen echten Mann, und Tom wollte dieser echte Mann sein. Vielleicht war das die nobelste Art zu lieben, die es gab. Bernhard versuchte es noch einmal mit Sit-ups.

Während er seinen Oberkörper rhythmisch gegen die Schwerkraft stemmte, betrat Gabriele ihr Hotelzimmer. Tatsächlich hatten sie ihr Ziel trotz einer entlaufenen Kuhherde, Baustellen und einem Triebwerkschaden noch erreicht. Der Page, keine achtzehn Jahre alt, in purpurner Uniform mit goldenen Knöpfen und rundem Hut, wartete auf sein Trinkgeld, fixierte Reinhards, der ihn ignorierte. Reinhards wusste, sobald der Page weg war, musste auch er gehen. Er wollte aber bleiben und überlegte, ob er einen nächsten Schritt in den Raum wagen durfte. Weit war er nicht gekommen. Wie festgeklebt stand er in der Tür, versperrte dem Pagen den Rückweg und versuchte, das Zimmer in Augenschein zu nehmen. Den Kopf vorgestreckt, das Gewicht auf den Fersen, als stünde er an einem Abgrund, kommentierte er die Einrichtung, angefangen bei den Vorhängen, die purpurn waren wie die Pagenuniform, über die Möbel aus edlem Holz, bis hin zum Teppich, der für ein Hotelzimmer von ungewöhnlich hellem Beige war. Die Ausstattung des Badezimmers fand, während er sich noch weiter vorbeugte, seine volle Zustimmung. Für den Pagen, wie oft er dieses Schauspiel auch schon gesehen haben mochte, eine Geduldsprobe. Er ließ sich nichts anmerken.

»Nous avons le même problème«, sagte Gabriele zu ihm.

Reinhards zuckte zusammen, gab sich geschlagen, indem er mit mutloser Stimme den Stuck lobte und nach Kleingeld zu suchen begann.

»Merci, Monsieur. Madame, je vous souhaite une bonne nuit.«

»Merci, merci«, antwortete Reinhards, sprach es wie »mercy« aus und beeilte sich, die Tür freizugeben. Natürlich gab es eine Verbindungstür zwischen den Zimmern. Immerhin, der Schlüssel steckte auf ihrer Seite. Erschöpft ließ sich Gabriele auf das Bett sinken. Sie war zu müde, um sich auszuziehen.

Bernhard kroch verschwitzt unter die Decke. Seine Bauchmuskeln schmerzten. Er fühlte sich besser. Der Kreisel seiner Gedanken wurde langsamer. Bernhard schlief ein, wurde Stunden später wach und fühlte sich, als hätte er höchstens zwei Minuten geschlafen. Gleichzeitig spürte er den festen Entschluss, in eine Wohnung mit großem Balkon und gusseisernem Balkongitter zu ziehen.

Zu seinem vorläufigen Glück reichte wenig später schon die Tatsache, dass der Schlüssel der Kanzlei passte und die Tür, gut geölt, nach innen schwenkte. Er konnte sich nicht erinnern, ob er schon einmal als Erster im Büro gewesen war. Der Rauch von Ackermanns Vanillezigarillos schwebte über dem dunklen Teppichboden und vermischte sich mit dem Geruch von verbranntem Kaffee, aufgebrüht und vergessen, über Nacht zu einer zähen braunen Masse zusammengeschmolzen, die als zentimeterdicke Schicht am Boden der glühend heißen Kanne klebte. Das Wasser aus der Leitung war kalt. Es gab einen Knall, und ein Riss teilte die Kanne in zwei ungleiche Hälften. Vom klebrigen Kaffeesubstrat zusammengehalten, lief sie voll, statt auseinanderzufallen. Das Wasser quoll über den Rand und verschwand gurgelnd im Abfluss. Bernhard drehte den Hahn zu. Die Kanne ließ er stehen. Eine Weile blätterte er im Kalender, der aufgeschlagen auf Klarissas Schreibtisch lag, der Stabilo im Scheitel der Seiten. Die Namen von Klienten, die Uhrzeiten von Gerichtsterminen.

Klarissa sagte: »Oh!« Und fasste sich mit gespreizter Hand ans Brustbein.

Bernhard sagte: »Bin schon da.«

Sie hatte seinen Wagen im Hof bemerkt. Er hatte ihre Schritte gehört. Dennoch taten beide, als wären sie vom jeweils anderen überrascht worden. Bernhard hatte noch nie in ihren Kalender geschaut und wusste nicht, ob er sich entschuldigen musste; sie wusste nicht, wie sie ihm sagen sollte, dass es nicht den geringsten Grund für Entschuldigungen gab. Ihr »Oh« geriet zu laut und sein Versuch, gelassen zu wirken, unbeholfen. Zu allem Überfluss streckte Klarissa ihm die Pralinenschachtel hin, halb leer, und sagte: »Ach.«

Oh und ach. Bernhard kaute. Es wollte sich keine Routine einstellen.

»Ackermann«, sagte Klarissa, eine Praline lutschend, »ist noch bei Dombek.«

Übertritt diese Schwelle nicht, dachte Bernhard. Ackermann hatte über Dombeks Äußerung kein Wort verloren.

»Schon viel besser«, sagte sie auf seine Nachfrage, in ihre Handfläche sprechend, während Bernhard darüber nachdachte, ob Dombek zum ersten Mal in sein Büro eingedrungen war. Ob die vertauschten Jacketts auf Ackermanns Party ihn spontan auf diese Idee gebracht hatten oder ob die Eskalation das Ergebnis einer länger gepflegten Gewohnheit darstellte. Auf den Punkt gebracht: Besaß Dombek einen Schlüssel, und wusste Ackermann davon? Bernhard wollte Klarissa fragen.

»Klarissa ...?«

»Ich wollte mich noch für Toms Verhalten entschuldigen.«

»Tom? Kein Problem. Aber ...«

»Das ist lieb«, sagte Klarissa und wollte sich abwenden.

»Wegen Dombek ...«

»Ja?«, sagte Klarissa und gab sich Mühe, weiterhin interessiert dreinzuschauen, als in Bernhards Büro das Telefon klingelte.

Es war gar nicht nötig, die Klinke zu berühren. Beim ersten leichten Kontakt gab die Tür nach. Der Rahmen war aufgeplatzt, Holzsplitter lagen am Boden verstreut. Einen Augenblick betrachtete Bernhard die Schwelle. Hob ein Bein und überschritt sie. Nichts passierte. Er ging ans Telefon.

»Sie ist tot.«

»Wie bitte?«

»Die Taube.«

Goss, der Taubenzüchter. Seine Stimme klang gedämpft, als würde er aus einem weit entfernten Land anrufen oder durch ein vorgehaltenes Stofftuch sprechen, so wie Bernhard es als Kind früher bei Telefonstreichen getan hatte.

»Das war der Specht.«

Bernhard unterdrückte ein nervöses Lachen. Taube und Specht. Die Eheleute Specht bildeten die Klägerpartei.

»Vergiftet«, sagte Goss.

Bernhard wartete darauf, dass Goss weitersprach, und schaute sich währenddessen im Büro um. Abgesehen von den Holzsplittern war alles wie immer.

»Herr Duder?«

»Sind Sie sicher?«, fragte Bernhard schnell.

»Ja«, sagte Goss. »Die Taube war jung. Ein kerngesundes Tier.«

»Das ist kein Beweis.«

»Sie meinen, ich muss die Taube wieder ausgraben?«

»Die Täterschaft von Specht müsste bewiesen werden. Falls ich Widerklage erheben soll.«

Goss schwieg. Er schwieg lange. Bernhard glaubte längst, durch einen beiseitegelegten Hörer in die Stille eines leeren Raumes zu horchen.

»Bis zu Ihrem Besuch«, sagte Goss, plötzlich wieder anwesend, »habe ich die Beweise beschafft.«

»Mein Besuch?«

»Unser Treffen, Herr Duder. Bei mir. Haben Sie es sich anders überlegt?«

»Entschuldigen Sie, aber ich wüsste nicht, warum ich zu Ihnen rausfahren sollte.«

»Sie haben selbst darauf bestanden. Am Fünften des Monats, um zehn.«

»Bitte warten Sie einen Moment.«

Er hastete in den Flur und trat hinter Klarissas Stuhl. An ihr vorbei griff er zum zweiten Mal an diesem Tag nach dem Terminkalender. Sie sah ihn verblüfft an. Lila für Ackermann, grün für ihn. Im ganzen Monat gab es keinen Eintrag für den Taubenzüchter. Wenn er von Goss erfahren wollte, wie die Verabredung zustande gekommen war, musste er vorsichtig vorgehen. Behutsam nachfragen, ohne unprofessionell oder anderweitig verdächtig zu wirken. Unprofessionelle und Verdächtige erhalten keine Informationen. Für den Weg zurück in sein Zimmer benötigte er zwei Schritte mehr.

»Ein Versehen auf unserer Seite«, sagte er in den Hörer. »Nur um die internen Abläufe nachvollziehen zu können – haben Sie den Termin persönlich mit mir vereinbart?«

»Bis Freitag um zehn«, sagte Goss und legte auf.

Bernhard hörte, wie Klarissa erst die eine, dann die andere Hälfte der Kaffeekanne in den Mülleimer warf, während er den Apparat weiter gegen das Ohr drückte, als bestünde Hoffnung, dass Goss noch einmal zu sprechen begänne.

Tat er nicht. Bernhard begann mit der Analyse. Es gab drei Möglichkeiten. Erstens: Bernhard hatte die Vereinbarung mit Goss selbst getroffen und vergessen. Zweitens: Goss wollte einen kostenlosen Ortstermin wegen seiner toten Taube und hatte soeben mit einem blöden Trick Erfolg gehabt. Drittens: Dombek. Analyse abgeschlossen.

Bernhard durchsuchte sein Büro. An Goss kam er vorerst nicht heran. Aber vielleicht konnte er einen Beweis für eine der beiden anderen Theorien finden. Eine kleine Notiz, von eigener Hand auf den Rand eines DIN-A4-Blattes gekritzelt, das er später abgeheftet oder zusammengeknüllt in den Papierkorb geworfen hatte. Oder eine Spur, die Dombek hinterlassen hatte. Mit einem Schwung leerte Bernhard den Müll in der Mitte des Zimmers aus. Nahm sämtliche Akten der letzten Wochen aus den Schränken. Überprüfte die zuletzt gewählten Telefonnummern und die zuletzt geöffneten Dateien auf seinem Computer.

»Was ist denn hier los?«, fragte Ackermann.

Es war Mittag. Ein dünner Rauchfaden quoll aus seinem Zigarillo, das beim Sprechen nervös auf und ab hüpfte. Bernhard schenkte sich eine Antwort und fragte stattdessen nach Dombek.

»Kein Grund zur Sorge«, sagte Ackermann. Sein Lächeln wirkte verkrampft. »Es sah schlimmer aus, als es ist.«

Bernhard wusste nicht, wie schlimm es ausgesehen hatte, weil sie ihn wie einen Idioten in die Küchennische verbannt und sogar die Tür geschlossen hatten, während Dombek abtransportiert wurde.

»Sie behalten ihn noch zur Beobachtung.«

»Ist ein bisschen besorgniserregend, ich meine, wenn er sich hier in meiner Abwesenheit herumtreibt.« Bernhard klang steif, und genauso steif zeigte er auf die Holzsplitter, die zwischen dem verstreuten Papiermüll kaum noch zu sehen waren.

Überrascht blickte Ackermann ihn an.

»Dombek hat sich eingeschlossen. Ein ramponierter Türrahmen, das ist alles.«

Asche brach von der Spitze des Zigarillos und landete auf Ackermanns Rollkragenpullover.

Bernhard bemühte sich, nicht nach einem Brandloch Ausschau zu halten.

»Wie oft kommt er her?«

Ackermann seufzte.

»Ich suche ihm alte Fälle aus dem Archiv. Familienrechtliches Zeug, Scheidung, Unterhalt, was ihm früher halt am meisten Freude bereitet hat. Abends lege ich ihm die Akten raus. Er legt sie wieder zurück. Bitte erkläre mir, wie das deine Arbeit stören soll?«

»Warum sagt mir das keiner?«

»Er sitzt nur an deinem Tisch, Bernhard. Das war früher sein Büro. Ich habe ihm verboten, eine Schublade zu öffnen oder auch nur deine Stifte zu benutzen.«

Bernhard wollte nicht nachgeben. Wut war ein Gefühl, das er eigentlich nicht kannte. Aber sie fühlte sich gut an. Als könnte Wut die Dinge an den rechten Platz rücken. Zusammenhänge schaffen. Alles in Ordnung bringen.

»Hier drin gab es in letzter Zeit seltsame Unregelmäßigkeiten«, sagte er laut.

Ohne jedes Anzeichen von Spott oder Ironie betrachtete Ackermann das Müllfeld auf dem Boden, offene Schranktüren, herumliegende Akten.

»Und daran soll jetzt Dombek schuld sein?«

»Es ist mein Büro!«

»Zu den Geschäftszeiten, ja. Aber das mit Dombek ist privat, verstehst du? Das geht nur ihn und mich etwas an.«

»Es ist nicht privat! Plötzlich habe ich einen Termin mit einem verrückten Taubenzüchter und weiß nicht, wie die Verabredung zustande gekommen ist. Gleichzeitig erzählst du mir ...«

»Das ist mir egal, Bernhard. Geh einfach hin.«

Ackermann musterte ihn, als könnte er nicht glauben, dass Bernhard weiter auf der Sache herumritt. Dabei sah er zu gleichen Teilen kalt und wohlwollend aus. Es war ihr erster

Streit, seitdem Bernhard in der Kanzlei arbeitete. Sie hatten keine Übung darin. Bernhard kam es lächerlich vor, hinter dem Schreibtisch zu sitzen, während Ackermann stand und den Glimmstängel in seinem Gesicht anscheinend völlig vergessen hatte.

»Okay, Bernhard.« Plötzlich schien alle Anspannung aus Ackermann zu weichen. »Es spielt ohnehin keine Rolle mehr. Sie wollen ihn einliefern. Weil er eine Gefahr für sich und vielleicht auch für seine Umgebung darstellt. Eine Gefahr! Dombek! Der sein Leben lang nichts anderes gewollt hat, als dass alle nett zueinander sind. Der glücklich ist, wenn er noch ein bisschen dabeisitzen und hin und wieder mit ein paar alten Akten spielen darf.« Ackermann wandte sich ab. Für einen Moment fürchtete Bernhard, er könnte zu weinen beginnen. Bernhards Wut war verflogen und mit ihr das Gefühl, es würde jemals wieder Ordnung herrschen. »Und weißt du, was das heißt?« Ackermann war schon halb zur Tür hinaus. »Der letzte Mensch, der mir etwas bedeutet, verschwindet hinter den Gittern irgendeiner beschissenen Anstalt.«

Die Sonne war ein mit Farbe gefüllter Ballon, der niedrig über der zackigen Linie der Dächer hing. Gabriele lachte am anderen Ende der Leitung, der Ballon zerplatzte, lief aus und übergoss den Horizont mit Rot. Bernhard rannte in die Küche, um eine Flasche Wein, Tabak und Blättchen zu holen. Gabriele plünderte die Minibar. Währenddessen lagen die Hörer neben den Telefonen und hielten Verbindung. Zweimal hatte sich Bernhard mit dem Nachtportier an der Rezeption auseinandersetzen müssen, der kein Englisch verstand, und war zweimal bei müden Franzosen auf falschen Zimmern gelandet, bis er endlich Gabrieles Stimme zu hören bekam.

In Leipzig ließ sich der Korken nur widerwillig ziehen. In Paris bot die Minibar eine unerträgliche Auswahl zu unerträglichen Preisen. Gabriele setzte sich auf das Bett, Bernhard vor den Schuhschrank im Flur auf den Boden.

»Wie Boulanger ist?« Gabriele überlegte. »Er ist klein. Nein, kompakt. Bewegt sich trotz seiner O-Beine seltsam leichtfüßig. Er ist so alt wie Reinhards. Sieht älter aus und wirkt gleichzeitig jünger. Als habe er eine andere, eine eigene Zeitrechnung. Er will in Rente gehen, während Reinhards noch immer vom Durchbruch träumt. Er war einmal verheiratet. Hat aber angeblich nicht lange gedauert, bis ihm die Frau weggelaufen ist.«

Gabriele räusperte sich. Es fiel ihr nicht leicht, den Tag zusammenzufassen.

»Sie betonen ständig, dass sie Freunde sind«, fuhr sie fort. »Studienfreunde. Aus Tübingen. Aber benehmen sich wie Duellanten. Boxen sich scheinbar freundschaftlich in die Seite, aber immer so, dass es wehtun soll. Reinhards sagt etwas. Boulanger fällt ihm sofort ins Wort. Immer wieder fängt Reinhards von Boulangers Exfrau an.«

»Wie heißt sie denn?«, fragte Bernhard.

»Keine Ahnung«, antwortete Gabriele. »Wahrscheinlich Exfrau.«

Bernhard war froh, ihre Stimme zu hören, obwohl jemand auf Französisch in der Leitung flüsterte. Jeder Satz wurde von einem gleichmäßigen Rauschen begleitet, das die Entfernung spürbar machte. Bernhard rauchte und bereute es, einen Call-by-Call-Anbieter vorgewählt zu haben. Im Schrank hinter seinem Rücken lagerte ein Haufen Schuhe.

»Der ganze Deal mit der Firma scheint mir kein Geschenk zu sein«, sagte Gabriele, »sondern mehr eine Art Ablasshandel. Und beide achten akribisch darauf, dass ich nicht mitbekomme, wofür Boulanger um Vergebung bitten will.«

Bernhard fragte sich, ob Gabriele auch nur Jonas' Namen kennen würde, wenn es eine Möglichkeit gegeben hätte, ihr seinen Bruder zu verheimlichen. Was immer Boulanger getan haben mochte – Reinhards hatte es offensichtlich geschafft, ihn so gründlich aus seinem Leben zu streichen, als hätte er niemals existiert. Bis Boulanger eine Möglichkeit gefunden hatte, seinen alten Freund aus der Deckung zu locken.

»Reinhards' Geldgeilheit ist kein Geheimnis«, sagte Bernhard. »Boulanger wird das gewusst haben.«

Die Farbe war zwischen den Häusern versickert. Bernhard konnte vom Flur in die Küche sehen und unterschiedliche Schatten ausmachen: Tisch, Stühle, den Kühlschrank in der Ecke und den Mülleimer, bei dem der Deckel klemmte. Auch die Tür zur Vorratskammer konnte er sehen. Wenn er versuchte, sich den Raum dahinter vorzustellen, geriet er an eine ähnliche Grenze wie beim Betrachten eines gigantischen Sternenhimmels. Als befände sich hinter der Kammertür nicht nur ein Regal mit ein paar Dosen, sondern eine Art Unendlichkeit.

Die Verbindung war schlechter geworden, es knackte in der Leitung, und jeder Knotenpunkt zwischen Leipzig und Paris steuerte sein eigenes Nebengeräusch bei. Das französische Gespräch im Hintergrund verwandelte sich in einen Streit. Bernhards Hals war rau vom Reden und die Flasche fast leer. Es musste spät geworden sein, und Gabriele war noch mit Reinhards und Boulanger in der Bar verabredet.

Am Handgelenk fehlte die Uhr. Er konnte sich nicht erinnern, sie ausgezogen zu haben. Irgendwo würde sie liegen und ticken.

»Gabriele, ich möchte dich etwas fragen.«

»Was denn?«

»Hast du jemals Tom getroffen? Ich meine, aus Zufall. Tom tritt aus einem Laden, während du das Schaufenster betrachtest.«

»Tom war betrunken.«

Ihre Stimme färbte sich gereizt.

»Er war überzeugt, es sei unmöglich, sich in einer Stadt wie Leipzig nicht irgendwann über den Weg zu laufen. Aber hast du Tom mal getroffen? Jemals? Zufällig?«

»Bernhard, was ist passiert?«

»Ich habe deinen Ring in die Reparatur gebracht.«

Gabriele besaß genau ein Schmuckstück. Den breiten silbernen Ring, den Bernhard ihr zur Hochzeit geschenkt hatte und den sie am Daumen trug. Es war nach Ackermanns Party vor ihrer Haustür passiert, als sie gerade aus dem Taxi gestiegen waren und Gabriele den Schlüssel aus der Hosentasche zog. Der Ring rutschte ab, schlug mit einem hellen »Ping« auf den Gehweg und rollte auf die Straße zu. Der Taxifahrer hatte das Geld in seine Börse sortiert, über Funk die Zentrale informiert und fuhr an, genau in dem Augenblick, als der Ring, schwankend und schlingernd, die Fahrbahn erreichte.

»Von dem Juwelier hatte ich dir erzählt?«

Das Geschäft lag in einem Hinterhof, im ersten Stock. Die Stufen knackten bei jedem Schritt. Betrat man den Verkaufsraum, war es, als platze man in eine Privatwohnung. Eine Sitzgruppe aus schweren Ledermöbeln füllte den halben Raum, die Schmuckstücke lagen in einfachen Schränken, ohne Sicherheitsmaßnahmen. Die Luft schmeckte nach Metall. Es dauerte, bis Bernhard Beachtung geschenkt wurde. Er hatte es nicht eilig gehabt und auf die Geräusche aus der Werkstatt im Hinterzimmer gelauscht.

»Klingt nett«, sagte Gabriele.

»Warte ab.«

Die Karl-Liebknecht-Straße steckte wie ein Stachel in Leipzigs Süden, lang und gerade, mit Straßenbahngleisen in beide Richtungen und Gehwegen, die so breit waren wie die Straße selbst. Die Fahrbahn glitzerte feucht und wurde von Linden gesäumt, die ihren Honigtau auf den Lack der Autodächer absonderten, eine klebrige Schicht, die jeden Neuwagen aussehen ließ, als hätte ihn sein Besitzer vor Wochen aufgegeben. Es gab Hauseingänge aus Marmor, die regelmäßig poliert wurden, neben abbröckelndem Putz, Holzverschlägen und leeren Grundstücken, in denen Unkraut wuchs und Bienen von einer Blüte zur nächsten trudelten, bunte Modegeschäfte und extravagante Kunsthandwerksläden. Auf den ersten Blick gab es vor allem überall etwas zu essen. Man aß und trank auf der Straße, auf den Holzbänken von Dönerbuden oder Kneipen. Spaziergänger kamen immer mehrmals vorbei. Die elektronischen Anzeigen von Ankunftszeiten an der Straßenbahnhaltestelle wirkten wie Fremdkörper in dieser Umgebung. Zeit schien hier zu Genüge verfügbar, war eine unbekannte Größe, mit der niemand zu rechnen verstand.

Bernhard war aus dem Hinterhof getreten mit dem Gefühl, den Ring in gute Hände gegeben zu haben. Zufrieden sah er zu, wie ein Vater das blau-weiße Kleid seiner Tochter lüpfte und die Kleine über das quadratische Kiesbett eines Baumes hielt. Die Beinchen hingen schlaff herab, der Rücken lehnte gegen die Brust des Vaters. Der kleine Hintern erinnerte an ein Doppelbrötchen. Ein zotteliger schwarzer Rüde markierte etwas, das er für sein Revier hielt. Da saß das Mädchen schon behütet im Kindersitz auf der Rückbank eines Kombis. Neben dem schwarzen Rüden eine misstrauische blonde Hündin. Misstrauisch vor allem gegenüber den entblößten stoppeligen Waden eines Kerls. Dieser wartete an der Bordsteinkante, als traue er sich nicht, die Straße zu überqueren. Vielleicht war es auch sein Wanderstab, überlegte Bernhard, ein geschnitzter Stock mit Loch und Schlaufe, der das Interesse der Hündin weckte. Der Urin des Rüden vermischte sich mit dem des Mädchens. Vor dem Fahrradgeschäft studierte ein Pärchen Fahrräder mit Kardanwelle, die auch ohne Ketten wie geschmiert funktionierten.

Die Frau sagte: »Was die Geschichte vorantreibt, ist gleichgültig.«

Der Mann sagte: »Dem ist nichts hinzuzufügen.«

Bernhard glaubte, die beiden schon einmal gesehen zu haben, ordnete die Hunde aber einem Schüler zu, dessen Turnschuhe so locker saßen wie der Schritt seiner Jeans, auf die jedes Mal, wenn er in seinen Döner biss, Krautsalat und Zwiebeln fielen. Der Verkehr rollte gleichmäßig an der Seniorenresidenz vorbei, die sich an der gegenüberliegenden Ecke der Kreuzung befand. Der Kerl mit dem Stock stand kurz vor einer Entscheidung. Da wurde auf der anderen Straßenseite in der dritten Etage ein Fenster aufgerissen, und ein Opa, eine kleine, unauffällige Figur, warf Klopapierrollen heraus, die sich im Sturz abwickelten und auf den Gehweg schlugen. Der Opa schrie aus voller Kehle und warf mehr Rollen hinterher. Immer lauter schrie er, immer mehr Papier. Bernhard erstarrte. Nicht wegen der Girlanden aus Toilettenpapier. Sondern weil unterhalb der Seniorenresidenz jemand um die Ecke verschwand. Jemand, den er kannte. Zu kennen glaubte. Noch genauer gesagt: zwar sicher kannte, aber nur vielleicht gesehen hatte. Jonas. Von da an überschlugen sich die Ereignisse.

Der Kombi versuchte, illegal auf den Gleisen zu wenden. Bernhard rannte über die Straße. Der Kerl mit dem Stock knickte in sich zusammen, nachdem ihm die blonde Hündin seine Stütze entrissen hatte und die Beute in Sicherheit brachte. Bernhards Hände knallten auf die Motorhaube des Passats. Im Fond konnte er das Mädchen sitzen sehen. Die Straßenbahn schrillte ohrenbetäubend, ihr letzter Waggon kam quietschend in der Mitte der Kreuzung zum Stehen, während der Kerl ohne Stock auf dem Rücken lag, das Pärchen zweistimmig »Olga!« schrie und Olga den Stock aufs Pflaster spuckte. Zwei Pfleger rissen den Opa mit den Klorollen vom Fenster fort. Der Vater des Mädchens in dem Passat spielte jeden Abend drei Stunden Counter-Strike und verfügte folglich über Reaktionen, die Bernhard das Leben gerettet hatten. Bleich um die Nase, fragte er durchs heruntergelassene Fenster, ob alles in Ordnung sei. Mit angeschalteter Warnblinkanlage blockierte die Bahn den Verkehr, und Olga klemmte beschämt den Schwanz zwischen die Hinterläufe. In der Seniorenresidenz wurden alle Fenster geschlossen.

»Ich hoffe, der Klorollen-Opa hat keinen Ärger bekommen«, sagte Bernhard am Telefon zu Gabriele.

Passanten kamen herbeigelaufen und boten ihre Hilfe an. Niemand verstand, was passiert war. Alle gingen gewohnheitsmäßig vom Schlimmsten aus. Einige legten den Kopf in den Nacken, andere beugten sich herunter, die Hände auf den Knien. Eine Medizinstudentin tastete den Kerl mit dem

Stock nach Frakturen ab. Bernhard wurde von dem Döner essenden Schüler fotografiert und aller Wahrscheinlichkeit nach auf Facebook gepostet. Die einen machten sich Sorgen um Bernhard. Andere beschimpften den Hund. Oder gaben dem gestürzten Herumtreiber die Schuld, weil der ein bisschen getrunken zu haben schien. Zeugen erläuterten dem Vater die Verkehrsordnung. Das Mädchen auf der Rückbank begann zu weinen.

»War es denn Jonas?«, fragte Gabriele.

Bernhard atmete durch, dankte dem Vater mit einem Nicken und rannte einfach weiter. Zeugen schrien ihm nach, etwas von Polizei und Dableiben und Anzeige, aber niemand folgte ihm. In der Seitenstraße hatte sich ein Stau gebildet. Vergeblich versuchte ein Pizza-Taxi, aus seiner Parklücke zu kommen. In den Cafés sah man nur kurz auf, um zu prüfen, ob der vorbeieilende Bernhard ein Bekannter war, bevor man sich wieder den obligatorischen Latte Macchiatos und Feierabendbieren zuwandte. Eine Kellnerin wich ihm aus und rettete ihr mit Gläsern bestücktes Tablett. Der vierte Beinaheunfall in dieser Woche. Von Jonas keine Spur.

Gabriele verließ das Zimmer. Der Gang war lang und leer. Außer ihren Schritten war nur das leise Summen einer machtlosen Klimaanlage zu hören. Es war stickig und roch nach Hotel. Es fiel schwer zu glauben, dass hinter den Türen Menschen in Betten lagen und schwitzten und schliefen oder auf den Gang hinaus horchten. Es schien möglich, aus vollem Hals zu schreien, ohne gehört zu werden. An jede einzelne Tür zu klopfen, ohne dass eine geöffnet wurde. Der Gang kreuzte einen anderen, sie bog rechts ab und gelangte nicht zu den Aufzügen, sondern zum Treppenhaus.

»Natürlich kann es Jonas gewesen sein«, hatte sie zu Bernhard gesagt. Dass Jonas eines Tages genauso unvermittelt wieder auftauchen würde, wie er verschwunden war, daran hatte Gabriele nie gezweifelt. Für sie war das keine Frage von Entweder-Oder, sondern nur eine Frage nach dem Zeitpunkt, die sich irgendwann von selbst beantworten würde. Mittels eines Briefs ohne Absender, durch eine Nachricht auf dem Anrufbeantworter oder ein Klingeln an der Wohnungstür. Sie hatte grundsätzlich nichts dagegen zu glauben, dass der Mann, den Bernhard gesehen hatte, tatsächlich Jonas war. Die Vorstellung erleichterte sie; das Warten hätte ein Ende. Nur gefiel ihr nicht, dass es jetzt passierte. Vor fünf Jahren hatte sie Bernhard kennengelernt. Als Kind hatte sie einen Hamster besessen, der an seinem ersten Geburtstag starb. An ihrem zehnten Hochzeitstag hatten sich Gabrieles Eltern getrennt, und auf der Goldenen Hochzeit der Großeltern stürzte die Oma die Treppe hinunter. Jubiläen, glaubte Gabriele, bringen kein Glück.

Sie betrat das Treppenhaus des Hotels. Mit einem Schlag war die Welt des Luxus vergessen; ringsum nur noch grobkörniger Beton. Auf dem Absatz telefonierte ein Franzose – geschäftlich, natürlich –, saß im Bademantel dort und senkte die Stimme. Sie drehte sich um, er schaute zur Seite.

Während Gabriele weiter die Treppen hinunterstieg, verfolgt vom Echo des Telefonats, wechselte Boulanger zum zweiten Mal die U-Bahn. In das von ihm bestellte Taxi war ein fremdes Pärchen gestiegen. »Oui, Boulanger, c'est nous«, hatte die Frau noch dreist zum Taxifahrer gesagt, bevor die Türen knallten und der Wagen anfuhr. Boulanger war zur Metro gegangen, obwohl er es hasste, in das unterirdische Netz aus hellen Blasen und dunklen Kanälen abzutauchen. Zu sehr erinnerte ihn die Pariser U-Bahn an die Vergangenheit, und die Vergangenheit verdarb ihm die Laune. Übelgelaunte Passanten hatte er mit der Frage belästigen müssen, ob ihn diese Linie ans Ziel bringe. Die Bahn war im Tunnel verschwunden und in den Haltestellen wieder aufgetaucht, als müsste sie einen Augenblick lang Luft holen. Nur waren es die völlig falschen Stationen gewesen. Eine Frau mit Kopftuch hatte ihn schließlich zum Netzplan gezerrt und zwei verhornte Finger hoch gehalten – den ganzen Weg zurück und zweimal umsteigen.

»Boulanger ist nicht gekommen«, sagte Reinhards zu Gabriele. Die Bar beanspruchte das halbe Foyer des Hotels und war, anders als die oberen Etagen, sehr modern gestaltet. Ockerfarbene Sessel, die durch klare Kanten bestachen, hoben sich von dem dunklen, kerngeräucherten Parkett ab. Unzählige geschickt installierte Spots sorgten für indirektes Licht; die ganze Atmosphäre wirkte gedimmt. Reinhards war der einzige Gast und saß am Tresen seinem Spiegelbild gegenüber.

»Wie lange sitze ich hier schon?«

Wenn er vorhatte, mit dieser Frage nicht nur Boulanger, sondern auch die verspätete Gabriele abzukanzeln, hatte Reinhards den Ton perfekt getroffen. Der Kellner hielt sich im Hintergrund und gab vor, die stummen Bilder des Fernsehers zu verfolgen, während von irgendwoher die Uhrzeit in großen, deutlich roten Ziffern an die Wand projiziert wurde. Dreiundzwanzig Uhr vierundzwanzig. Der Film spielte in einer Kneipe, einer echten Kneipe, wie es sie heute nur noch in Filmen gibt, dunkel, dreckig, verraucht. Zu sehen waren drei Männer, die Schnaps tranken, Kürbiskerne mit den Zähnen knackten und auf einen mit Wasser gefüllten Plastikbeutel in ihrer Mitte starrten. Darin ein Goldfisch. Reinhards wartete seit einer Stunde.

»Boulanger hat keinen Empfang«, sagte er und schob das abgegriffene Handy von sich. Ungelenk saß er auf dem Barhocker, das bordeauxrote Shirt wies unter den Armen riesige Schweißflecken auf. Im Ausschnitt konnte Gabriele sein Brusthaar sehen.

»Sieht aus, als ob ich Französisch lernen müsste.«

Er versuchte ein Lächeln. Es gelang nicht. Reinhards, der noch im Zug auf einem winzigen Klapptisch sein Leben seziert hatte, sprach wenig, seit sie in Paris waren. Kein Wort über seine Kinder. Als wäre für seine Familie in dieser Stadt kein Platz.

»Es soll in Frankreich Menschen geben, die es schon können«, sagte Gabriele.

Sie kannte Reinhards und wusste, dass er in dieser Sekunde mit dem Gedanken spielte, den Deal platzen zu lassen. Mehr noch, sie sah ihm an, dass er nichts lieber tun würde, aber dazu fehlte ihm der Mut. Letztlich war ihr das völlig egal. Er war ihr Chef, nicht ihr Freund. Was sie plötzlich wütend machte, war das Gefühl, dass die Reise und somit jede weitere Sekunde in dieser Bar nicht den geringsten Sinn besaßen. Sie litt unter der Ahnung, in Leipzig wesentlich dringender gebraucht zu werden.

Reinhards trank einen großen Schluck Ricard, setzte das Glas ab, schluckte. Die Männer im Fernsehen betrachteten noch immer den Plastikbeutel. Einer betastete ihn mit den Fingern. Der Beutel war undicht. Gabriele war drauf und dran zu sagen, dass sie am nächsten Morgen nach Hause fahren würde, als Boulanger auftauchte.

»Mein Taxi wurde geklaut«, sagte Boulanger. »Ich musste die Metro nehmen.«

Schweißperlen hingen ihm in den Brauen, die Oberlippe

glitzerte. Boulanger keuchte und japste. Gabriele atmete durch. Reinhards würde den Deal nicht platzen lassen. Sie würde nicht nach Hause fahren. Jeder blieb in seiner Spur, weil das die wichtigste Regel war, nach der die Welt funktionierte. Jedenfalls solange der geringste Antrieb vorhanden war. Momentan in Form des plötzlich aufgetauchten Boulangers.

»Ich bin das letzte Mal vor zwanzig Jahren Metro gefahren«, sagte dieser. »Damals jeden Tag, eine Stunde hin, eine zurück. Die reinste Qual. Nass von Angstschweiß stieg ich aus und zog mich auf der Toilette um. Ich hatte«, betonte Boulanger, »tatsächlich immer ein Hemd und eine Unterhose zum Wechseln dabei. Können Sie sich das vorstellen?«

Er lachte. Sie konnte es.

»Leipzig hat keine Untergrundbahn«, sagte Reinhards.

»Mit meinem Sohn«, sprach Boulanger eilig weiter, als wollte er die verlorene Zeit wieder rausholen, »wohnte ich draußen in den Banlieues. An ein Auto war nicht zu denken.«

»Warum sind Sie nach Frankreich zurückgegangen?«

»Ich musste weg«, sagte er fröhlich. »Weit weg.«

»Ist Hamburg nicht weiter von Tübingen entfernt«, fragte Reinhards spitzfindig, »als Paris?«

»Damals hatten Grenzen noch eine Bedeutung«, sagte Boulanger, mehr zu Gabriele als zu Reinhards. »Kann man sich heute gar nicht mehr vorstellen. Als ich ein Kind war, standen noch Polizisten mit automatischen Waffen zwischen den Urlaubern, als hätten die Deutschen dieses Mal geplant, Paris mit überladenen vw-Käfern zu erobern.«

Der erste Blickkontakt zwischen Boulanger und Reinhards. Dann sprach Boulanger wieder zu Gabriele.

»Charlotte…« Er unterbrach sich selbst. »Sie kennen die Geschichte?«

Gabriele schüttelte den Kopf. Der Kellner brachte Getränke, und im Fernsehen war von den drei Kerlen in der dunklen, dreckigen und verrauchten Kneipe nur noch einer übrig. Und ein Rest Wasser im Beutel. Darin der Fisch.

»Meine erste Frau Charlotte hatte mich verlassen und mir das Sorgerecht für unser Baby übertragen. Sie hat mir das Herz gebrochen. Deshalb ermordete ich sie in Gedanken.«

»Wie das?«

»Ich erzählte meiner Familie und später auch meinem Sohn, Charlotte sei gestorben. Diese Lüge verbot es, auf Charlottes Rückkehr zu hoffen. Ja, sie erforderte sogar gewisse … Vorkehrungen. Deswegen bin ich nach Frankreich gegangen.«

»Sie haben nie wieder etwas von ihr gehört?«

»Nie wieder.«

Boulanger versuchte gelassen dreinzuschauen. Auch der letzte der drei Männer hatte die Kneipe verlassen. Am Ende blieb nicht mehr übrig als ein toter, in PET gewickelter Fisch.

»Hast du jemals über Doppelexistenzen nachgedacht?«

Es fiel Gabriele schwer, die Stimme am anderen Ende der Leitung einer real existierenden Person zuzuordnen. Sie hatte geschlafen. Und spürte, dass sie zu viel Alkohol getrunken hatte.

»Dombek? Bist du das?«

»Du bist nicht informiert?«

Informiert, was für ein Wort.

»Die Rezeption. Ich habe mit dem Kerl da mehrmals telefoniert und mir versichern lassen, dass er dir Bescheid gibt.«

»Dombek, weswegen sollte er mir Bescheid geben?«

»Ich habe ihm gesagt, dass es nicht funktionieren wird. Es war besetzt und dann ...«

»Und dann nahm niemand ab.«

Egal, woher Dombek die Nummer hatte, egal, warum er anrief – wenn in den letzten Stunden etwas Schlimmes passiert wäre, würde nicht er sie »informieren«. Gabriele versuchte, sich zu entspannen.

Dombek atmete aufgeregt, die Verbindung war gut, ohne Nebengeräusche. Gabriele überlegte, ob er alle Hotels in Paris angerufen hatte, um sie ausfindig zu machen.

»Warum rufst du an?«

»Wegen der Doppelexistenz.«

»Wessen?«

»Bernhards natürlich.«

Natürlich, dachte sie, Bernhards.

»Aber es kann sie nicht geben«, sagte er. »Der Versuch sabotiert sich selbst. Gabriele, ich rede nicht von Schminke und Perücke, sondern von Neuschöpfung, Multiplikation des Wertes Eins mit dem Ergebnis Zwei, der Imitation aus sich selbst heraus, äußerlich und innerlich, in Gestalt und Rolle.«

»Aber ...«

»Ich habe Bernhard gesehen! Doch das Entscheidende ist, Gabriele: Er konnte es nicht sein, unmöglich. In der Quantenphysik gibt es die Gleichortigkeit, nicht aber bei menschlichen Wesen, soweit ich weiß. Ich habe, wie man sagt, Erfahrung auf dem Gebiet. Meine Biografie macht mich da zum Spezialisten. Was zu Beginn wie eine Chancenverdopplung aussieht, führt zum Verlust der Spielregeln, weil unklar wird, wer sie aufgestellt hat. Verstehst du? In einem Raum ist immer nur Platz für einen. Übertritt man die Schwelle und weiß nicht, wer ist wer, dann ...«

»Dombek!«

Er murmelte den Satz noch zu Ende, aber so leise, dass Gabriele keine Worte mehr verstehen konnte. Nichts von dem, was Dombek wie auswendig gelernt aufsagte, hatte sie begriffen.

»Warum rufst du an?«

»Ich mache mir Sorgen. Ich habe es schon Ackermann gesagt, aber er hört nicht zu. Ich …«

»Wieso Ackermann? Wieso jetzt Ackermann?«

»Weil es um meinen Job geht.«

»Du arbeitest nicht mehr, Dombek.«

»Nicht offiziell. Rampenlicht wäre wirklich das falsche Wort. Mögen die Akten alt sein, alle Beteiligten tot, Gabriele, aber eine Überprüfung ist notwendig. Sie sind es wert. Recht hat keine Halbwertszeit. Die Welt, in der wir heute leben, ist morgen eine vollkommen andere. Deswegen kann man nicht alles auf sich beruhen lassen.«

»Im Klartext, Dombek, erzählst du mir da gerade, dass du weiterarbeitest, nachdem du fünfmal in die Anwaltshaftung geraten bist?«

»Sechsmal.«

»Deshalb nimmst du Akten, die längst geschlossen sind?«

»Aber eine wiederholte Betrachtung wert.«

»Und wo?«

»Nachts. Ich bin gewissenhaft. Gehe ich, sieht alles aus, als wäre ich nie da gewesen.«

»In Bernhards Büro.«

»Siehst du, wie Zeit und Realität durcheinandergeraten können?«

»Und er weiß nichts davon.«

»Aber Ackermann.«

Gabriele hatte sich neben das Bett sinken lassen, die Beine zum Schneidersitz verschränkt, Rücken krumm, den Kopf nach vorn geneigt. Sie biss sich auf den Daumen. Es war dunkel. Die üblichen Geräusche der Stadt drangen durch das geöffnete Fenster, eine Sirene näherte und entfernte sich, die Vorhänge hingen in leblosen Falten.

»So weit habe ich verstanden. Aber warum fürchtest du um deine Arbeit, und was soll das Gerede über Doppelexistenz?«

Auf die Antwort musste sie warten. Dombek hatte der Redeschwall erschöpft, seine Stimme klang verzerrt.

»Ackermann wird aufhören.«

»Er ist erst zweiundsechzig und kerngesund.«

»Das meine ich nicht. Es begann mit seiner Frau, dann kam mein Ausfall und Bernhards Aufnahme in die Kanzlei. Eins folgt aus dem anderen. Und jetzt ist es für ihn so weit.«

Die geöffnete Minibar ein grelles Rechteck. Ein Streifen Licht maß die Entfernung bis zur verschlossenen Durchgangstür, hinter der Reinhards' Zimmer lag. Den Wein, rot und weiß, hatte sie schon beim Telefonat mit Bernhard getrunken. Jetzt konnte sie zwischen winzigen Mengen Pernod, Ricard, Wodka und Whisky wählen, in Flaschen, die geschrumpft aussahen.

»Wenn Ackermann wirklich aufhören sollte«, sagte sie, »dann rede mit Bernhard. Er wird es dir genauso erlauben, wie Ackermann es erlaubt hat.« Zwischen vier Finger klemmte sie zwei Fläschchen, griff ein drittes mit dem Daumen und fand sich, nachdem sie zu lange ins Licht geschaut hatte, nicht sofort in der Geografie des Raumes zurecht.

»Wenn er die Schwelle nicht überschreitet. Aber das wird er, und du, gerade du, solltest es merken. Auch wenn die Anzeichen manchmal verspätet auftreten. Deswegen rufe ich an. Bernhard darf nicht ausfallen. Er muss die Kanzlei übernehmen. Wenn er ausfällt – und ich glaube, er wird! –, dann ... Ich kann nicht ohne meine Arbeit, Gabriele! Es ist schwierig genug, mit zwei Händen vier Wände festzuhalten. Die Uhr ist mein Feind, läuft mit tausend Füßen durch meine Wirbelsäule, und ich habe ihr nichts entgegenzusetzen als dieses Büro. Wir müssen es verhindern.«

Der Verschluss gab nach, der Wodka schmeckte nach nichts mit Methanol. Gabriele hatte Lust zu rauchen.

»Erzähl mir von der Doppelexistenz.«

Dombek holte Luft.

»Im Winter komme ich abends gegen sieben«, sagte er, »wenn Klarissa und Bernhard schon weg sind und Ackermann gerade geht. Wir sprechen uns kurz.« Dombek konzentrierte sich, würgte die Sätze Stück für Stück hervor, es fiel ihm schwer.

»Es sei denn, er benachrichtigt mich, weil Bernhard länger arbeitet. Dann später. Auch im Sommer später. Um acht oder neun. Ich habe einen Schlüssel für beide Schlösser. Lichtschalter taste ich nicht an, nur in meinem Büro. Sonst nichts. Ich bin gewissenhaft. Gewissenhaft bedeutet, spurlos umkehren zu können. Immer das gleiche Ritual. Am Schreibtisch schärfe ich mir die Position aller Gegenstände ein, Papiere, Büroklammern, die Bernhard überall verteilt, die Schleifen des Mauskabels. Dann schaffe ich Platz, tue meine Pflicht und rekonstruiere alles, wenn ich fertig bin. Mit einer Digitalkamera ginge es einfacher.«

»Weiter.«

Gabriele trank und überlegte, wo sich Dombek gerade befand.

»Mein Füllfederhalter. Ich fasse mir an die Brusttasche, und er ist nicht da. Ich werde nervös. So viel Arbeit. Wie soll ich arbeiten, ohne schreiben zu können? Ich stehe auf und gehe im Raum hin und her, als könnte der Füller irgendwo herumliegen. Das ist natürlich Unsinn. Ich muss ihn zu Hause vergessen haben. Aber Menschen, die etwas vermissen, machen Unsinn. Ich gehe also hin und her, und plötzlich sehe ich, wie das Licht im Treppenhaus eingeschaltet wird. Ich erkenne es am Widerschein auf der Fassade gegenüber. Erst alles dunkel, und dann mit einem Schlag hell. Ich weiß nicht, was ich denken soll: Einbrecher, Ackermann oder Bernhard? Zwei von drei Möglichkeiten sind Grund zur Panik. Ich will nur noch raus. Schiebe alles an seinen Platz und renne und – darauf bin ich sehr stolz – denke daran, dass Bernhard immer die Treppe benutzt. Niemals den Fahrstuhl. Ich drücke auf den Knopf, die Tür geht auf, und er steht mir gegenüber.«

Dombek schwieg, als würde ihn seine eigene Erzählung in Angst und Schrecken versetzen.

»Was hat er gesagt?«

»Er hat mich gegrüßt – mit Namen. Sagt nur meinen Namen. Dann ist er an mir vorbeigegangen.«

»Siehst du. Er war nicht böse, dass du nachts im Büro bist.«

»Gabriele. Er wusste es nicht.«

»Was?«

»Dass …«

»Dass du dort«, vollendete sie seinen Satz, »in der Nacht und alleine nichts verloren hast.«

Die Frage, von wo aus Dombek anrief, gewann neue Dringlichkeit, als auf seiner Seite der Leitung ein lautes Klopfen zu hören war.

»Dombek«, fragte Gabriele, »wo bist du?«

Wieder ein Klopfen. Stimmen.

»Er sagte meinen Namen, als wäre nichts dabei. Später konnte er sich nicht einmal erinnern, mich gesehen zu haben. Ich habe Ackermann gefragt, ausdrücklich. Bernhard wusste von nichts. Ich mag verrückt sein. Trotzdem bekomme ich Angst, wenn ich dem Wahnsinn begegne.«

»Dombek, was ist da los? Sag mir, wo du bist!«

»In seinem Jackett, das ich aus Versehen bei Ackermann angezogen habe, weil da so viele hingen, da habe ich ein Foto von ihm gefunden. Er hat ein Foto von sich selbst in der Innentasche.«

Dombek beeilte sich, verschluckte Worte. Gabriele hörte, wie er am anderen Ende der Leitung vor irgendetwas zu fliehen versuchte, aber nicht fliehen konnte, solange er mit ihr verbunden war, wie er die volle Länge des Spiralkabels ausnutzte, sich drehte und wendete und nicht wusste wohin.

»Es ist alt und zerknickt. Die Farben sind schon ganz gelblich. Bis heute Abend dachte ich, Doppelexistenz. Multiplikation des Wertes Eins mit dem Ergebnis Zwei. Ich war naiv, so unendlich naiv, Gabriele! Denn heute weiß ich ...«

Gabriele hörte ein Krachen. Dann fiel der Hörer zu Boden. Dazu das Getrampel vieler Füße. »Ich hab ihn«, rief jemand. »Halt das Bein fest«, ein anderer. Eine Flasche oder Vase aus Glas ging zu Bruch.

Dombek rief von weit her: »Er ist es nicht. War es nicht!«

Klack-klack, aufgelegt. Gabriele hievte sich aufs Bett und dachte: Krankenhaus. Lag auf der Seite und betrachtete die Vorhänge. Irgendetwas musste passiert sein, dass Dombek eingeliefert worden war. Jetzt, da Dombek ihr nicht mehr ins Ohr sprach, sie nicht mehr darum bemüht war, den Sinn seiner wirren Sätze zu begreifen, bekam sie Angst. Was Dombek erzählt hatte, ergab kein logisches Bild, trotzdem ahnte sie einen Zusammenhang. Es gelang ihr nicht, das komplette Telefonat Dombeks Paranoia zuzuschreiben. Sie hatte genug Stoff, um die ganze Nacht zu grübeln. Und Glück, dass der Alkohol sie plötzlich traumlos einschlafen ließ.

Ungefähr zur gleichen Zeit, während Dombek von drei Wärtern überwältigt auf sein Zimmer geschafft und ruhiggestellt wurde, während Gabriele leise durch die Nase schnarchte, während Klarissa Tom fixierte und Tom zur Seite schaute, versuchte Ackermann, Bernhard zu erreichen. Bernhard war noch auf, nahm aber nicht ab, weil er das Klingeln nicht hörte. Er trug Kopfhörer, Bruckner, die Lautstärke bis zum Anschlag aufgedreht, und kritzelte auf einem wunderbar weißen Blatt Papier. Zog Kreise um Stichworte, verknüpfte die Kreise mit Linien, strich immer mehr Kreise wieder aus und warf schließlich das Blatt fort, weil er erkennen musste, dass es keinen anderen Weg gab, an Jonas heranzukommen, als über jene Person, die ihm schon damals die Aussage verweigert hatte: seine Mutter. Davon versprach er sich nicht viel. Aber er hatte es Gabriele versprochen.

»Gabriele?«

Ihre Augenlider wie zugenäht. Ihr erster Gedanke: »Nur meinen Namen.« Eine Sekunde lang hatte sie die Szene, Dombek und Bernhard, wie einen Schnappschuss vor Augen, dann bemerkte sie, dass Wind aufgekommen war und über ihren Körper wehte. Im Zwielicht sah sie ihre perspektivisch verkürzten Beine und dahinter die Füße – alles unscharf. Die Stadt schien endlich ihre verdiente Ruhe gefunden zu haben.

»Dein Schlüssel.«

Reinhards. Seine Stimme klang weit weg. Akustik siegte

über Optik. Kein Grund zur Sorge. Sie fragte sich nicht, was er in ihrem Zimmer wollte, wie er hereingekommen war. Reinhards kam näher, während sie dem Halbschlaf zu entkommen suchte. Schwierig zu schätzen, wie weit er schon vorgedrungen war. Minibar? Fußende? Sie fand keine Wand, um Maß zu nehmen. Sie fühlte sich leicht, der Wind war kühl, die Matratze angenehm weich. Seine Hand war warm, das überraschte sie, als er sich zur ihr hinunterbeugte und ihre Stirn berührte.

»Du hast deinen Schlüssel in der Tür stecken lassen.«

Reinhards stand neben ihr, riesengroß, schien mit dem Kopf gegen die Decke zu stoßen. Sie kam sich klein vor und wusste nicht, ob sein oder ihr Atem so stark nach Alkohol roch.

Gabriele drehte sich auf die Seite, eine weiße Fläche breitete sich über ihr aus. Hatte er sie wirklich mit einem Laken zugedeckt? Reinhards ging durch die Verbindungstür. Und was von den vielen Eindrücken des Tages zwischen Schlafen und Wachen übrig blieb, war die Szene aus der verrauchten Kneipe. Auf einmal kannte Gabriele den Dialog der drei Männer, obwohl der Ton ausgeschaltet gewesen war. Mann Eins: Ein wunderschöner Fisch. Mann Zwei: Ich wünschte, ich könnte ihn mitnehmen. Ja, tu es doch. – Mann Drei: Er wird sterben. Das wollte Gabriele nicht zulassen. Mann Eins: Es ist deiner, Mann Zwei. Mann Zwei: Nein, deiner, Mann Drei. Mann Drei: Nein, nein, ich wünschte, es wäre so, aber er gehört dir …

IV. Teil

Wenn Bernhard gefragt worden wäre, warum er die Yuccapalme durch das geschlossene Fenster im Bad geworfen hatte, er wäre eine Antwort schuldig geblieben. Er hatte keine Lust verspürt, etwas zu zerstören, keinen Zorn, keine Rachegefühle. Er war weder glücklich noch unglücklich gewesen. Und eines konnte als sicher gelten: Die Yuccapalme hatte ihm nichts getan. Wenn überhaupt, hätte er als Grund anführen können, dass er es getan hatte, weil es möglich war. Von einer Sekunde auf die andere war die Palme verschwunden. Unten im Hof ein Schatten am Boden wie ein überfahrenes Tier. Über die Badezimmerfliesen lag Erde verstreut, dazwischen Scherben. Wenn ihn wenigstens die Frage interessiert hätte, wer als Sieger hervorgehen würde, Pflanze oder Fenster. Dann wäre es ein Feldversuch gewesen. Klarer Sieger: die Palme. Aber das Ergebnis ging ihn nichts an. Ein paar Glasstücke steckten noch im Rahmen, ein stilisiertes Berggipfelpanorama. Bernhard horchte hinaus, ob jemand den Lärm gehört hatte und wissen wollte, was passiert war. Er sah sich bereits Ausreden erfinden. Warum er mitten in der Nacht mit der Palme im Arm durch die Wohnung spaziert und dann im Badezimmer gestolpert sei. Wie ihm die Palme aus den Händen gerutscht und zufällig durch das Fenster ... Er würde nicht anders klingen als ein Mann, der an der Haustür der Polizei erklärt, die weinende, grün und blau geschundene Frau an seiner Seite sei soeben unglücklich die Treppe hinuntergefallen.

Aber es kam niemand.

Er hatte die Stille in der Wohnung nicht mehr ausgehalten. Nicht einmal der Kühlschrank brummte. Kein Betrunkener fand sich, um ein Lied zu singen. Kein knatternder Lkw. Bernhard hatte hundert Blatt Papier mit unsinnigen Notizen gefüllt und alle verworfen. Er hatte sich im Wohnzimmer vor den ausgeschalteten Fernseher gesetzt. Saß ziemlich lange dort. Versuchte es an dieser Stelle auszuhalten. Nahm den Kampf auf – und verlor. Was er nicht aushielt, war die Anwesenheit der verschlossenen Abstellkammer. Falls eine verschlossene Kammer als »anwesend« gelten konnte. Allein die Vorstellung, sie mit Gewalt zu öffnen, trieb ihm den Angstschweiß auf die Stirn. Verschlossen ertrug er sie ebenso wenig. Er war nicht ins Bad gegangen, weil er aufs Klo musste. Sondern weil er gegen die Kammer verlor. Und hatte sich an der kleinen, unschuldigen Yuccapalme vergriffen.

Die frische Luft, die durch das kaputte Fenster strömte, rief ihn hinaus. Ein Spaziergang würde ihm guttun. Er vergewisserte sich, dass er den richtigen Schlüssel dabeihatte, und verließ das Haus.

Die erleuchtete Straße lief wie mit dem Lineal gezogen auf ihren Fluchtpunkt zu, unterbrochen nur durch die Schluchten der rechtwinklig abgehenden Querstraßen. Der Gehweg aus Bruchstein war ein Mosaik, das kein Bild ergab. Gelbes Laternenlicht klebte an den Fassaden. Die Häuserblocks aus der Gründerzeit, die den Krieg überlebt und nach 1990 saniert worden waren, ruhten als massive Quader an ihren Plätzen, ohne den geringsten Zweifel, wo sie hingehörten. Bernhard hatte das Gefühl, dass die dunklen Fenster mitleidig auf ihn herabsahen. Er besaß kein Fundament, er war nicht fest in den Boden gemauert. Alles, was Beine hatte, lief herum und war auf der Suche. Rannte auf ein Ziel zu, das es nicht gab. Traf blinde Entscheidungen über Richtungswechsel. Verwandelte Hier in Dort und Dort in Hier. Hielt sich für jagend oder gejagt, litt unter dem Bewusstsein, in jedem Augenblick immer auch woanders sein zu können, und nannte das Ganze »Leben«.

»Haben Sie Zigaretten?«

Bernhard stand auf der Brücke über die Weiße Elster und blickte in die Gesichter von drei jungen Männern. Sie saßen in einem Schlauchboot, ausgerüstet mit einem Kasten Bier, hielten die Füße ins Wasser und schienen darauf zu warten, was die Nacht noch bringen würde. Vögel zwitscherten im Licht der Brückenlaternen, das sie vergessen machte, wie spät es war.

Schlaflose Amseln, dachte Bernhard. Was ist das für eine Welt.

Entlang des Flusses erstreckten sich alte Industriegebäude, umgebaut zu Lofts, in denen heute Menschen wohnten, die mit aufgedunsenen Geländewagen zum Einkaufen fuhren. Einen Augenblick dachte Bernhard tatsächlich darüber nach, mit seinem Tabakbeutel einen Mitfahrschein zu lösen. Warum nicht der Geschichte eine Wendung geben, mit der niemand gerechnet hatte: ein Schlauchboot. Das er bestieg, um in ein neues Leben zu fahren. Mit neuen Freunden, die ihn unterbringen würden, bis er eine neue Wohnung und einen neuen Job gefunden hatte. Und eine neue Frau. Bis hierher war's ganz nett, aber jetzt tschüs und auf Wiedersehen. Und ward nie mehr gesehen. Gab es nicht Märchen, die so endeten? Hatte man jemals untersucht, was danach kam, hinter dem Nie-mehr-gesehen-Werden?

Aber Bernhard fragte nicht, ob noch Platz für ihn im Boot

sei. Er öffnete keine Flasche mit den Zähnen und trank nicht mit drei gut aussehenden Männern ein ehrliches Bier, um auf den Beginn der Zukunft anzustoßen. Er zog seinen Tabakbeutel hervor, warf ihn über das Brückengeländer und wusste, warum die Yuccapalme hatte dran glauben müssen. Weil es ein Fehler gewesen war, Gabriele von der Karl-Liebknecht-Straße zu erzählen. Weil passiert war, was er immer befürchtet hatte. Selbst diese kleine Anekdote, basierend, höchstwahrscheinlich, auf einer optischen Irritation, hatte Jonas Wirklichkeit geschenkt, ohne dass er irgendetwas dafür hatte tun müssen. Von nun an würde Jonas diese Wirklichkeit für sich beanspruchen, war nach all den Jahren zurück in Bernhards Leben getreten. Egal, was passierte, er konnte sie Jonas nicht wieder entziehen. So, wie man eine einmal ausgesprochene Idee nicht wieder aus der Welt tilgen kann. Rad, Sextant, Schwarzpulver. Das Einzige, was ihm blieb, war, seinen Bruder zu finden.

Die Nacht bot noch einem anderen Irrläufer Platz. Denn Tom zog energisch die Wohnungstür hinter sich ins Schloss, rannte die Stufen hinab und blieb, wie vom Donner gerührt, auf dem Gehweg stehen. Wäre ein Beobachter zugegen gewesen, er hätte auf die Idee verfallen können, dass Tom den verbogenen Kronkorken vor seinen Füßen für eine wertvolle Münze hielt. Er bückte sich. Er inspizierte ihn genau. Vielleicht war er auch Kronkorkensammler. In Wahrheit verhalf der Kronkorken Tom gerade auf ungeklärte Weise zu einer simplen Erkenntnis, die ihn vollkommen handlungsunfähig machte: Er hatte soeben das Haus verlassen, ohne die Möglichkeit, es jemals wieder zu betreten. Tom sah den Schlüssel vor sich, wie er ihn von seinem Bund gelöst und in die grüne

Keramikschale im Flur geworfen hatte. Im Affekt wollten seine Hände doch wieder nach ihm greifen, aber er hatte sie in die Hosentaschen geschoben, sich einen Ruck gegeben und war gegangen.

Die Geschwindigkeit, mit der Tatsachen geschaffen werden konnten, überraschte ihn. Lange hatte er sich geweigert zu tun, was doch, wie er glaubte, getan werden musste. Jetzt hatte er es getan und konnte nicht glauben, dass es wirklich passiert war. Tom wog das Stück Blech in der Hand, um Zeit zu gewinnen. Er warf es weg und wusste, er hatte einen Fehler begangen, den er sein Lebtag nicht mehr würde ausmerzen können. Ihm war nicht klar, woher er die Kraft genommen hatte, um diesen Schritt zu gehen, und kam sich vor, als hätte er sich selbst auf frischer Tat bei einem Mord ertappt. Tom krümmte sich und presste Luft in die Lungen. »Reiß dich zusammen«, sagte er.

Der Klang der eigenen Stimme machte es nicht besser. Auf den Stufen eines leer stehenden Hauses brach er zusammen. Rotz hing ihm aus der Nase und tropfte auf die Brust. Er brauchte etwas zu rauchen, sonst, das wusste er, würde er nicht durchhalten. Aber noch bevor alle Taschen durchwühlt waren, wurde ihm klar, dass er die Zigaretten versehentlich auf dem Küchentisch liegen gelassen hatte. Tom ahnte, dass Klarissa sie bereits in den Müll geworfen hatte, und stellte sich vor, wie sie gerade das Glas, aus dem er getrunken hatte, ins Spülbecken tauchte, um gleich darauf das Sitzkissen auszuschütteln und die Bettwäsche zu wechseln. Arme Klarissa, dachte er. Und tat sich in Wahrheit doch selbst am meisten leid.

»Sie sehen aus, als würde Ihnen eine Zigarette guttun.«

Zwei Hunde schnüffelten an ihm. Der Spaziergänger schien eine Straßenlaterne auf dem Kopf zu tragen. Tom erkannte ihn nur in Konturen, und das Sprechen klappte noch schlechter als das Sehen. Der Mann reichte ihm trotzdem eine brennende Zigarette.

»Pall Mall ohne Filter, eine gute Zigarette.«

»Danke.«

Sein Rachen war noch eng vom Heulen, der Rauch blieb in der Kehle stecken. Aber der Spaziergänger hatte recht. Der Tabak knisterte, und Tom dachte, was für ein wunderbares Geräusch das sei.

»Wirklich gut«, sagte er.

»Hören Sie, ich will nicht wissen, warum geschehen ist, was sicherlich leicht hätte verhindert werden können. Aber ich mache Ihnen ein Angebot. Ich schenke Ihnen die Schachtel. Unter einer Bedingung: Sie müssen versprechen, dass Sie sich einen Hund kaufen.«

Tom lachte. So lange, laut und von Herzen, wie er noch nie gelacht hatte. Er lachte, als er sich längst mit einem kräftigen Händeschütteln von dem Spaziergänger verabschiedet hatte, ein gutes Stück gegangen war und abbog, um den Fluss zu überqueren. Und er lachte noch immer oder schon wieder, als er Bernhard in die Arme lief, der mitten in der Nacht am Brückengeländer lehnte und einem langsam davontreibenden Schlauchboot nachsah.

Die Welt, dachte Tom, ist doch nichts weiter als eine komische Oper. Wer darin versucht, sich selbst ernst zu nehmen, ist die größte Witzfigur.

Zehn Minuten später saßen sie einander in der Kneipe gegenüber. Bernhards Stimmung war nicht annähernd so ausgelassen wie die von Tom. Denn Tom hatte Recht behalten. Sie waren sich, in Leipzig, zufällig begegnet. Und dieser Zufall führte Bernhard deutlich vor Augen, dass die Welt nichts weiter als eine Boulevardkomödie war, mit ihm selbst als lächerlichem Helden, der ständig die falschen Türen öffnet. Immerhin war er froh, nicht zu Hause in einem viel zu großen und viel zu leeren Bett liegen zu müssen, ohne schlafen zu können. Außerdem fühlte er sich wohl im T-Punkt.

Der T-Punkt hieß eigentlich Tulamahash, aber weil sich diesen Namen niemand merken oder auch nur aussprechen konnte, eben T-Punkt. Eine afrikanische Kneipe. Im Souterrain einer alten Spinnerei gelegen, verweigerte sie sich konsequent dem üblichen Retroschick, ohne auf der anderen Seite mit Afrokitsch zu belästigen, so dass alle, die einfach nur in Ruhe gelassen werden wollten, gar nicht anders konnten, als sich zu entspannen. Das Bier war notorisch zu warm. Die Cocktails drehten ordentlich. Und die Stimme vom Chef war so tief, dass es schwerfiel, einzelne Silben zu unterscheiden. Man verstand ihn mehr im Ganzen als im Detail, sein freundliches Wesen, die grundsätzliche Frage nach den Wünschen der Gäste, die Tatsache, dass er seinen Job liebte, auch und gerade um zwei Uhr nachts. Bernhard nahm sich vor, in den kommenden Tagen nicht mehr zu Hause, sondern nur noch im T-Punkt zu trinken. Tom war Stammgast, schien aber gegen die Gelassenheit des Ortes immun. Während die wenigen anderen Gäste sich vornehmlich durch Schweigen und einzelne Worte oder Gesten verständigten, redete er wie ein Wasserfall.

»Ich meine, wie jenseitig ist das, einem Mann, der gerade seine Verlobte verlassen hat, zu sagen: Kaufen Sie sich einen Hund? Stell dir das vor, Bernhard. Ich sitze flennend auf der Straße, und dieser Mann sagt: Kaufen Sie sich einen Hund!«

Bernhard nahm sich eine Pall Mall ohne Filter. Er musste Tom zustimmen: eine ziemlich gute Zigarette. Am Anfang etwas zu leicht. Am Ende stark.

»Aber er hat recht! Ich meine, nimm uns beide. Ich studiere Politik. Habe ziemlich viele Bücher gelesen und nur wenige davon verstanden. Mein Erscheinungsbild ist schwerfällig, meine Manieren sind schlecht. An der Uni halte ich die Fresse, weil ich nichts zu sagen habe. Wer meine Bekanntschaft macht, findet mich – überflüssig. Wenn ich abends im Bett liege, geht mir das genauso. Ich weiß, dass Klarissa glaubt, sie liebt mich. Aber irgendwann hätte sie ihren Irrtum erkannt. Dann hätte sie ihre besten Jahre an mich verschwendet. Jetzt ist sie ein junges Mädchen, deren Herz gebrochen wurde. Das ist nicht schön. Aber in zwanzig Jahren wäre sie eine verbitterte alte Frau, deren Herz gebrochen wurde. Ich werde mich nicht ewig in der Uni verstecken können, und dann wird offensichtlich werden, dass ich eine leere Hülse mit Magister bin. Wenn auch ein Magister mit Hund.« Er lachte. Es kamen neue Getränke.

»Du bist Anwalt. Das sieht auf den ersten Blick besser aus. Aber Hand aufs Herz, du hast über deine Verhältnisse geheiratet. Ich meine, stell dir vor, wir würden ein Gruppenfoto schießen. Du, ich, Gabriele, Klarissa. Jeder vernünftige Mensch würde sich über uns beide totlachen!«

So ging es in einem fort. Sie tranken viel und durcheinander, bis sie schon lange die letzten Gäste waren und der Chef doch noch die Geduld verlor und sie rauswarf. Tom torkelte durch die Nacht, hatte gerade seine Zukunft zerstört und fühlte sich großartig. Bernhard ging neben ihm her, lieber noch ein Stück in die falsche Richtung als nach Hause, und dachte: Arme Yuccapalme.

»Ist es nicht erstaunlich, wozu Menschen fähig sind? Tom hat es getan. Es war keine schöne Szene, wie du dir vorstellen kannst. Klarissa traf es aus heiterem Himmel. Sie hatte was Nettes gekocht. Ein Thymian-Kartoffel-Gratin. Er isst das Thymian-Kartoffel-Gratin, lobt das Thymian-Kartoffel-Gratin. Außerdem trinkt er schnell und viel. Die Bombe lässt er bei der zweiten Flasche Wein platzen. Klarissa versteht zuerst gar nicht, wovon er spricht, denkt, es ginge wieder um Moral, denn über Moral redet Tom gerne und oft. Doch dann trifft sie die Erkenntnis mit voller Wucht. Sie hat ihn wirklich geliebt. Und wirklich geglaubt, dass sie für immer zusammenbleiben. Sie wollte Kinder von ihm. Das ist viel für ein Scheidungskind. Sie mochte es, wenn Tom sie tollpatschig an sich drückte und ihren Freundinnen erklärte, dass sich die moderne Pädagogik auf Rousseau beziehe, obwohl die moderne Pädagogik Rousseau nicht verstanden und wahrscheinlich nicht einmal gelesen habe. Sie mochte es, dass er ein Student war und so viele Bücher kannte. Über seine Spinnereien sah sie hinweg. Und was tut dieser Idiot? Er glaubt, er wäre nicht gut genug für sie, und rennt weg. Verrückt! Aber du bist ja noch ganz verschlafen«, sagte Jonas, »ich hole dir erst mal was zu trinken«, und ging, leicht humpelnd, in die Küche.

»Danke.«

Als Bernhard aufsprang und in die Küche rannte, war dort niemand zu finden. Benommen blinzelte er in die brennende Glühbirne. Der Wasserhahn war aufgedreht und in der Spüle lief ein Glas über.

Es gibt Tage, an denen können Salzstreuer über die Tischkante fallen, schwarze Katzen von links unter einem parkenden Auto hervorspringen und fette Krähen auf entlaubten Baumwipfeln sitzen. Die Titelseiten der Zeitungen können über Kometen und das Ende der Welt berichten, und dennoch gehen die Passanten ihrer Wege, die Säuglinge weinen nicht lauter als sonst, und die Stunden spulen sich routiniert und unbeirrt von der Zeitrolle, die sich allen Unkenrufen zum Trotz hartnäckig weigert, zu Ende zu gehen. Einfach nichts geschieht, was es wert wäre, erzählt zu werden. Der Salzstreuer schlägt auf die Fliesen und zerbricht, die Katze macht einen großen Satz und verschwindet im Dickicht der Kleingärtner-Siedlung, die Krähen putzen ihr Gefieder.

Bernhard erwachte und glaubte, es genau mit einem solchen Tag zu tun zu haben, da er wider Erwarten keine Kopfschmerzen spürte. Fast ungläubig zwinkerte er in die Sonne, rieb sich, um ganz sicherzugehen, die Schläfen, und schlug, weil er nur ein leichtes Brummen hinter der Stirn bemerkte, gut gelaunt die Bettdecke zur Seite. Im Bad fegte er als Erstes verstreute Erde und Scherben zusammen. Durch das Loch in der Scheibe drangen die Gerüche der Stadt. Er duschte ausgiebig, er rasierte sich gründlich und nahm sich vor, Klarissa, falls sie zur Arbeit erschiene, zu trösten, so gut er konnte. Seine Möglichkeiten waren begrenzt, Toms Entscheidung konnte er nicht rückgängig machen. Aber er konnte versuchen, für sie da zu sein. Wenn sie reden wollte, würde er mit ihr reden. Wollte sie Normalität aufrechterhalten, würde er ihr dabei helfen, so zu tun, als wäre nichts passiert. Den Albtraum mit Jonas, der ihm von Tom erzählte, hatte er so gut wie vergessen. Dachte Bernhard.

Dachte Bernhard, bis er das Wasserglas in der Spüle bemerkte, die Espressomaschine nicht mehr funktionierte und es an Zeit fehlte, einen Topf für heißes Wasser aufzusetzen. Er versuchte immer noch hartnäckig, an die Harmlosigkeit dieses sonnigen Tages zu glauben, als sein Ascona von einem

DPD-Transporter zugeparkt war und der Bote offenbar keinen Abnehmer für sein Paket fand. An der Kreuzung herrschte Chaos, weil die Ampel ausgefallen und die Verkehrspolizisten auf dem Weg zur ausgefallenen Ampel in einen Unfall verwickelt worden waren. Auf dem Schleußiger Weg erschreckten Fahrradfahrer junge Mütter, und ein Grundschüler erbrach sich durch das Brückengeländer in das darunter gelegene Elsterflutbett, während ein gelber Hund interessiert den fallenden Pfannkuchenbrocken hinterherschaute. Natürlich fand Bernhard keinen Parkplatz in der Nähe der Kanzlei, und es erübrigt sich fast zu erwähnen, dass es unerträglich schwül war. Bernhard hatte gegen diesen hinterhältigen Tag verloren, als er aus dem Auto stieg.

Klarissa hatte den letzten Buchstaben seines Namens, das »d«, fast beendet, als Bernhard eintrat und ihr der Stift abrutschte, vom Donnerstag zum Samstag sprang, die beiden Tage des Kalenders mit einem unsauberen Strich verband und einen Bezug zwischen ihnen herstellte, für den es keine logische Begründung gab. Das »d« blieb verunstaltet zurück, während der Strich mit großer Bestimmtheit Termine durchkreuzte, als wären mit dieser einen Bewegung alle Verabredungen abgesagt worden, die Kanzlei aufgelöst, das Ende ihrer Tätigkeit erreicht. Hässlich war der Strich. Klarissa, die jedes Terminfeld bis in die Ecken sauber schraffierte, lila Ackermann, grün Bernhard, ertrug dieses Versehen nur schwer. Sie ließ den Stift fallen. Tipp-tapp, schlug er zuerst mit der Spitze und dann mit dem Ende auf.

Klarissa hatte auf Bernhard gewartet und gleichzeitig gehofft, dass er nicht kommen würde. Als sie an diesem Morgen ihren Schreibtisch in Besitz genommen, die Kappe des Stiftes abgezogen und die Mine mit der Zunge benetzt hatte, wie es ihre Gewohnheit war, wünschte sie einerseits, die Begrüßung bereits hinter sich gebracht zu haben. Andererseits sehnte sie einen Rohrbruch oder Wohnungsbrand in der Schnorrstraße 32 herbei oder einen Autounfall auf französischen Straßen, nichts Tödliches natürlich, aber mit Gehirnerschütterung und Prellungen, irgendetwas, das Bernhards Fernbleiben garantieren würde. Tom hatte auf die Freundschaft mit ihm immer besonders viel Wert gelegt. Und Klarissa hatte es gefallen, dass Tom auf diese Weise nicht nur akzeptiert, sondern ein Teil der Kanzlei geworden war. Das hatte vieles leichter gemacht. Jetzt machte es vieles schwerer. Es berechtigte Bernhard dazu, Fragen zu stellen. Warum? Wieso? Wie geht es ihm jetzt? Und noch schlimmer: Wie geht es dir? Sie wollte nur arbeiten, ganz mechanisch, sich die Routine überziehen wie eine Tarnkappe. Ausgerechnet mit Bernhard über ihre persönlichen Probleme reden zu müssen, kam ihr unmöglich vor. Es war nicht so, dass sie ihn nicht mochte. Aber er war seltsam. Manchmal starrte er sie an, als sähe er sie zum ersten Mal. Dann wieder versuchte er, besonders nett zu sein, brachte Pralinen und wollte sie zum Essen einladen. Es konnte vorkommen, dass er auf ihr Klopfen nicht reagierte, und wenn sie dann vorsichtig die Tür öffnete, saß er einfach da und schaute aus dem Fenster. Klarissa fürchtete sich ein bisschen vor ihm. Und es bestand die Möglichkeit, dass Tom ihn angerufen hatte, um über »alles« zu reden. Zum wiederholten Mal an diesem Morgen war sie kurz davor, einfach durchzudrehen.

Was Bernhard anging, waren Klarissas Sorgen überflüssig. Seinen guten Vorsatz, als einfühlsamer Gesprächspartner zur Verfügung zu stehen, hatte er längst vergessen. Es lag ihm nichts daran, ihre Version der Geschichte zu hören. Er wollte nur so schnell wie möglich am Vorzimmer vorbei und in sein Büro. Wie es ihr ging, lag ohnehin auf der Hand: schlecht. Sie sah verquollen aus, und die ungeschickt aufgetragene Schminke, die ihre Verfassung kaschieren sollte, verstärkte diesen Eindruck nur. Die Brillengläser hoben die geplatzten Äderchen im Weiß der Augen hervor, und jede ihrer Bewegungen, ihre ganze Körperhaltung machten deutlich, dass sie kurz vor einem Zusammenbruch stand. Nach ihrem Befinden zu fragen, stellte ein unkalkulierbares Risiko da. Er wählte die Rolle des Trottels, dem nicht auffällt, dass etwas nicht stimmt.

»Ist Ackermann da?«

»Er will dich um sechzehn Uhr sprechen.«

Augenscheinlich tat es ihr gut, einen simplen und vor allem notwendigen Satz zu sagen. Mit etwas zu groß ausgefallener Geste hielt sie Bernhard den Kalender unter die Nase.

»Ein sehr interessantes Kürzel«, sagte Bernhard.

Zuerst sträubte sich Klarissa, dann gab sie nach und lachte. Es klang in den Räumen, die fürs Lachen nicht gemacht waren, laut und isoliert. Unter der Farbe des Lippenstiftes riss ihre Haut, Rot mischte sich mit Violett. Sie bemerkte es nicht und drückte den Kalender wie ein Fotoalbum mit lustigen Kinderbildern an ihre Brust. Es wurde höchste Zeit, dieses Gespräch zu beenden. Bernhard fühlte schon wieder, wie sich sein innerer Zustand ins Regelwidrige verschob. Klarissas Hysterie, der Riss in ihrer Lippe, das Weiß der Zähne, an denen Lippenstift klebte, ihre unübersehbare Pein, gepaart mit einem Faible für zu kurze Hosen, orange gestrichene Wände und seichte Literatur – das alles formierte sich vor seinen Augen zu einer Botschaft: Für dich wäre es ein Leichtes, diese Frau glücklich zu machen.

Ohne Transzendenz, ohne Eskapaden, ohne Schuldgefühle – allein mit der Ehrlichkeit seines Berufs und einem stetig dahinplätschernden Zusammensein. Deshalb hatte Tom sie verlassen. Um den Weg frei zu machen. Bernhard sah es so deutlich, dass er auf dem Absatz kehrtmachte und die Flucht ergriff.

Sein Büro hatte noch immer keine neue Tür. Nur ein Werkzeugkasten und ein gegen die Wand gelehnter Zollstock versprachen Besserung. Trotzdem atmete Bernhard durch, als er, zumindest formal gesehen, ungestört sein konnte. Es war nicht nur seine aus dem Ruder gelaufene Fantasie von einer gemeinsamen Zukunft mit Klarissa, die ihn nervös machte, sondern vor allem die Verabredung mit Ackermann. Um sechzehn Uhr, hatte Klarissa gesagt. Um sechzehn Uhr aber war er mit Frau Seidel verabredet. Jedenfalls behauptete das ein Zettel, geschrieben von seiner eigenen Hand, der vor ihm auf dem Schreibtisch lag. »16 Uhr, Seidel«. Schon der Name schien einen grauen Rock zu tragen und dicke, weiße Strumpfhosen, dazu einen Hut, der schief auf der Frisur saß und einfach nicht herunterfallen wollte. Warum hatte Klarissa mit Ackermann einen Termin um vier vereinbart? Weil von Frau Seidel nichts im Kalender stand. Mit beiden Händen strich sich Bernhard durch die schon wieder zu lang gewordenen Haare. Ein Knoten sperrte. Klarissa wusste nichts von Frau Seidel. Genauso wenig, wie sie von der Verabredung mit Goss gewusst hatte. Mit ausgefallenen Ampeln, überzähligen Gläsern und verwechselten Jacketts hatte das nichts mehr zu tun.

»Guten Tag, hier spricht Waldemar Madlener, ich …«

»Eigentümer oder Mieter?«, fragte eine durchdringende Frauenstimme.

»Weder noch.«

»Aha.«

»Vielleicht mag mein Anliegen seltsam klingen, aber ich wollte fragen, ob es in der Amselstraße 42 noch etwas zu mieten gibt?«

»Hängt dort ein Schild?«

»Nein. Aber ...«

»Dann sind auch keine Wohnungen frei.«

»Auf meinem Weg zur Arbeit fahre ich immer an der Amselstraße vorbei, und die Wohnung in der dritten Etage erweckt den Eindruck, leer zu stehen. Da dachte ich ... Natürlich warte ich. – Madlener, Waldemar mit Vornamen.«

Pause. Lange geschah nichts. Dann wurde der Hörer weitergereicht.

»Waldemar Madlener?« Eine Männerstimme. Sie klang hart und raubeinig, nach einem Mann mit Holzfällerhemd und Jeans.

»Ja?«

»Arbeiten Sie für die Polizei?«

»Nein. Ich komme oft an dem Haus vorbei und ...«

»Dann bin ich auch nicht befugt, Ihnen Auskunft zu geben.«

»Ich will doch nur eine Wohnung mieten.«

»Sicher doch. Für mich klingen Sie nach einem stümperhaften Detektiv.«

»Detektiv?« Bernhard lachte in den Hörer. »Das muss ja eine ganz besondere Wohnung sein.«

»Seien Sie so fair und erstatten Sie Ihrem Kunden die angefallenen Kosten.«

»Es gibt keinen Kunden und keine Kosten, weil ich kein ...«

»Guten Tag.«

Bernhard war kein Optimist. Aber damit hatte selbst er nicht gerechnet.

Gabriele saß auf der Rückbank des Citroën C5 schräg hinter Boulanger, der permanent an den Knöpfen der Klimaanlage herumfingerte, statt auf die Fahrbahn zu achten, und trotz aller Anstrengung den entscheidenden Knopf nicht finden konnte. Ohne funktionierende Klimaanlage glich der Wagen einem Fegefeuer auf Rädern. Boulanger gab nicht auf. Reinhards saß in einem blauen Polohemd auf dem Beifahrersitz und schaute hinaus in das verschwommene Lila und Grün der vorüberfliegenden Lavendelfelder und Pinienhaine. Er hatte es aufgegeben, sich die Stirn trocken zu tupfen, und anscheinend beschlossen, dass es ihn nicht störte, wenn ihm der Schweiß in die Augen lief. Es wurde nicht viel geredet. Boulanger fuhr schnell. Schneller als notwendig, denn sie hatten Zeit; schneller, als es die schlechte Landstraße erlaubte. Hinter den Lkws, die noch langsamer fuhren als die alten R4 in Giftgrün oder Gelb, bildeten sich Staus im Niemandsland. Es wurde überholt, auch bei Gegenverkehr, einer würde schon bremsen, wer von beiden, musste sich noch herausstellen. Der staubige Seitenstreifen wurde als dritte Spur genutzt. Boulanger scherte hinter den Lastwagen aus und wieder ein, bremste ab und beschleunigte, als wolle er dem Schweigen entkommen, das die drei Insassen umschloss wie eine Druckkabine. Sie waren auf dem Weg nach Purne, laut Boulanger ein malerisches Dorf unweit von Lille, mit rundem Marktplatz, an dem außer Bäckerei, Fleischer und Krämer auch der Sitz von Boulangers Firma gelegen war. Boulanger trat das Gaspedal durch, die Straße führte über eine Kuppe, für zwei

Sekunden glaubte Gabriele zu schweben. In der Senke wurde sie zurück in die Polster gedrückt; die von Boulanger geschnittene Kurve presste sie gegen die Tür. Inzwischen war es Mittag, die Sonne ein weißer Fleck, der sich im schwarz lackierten Wagendach spiegelte. Ein Tag aus Hitze und Asphalt.

Gabriele war eine gute Zuhörerin, konnte es aber nicht ausstehen, wenn ältere Männer glaubten, ihre Geschichten seien für die nächste Generation von unschätzbarem Wert und amüsanter als alles, was man heute noch erleben konnte, weshalb sie rücksichtslos vor sich hin schwadronierten, im festen Glauben, ihr Gesprächspartner krümme sich entweder innerlich vor Lachen oder sei stumm vor Staunen. Auf dieser Fahrt nach Purne aber schien ihr die Abwesenheit von alten Geschichten geradezu unnatürlich. Immerhin hatten sich Boulanger und Reinhards zwanzig Jahre nicht gesehen. Nichts wäre normaler gewesen, als die sommerliche Landpartie zu nutzen, um ein paar gemeinsame Erinnerungen aufzufrischen.

Boulanger: »Und dann sagte der Professor, dieser berühmte Statiker, zu mir: ›Herr Boulanger, Ihr Haus bricht zusammen, wenn eine Mücke auf dem Schornstein landet und ausatmet.‹ Du wolltest mich verteidigen, weißt du noch, was du ihm geantwortet hast?«

Reinhards: »Mücken haben Tracheenatmung, Herr Professor.«

Gemeinsames Gelächter, wohlige Gefühle, gemütliches Fahrtempo. Aber so war es nicht. Reinhards' und Boulangers Vergangenheit schien von der Zeit nicht zu einer Legende verdichtet, sondern schlicht vertilgt worden zu sein, und Boulanger fuhr, als befände er sich noch immer vor ihren mahlenden Kiefern auf der Flucht. Alles, was Gabriele bis jetzt in Erfahrung hatte bringen können, taugte höchstens dazu, den ersten Akt der Geschichte zu füllen:

Boulanger und Reinhards, beide aus ärmlichen Verhältnissen stammend, hatten zusammen studiert und gemeinsam eine Mansarde bewohnt, ohne eigenes Klo, Dusche oder Küche. Ihre Vermieterin war alt und kochte Gänsehälse und Kartoffeln; der Dunst zog in ihre Zimmer. Trotz ihrem Alter trug sie das Essen meist selbst die Stufen hinauf und servierte eigenhändig. Hin und wieder brachte ihre Nichte Charlotte die Mahlzeiten. Selbstverständlich waren beide in die Nichte verliebt.

Reinhards hatte an der Uni die besseren Noten, Boulanger heiratete die Nichte. Boulanger hatte sich Mühe gegeben, in der kleinen Wohnung nicht aufzufallen, während Charlotte immer wieder dieselben Sätze wiederholte: »Reinhards, ich liebe dich nicht und werde dich niemals lieben«, bis Reinhards eines Tages vor Boulangers und Charlottes Augen in sich zusammenfiel, weil er endlich begriffen hatte. Es folgte kein Wutausbruch und auch keine Schlägerei. Stattdessen nickte Reinhards, stand auf und verließ die Wohnung. Es waren schöne Tage, die Charlotte und Boulanger durchlebten. Zwei Möbelpacker kamen und suchten zusammen, was Reinhards gehörte. Danach lebten sie ohne Kühlschrank und Kaffeemaschine. Sie vögelten so oft wie möglich. Von Reinhards kein Lebenszeichen mehr. Die Ehe von Charlotte und Boulanger war von kurzer Dauer. Boulanger ging nach Frankreich, hatte einen gewissen Erfolg und schaffte es schließlich, seinen alten Freund Reinhards in Leipzig ausfindig zu machen. Reinhards leitete ein kleines Architekturbüro, hatte geheiratet und plante, gemeinsam mit seinem Sohn ein Baumhaus zu bauen.

Natürlich konnte Gabriele nicht wissen, wie eng die Freundschaft wirklich gewesen war; mit welchen Schwüren die beiden sie am Ufer des Neckars besiegelt hatten. Vielleicht hatte Reinhards diese Charlotte über alles geliebt und vor lauter Eitelkeit nicht begriffen, dass sie längst ein Techtelmechtel mit seinem besten Freund unterhielt. Letzte Nacht in der Hotelbar hatte es fast danach ausgesehen, als wollte sich Boulanger für etwas entschuldigen, und zwar gerade indem er betonte, sich für nichts entschuldigen zu wollen.

Zuerst hatte es Boulanger mit einem Loblied auf Tübingen versucht. Paris sei doch eine elende Hure, Tübingen hingegen ein sonniger Flecken Erde, wo man Stocherkahn fahren und den blonden Mädels auf den Brücken zuwinken könne.

Reinhards schlug ihm die Tübingen-Tür vor der Nase zu: »Ein eingebildetes Kacknest, vollgestopft mit Burschenschaftlern, die ihre Hormone und ihren Verstand nicht in den Griff bekommen. Wir waren nur zwei Studenten und haben getan, was in Tübingen alle machen: gute Miene zum bösen Spiel.«

Boulanger versuchte es ohne Tübingen, allerdings auch ohne die nötige Klarheit. Irgendwie sei ja manches ein bisschen drunter und drüber gegangen, auch mit Charlotte und so. Einiges wäre besser niemals passiert. Aber wichtig sei doch für den Augenblick, dass er, Boulanger, seinem alten Freund Reinhards die Firma nicht schenken wolle, um irgendeine längst verjährte Schuld zu begleichen. Sondern einzig und allein, weil er plane, sich zur Ruhe zu setzen, und sich keinen besseren Nachfolger als Reinhards vorstellen könne.

Als dieser beste aller denkbaren Nachfolger nur auf den Fernseher der Bar schaute und sagte, was für ein komischer Film das sei, wusste Boulanger nicht mehr weiter. Er hatte alles gesagt, was er sich wahrscheinlich über Jahre hinweg sorgfältig zurechtgelegt hatte. Gabriele fand, dass das alles auf nervtötende Weise keinen Sinn ergab.

»Scheiß Klimaanlage!«

Für ihren Geschmack brachte es Boulanger damit auf den Punkt. Es war sinnlos, an den Knöpfen der Klimaanlage herumzudrücken, wenn die Klimaanlage, verdammt noch mal, kaputt war. Es war sinnlos, als Dolmetscherin auf der Rückbank eines überhitzten Autos zu sitzen, wenn alle perfekt Deutsch sprachen. Es war sinnlos, sich bei Reinhards für etwas zu entschuldigen, das dieser offensichtlich nicht entschuldigen wollte. Es war sinnlos, ihm etwas zu schenken, was Reinhards zwar haben, aber trotzdem nicht als Wiedergutmachung gelten lassen wollte. Es war sinnlos, mit diesem Auto an einen Ort zu fahren, an dem doch nichts passieren würde, was nicht auch schon in Paris hätte passieren können. Es ergab einfach keinen Sinn, dabei zuzuschauen, wie sich rechts neben ihrem Fenster die Räder eines Lkw drehten, während sich von vorn, beunruhigend schnell, ein Wagen näherte. Land Rover Defender TDI 110, Farbe dunkelgrün, Rockslider, Seilwinde, Dachzelt, das volle Programm.

Es war das erste Mal auf einer Geschäftsreise, dass Gabriele die Entfernung zwischen sich und Bernhard spürte. Bislang waren Abschiede nicht mehr gewesen als die Vorboten einer Rückkehr und somit fast ein Grund zur Freude. Am Ende nur ein Wimpernschlag, und schon war man wieder zu Hause. Jetzt aber kam mit jedem Wimpernschlag der Defender ein paar Meter näher. Der Asphalt flimmerte. Noch mehr als die Sinnlosigkeit dieser Frankreichreise beunruhigte Gabriele die Vorstellung, dass ihre und Bernhards Zeit begrenzt sein könnte. In dem Augenblick, da sie im Zug gegenüber

Reinhards Platz genommen hatte, während Bernhard sich fertig machte, um zur Arbeit zu gehen, war ihr bewusst geworden, dass das ihnen gemeinsam zustehende Soll mit jeder Sekunde weniger wurde und ihnen wie Wasser durch die Finger rann.

Niemand ging vom Gas. Boulanger nicht, weil er Wut und Enttäuschung in Geschwindigkeit umsetzte; die zwei britischen Oxfordstudenten im Defender nicht, weil sie Probleme hatten, die richtige von der falschen Straßenseite zu unterscheiden, und der Lkw-Fahrer nicht, weil bremsen gegen sein Berufsethos verstoßen hätte. Stattdessen schaute er zu Gabriele hinunter. Ein kleines Häufchen Mann mit Brille, weißem Unterhemd und Tätowierung auf der Schulter.

»Scheiß Klimaanlage«, wiederholte Boulanger und drückte einen weiteren beliebigen Knopf. Die Fensterscheiben des Wagens fuhren herunter. Wind schlug mit Macht ins Innere. Der Lkw. Der Defender. Lavendelfelder. Gabriele wollte schreien, Boulanger schrie tatsächlich. Mit der flachen Hand schlug er sich in den Nacken. Zwischen den Fingern ein Insekt. Auch die Oxfordstudenten schrien. Links, rechts? Ein Joint fiel zu Boden. Besser rechts. Boulangers Gesicht im Rückspiegel schmerzverzerrt. Staub und Kieselsteine wirbelten in den Innenraum. Ein Prasseln. Der Defender schoss vorbei. Boulanger gelang es einzuscheren, der Lkw-Fahrer zog das Signalhorn. Im Heck die platte Schnauze des Lasters. Im Seitenspiegel der Defender, wieder auf der Straße.

»Ein Bienenstich«, sagte Boulanger.

»Kein Wunder«, antwortete Reinhards. »Bei so vielen blühenden Feldern.«

Fünfzehn Uhr achtundfünfzig. Frau Seidel war noch nicht gekommen. Während Bernhard wartete, sah er dabei zu, wie sich die Welt vor den Fenstern in ein Inferno verwandelte. Zuerst waren einzelne dicke Tropfen auf dem grauen Pflaster des Innenhofs zerplatzt. Dann war eine Pause eingetreten, als habe der Regen noch einmal kurz Luft holen müssen, um zu einem veritablen Unwetter heranzuwachsen. Zeitungen und Plastiktüten tanzten, vom Wind aufgepeitscht, um die Wette, bis sie sich in Baumkronen verfingen. Dann ging es los. Schäumendes Wasser in den Straßen. Die Menschheit verschwunden. Der grünliche Himmel hatte etwas Apokalyptisches, als würden genau in diesem Augenblick mehr Fahrzeuge ineinanderkrachen, als es die Witterungsverhältnisse verlangten, und mehr Menschen aus Fenstern stürzen, als die Statistik vorsah.

Frau Seidel hatte Bernhard vom ersten Treffen an gehasst, schon allein, weil er ihr Anwalt in ihrem Scheidungsprozess war. Im Grunde war Frau Seidels Ausbleiben unter diesen meteorologischen Bedingungen nicht nur verständlich, sondern auch ein Grund zur Freude. Bernhard griff nach dem Hörer, um zu kontrollieren, ob die Telefonleitungen noch funktionierten. Es war absolut möglich, dass die Verabredung existierte und sie trotzdem nicht kam. Ohne abzusagen. Es war ihr zuzutrauen. Auch bei funktionierendem Telefon. Kein Grund zur Beunruhigung. Fünfzehn Uhr neunundfünfzig. Die Stunde vollendete sich, und der Minutenzeiger schien auf der Zwölf ein bisschen länger zu verweilen als auf den anderen Ziffern. Nur ein wenig. Dann sprang er weiter, sechzehn Uhr und eine Sekunde, zwei, drei – sechzehn Uhr und vier Minuten. Das Rauschen des Regens im Hintergrund bildete einen gleichbleibenden Ton ohne Anfang und Ende.

Sonst war nichts zu hören. Selbst die Stubenfliegen saßen reglos an den Wänden. Sechzehn Uhr sechs. Er konnte nicht länger warten.

Klarissas Schreibtisch war leer, übertrieben ordentlich und warf die Frage auf, ob Ackermann sie nach Hause geschickt hatte, um ihr etwas Gutes zu tun, oder weil er mit Bernhard allein sein wollte. In Klarissas Kalender tatsächlich keine Spur von Frau Seidel, nicht einmal eine dünne Bleistiftnotiz am Rand. Nur der zielstrebige Strich, der den Donnerstag mit dem Samstag verband. Ackermann stand über seine Espressomaschine gebeugt, wirkte klein und kraftlos, als gäbe es unter dem schwarzen Pullover weder Gewebe noch Knochen, sondern nur unachtsam hineingestopftes Füllmaterial. Bernhard klopfte an die offene Tür, aber die Espressomaschine war an und schluckte zischend alle anderen Geräusche. Im metallenen Aschenbecher, ein schlichter Würfel mit einer simplen Mulde, lagen sechs zerdrückte Zigarillos. Eins davon qualmte noch, war heruntergebrannt bis zum Mundstück. Die Schreibtischplatte glänzend schwarz und sauber bis auf kreisförmig verteilte Ascheflocken. In einem Becher aus geflochtenem Metall steckten drei Stifte mit der Spitze nach oben. Eine Ledermappe, geschlossen. Eine Tastatur, ein silberner Flachbildschirm. Ein Schlüsselbund, gespreizt. Als Ackermann den Kopf hob, war der Türrahmen leer.

Lila für Ackermann, Grün für Bernhard. Seit Klarissa ihm den Kalender unter die Nase gehalten hatte, war es ihm, als habe er etwas Entscheidendes übersehen. Das Offensichtliche ist immer am unauffälligsten. Neben den vielen grünen Bernhard-Kästchen der Woche nur ein einziges in der Farbe Lila: heute, genau jetzt. Bernhard schlug die Seite um und wusste bereits, was ihn erwartete. Nur Grün. Kein Lila.

»Ich habe uns einen Espresso gemacht.«

Ackermann stand in seiner Bürotür und blickte über den Flur zu ihm herüber. Hastig klappte Bernhard den Kalender zu.

»Ich werde es dir erklären«, sagte Ackermann. »Süßstoff?« Er tupfte sich die Stirn mit einem Taschentuch, zog aber den Pullover nicht aus. War ungewöhnlich schlecht rasiert, und am rechten Jochbein erkannte Bernhard eine Schürfung, schuppende Haut, darunter einen kleinen Bluterguss.

»Frau Seidel«, sagte Ackermann und versuchte den Auftakt des Gesprächs möglichst heiter klingen zu lassen, »sucht sich eine neue Kanzlei. Sie hat ihr Mandat zurückgezogen.«

Er rührte in seiner Tasse, klopfte den Löffel ab und reichte ihn Bernhard. Aus Freundschaft rührte auch Bernhard um, obwohl er weder Zucker noch Süßstoff genommen hatte. Noch vor fünf Minuten, bevor er ein weiteres Mal in Klarissas Kalender geschaut hatte, wäre Ackermanns Äußerung die Antwort auf seine drängendste Frage gewesen. Das Ende der Farbe Lila aber degradierte Frau Seidel zu einem unbedeutenden Steinchen eines zertrümmerten Mosaiks.

»Weißt du, warum?« Ackermanns Stimme vibrierte, als stünde seine Erzählung, kaum begonnen, bereits kurz vor einer sagenhaften Pointe. »Sie sagte, sie habe Angst.«

Mit spitzen Lippen und dicken Wangen pustete er in die winzige Tasse. Bernhard lachte nicht. Er hätte nicht gewusst, worüber. Wie bei Witzen mit gescheiterter Pointe üblich, folgte eine Zeit lang nichts.

»Stell dir vor, das sagte sie.«

Ackermann war lange genug Anwalt, um die seltsamsten Befindlichkeiten von Mandanten zu kennen. Dass die eigene Rechtsvertretung nur teilweise als Verbündeter und nicht selten als Feind gesehen wurde, besonders, wenn die Dinge nicht ganz so liefen wie erhofft, war eine altbekannte Tatsache. Schließlich gehörten Anwälte aus Sicht der Mandanten irgendwie zum System. Natürlich hatte Ackermann versucht, Frau Seidel zu beschwichtigen, die Differenzen als Missverständnis bezeichnet und erklärt, in was für einer Zwickmühle sich ein Anwalt befinde, der auf der einen Seite geschäftliche Sympathie gegenüber dem Mandanten empfinde, auf der anderen Seite objektive Pflicht gegenüber dem Gesetz. Worauf ihm Frau Seidel vorwarf, er habe nicht zugehört. Es gehe weder um Sympathie noch um Pflicht, sondern darum, dass es sie schaudere, wenn sie nur an Herrn Duder erinnert werde. Schließlich sei er heute ein anderer als gestern und spreche am Telefon mit zwei verschiedenen Stimmen. Und läuft, dachte Ackermann, mit zwei verschiedenen Schuhen herum.

»Ich möchte mein Bedauern ausdrücken, Frau Seidel. Die Kanzlei Ackermann & Co. wird Ihrem neuen Anwalt alle nötige Unterstützung zukommen lassen. Ich rede mit Herrn Duder, Frau Seidel. Auf Wiedersehen.«

Es fiel ihm schwer zu glauben, dass Dombek am Ende doch seine Kompetenzen überschritten haben sollte. Die Regeln waren klar gewesen. Bernhards Stifte waren tabu, Bernhards laufende Akten waren tabu, und erst recht war das Telefon tabu. Unvorstellbar, dass Dombek bei real existierenden Mandanten angerufen haben sollte. Aber letztlich – was war schon unvorstellbar. Das alles spielte ohnehin keine Rolle mehr. Ackermann hatte den Streit mit Dr. Wiecken verloren. Dombek würde von nun an stationär behandelt und nie wieder frei sein.

Ackermann hatte stets versucht, in dem »Co.« der Kanzlei

auch einen Junior zu sehen. Nicht, weil ihre Beziehung von herausragender Herzlichkeit und Vertraulichkeit geprägt gewesen wäre, und auch nicht, weil seine Kinderlosigkeit eine Leerstelle in seinem Leben hinterlassen hätte, die er auf diese Weise zu füllen versuchte, sondern vielmehr, weil es einfach seinem Charakter entsprach, einen jüngeren Partner als Schüler, Sohn und Erben zu betrachten. Natürlich konnte Dombek das Bedürfnis verspürt haben, seinen Nachfolger zu diskreditieren. Nach Bernhards Vorstellungsgespräch hatte sich Dombek erst zögerlich, dann ganz offen gegen ihn ausgesprochen.

»Er ist gewiss kein schlechter Junge«, hatte Dombek gesagt, »aber er wäre besser Steinmetz oder Fischwirt geworden. Etwas, wo man allein ist. Klaus, du kannst einen Flüchtenden nicht durch einen Flüchtenden ersetzen.«

Es war Ackermann niemals gelungen, zu diesem Satz eine konsistente Haltung einzunehmen. Ein Verrückter bezeichnet einen anderen als verrückt. Der Kreter sagt, dass alle Kreter lügen. Aber was sollte er davon halten, wenn er Fetzen eines Telefonats aufschnappte, in dem Bernhard einen gewissen Kosnik anflehte, ihn in dieser Sache nicht allein zu lassen, weil dieser Kosnik möglicherweise sein einziger und letzter Zugang zur Realität sei? Bernhard war kein Strahlemann und hatte nie vorgegeben, einer zu sein. Das hatte Ackermann ihm stets hoch angerechnet. Er konnte Anwälte nicht ertragen, die glaubten, fachliche Kompetenz durch übertrieben gute Laune unter Beweis stellen zu müssen. Aber was, wenn Dombek doppelt recht hatte? Wenn Bernhard ein Flüchtender und es nicht Dombek gewesen war, der bei Frau Seidel angerufen hatte, um ihr zu sagen, dass es gegen alle guten Sitten verstieße, eine Schreckschraube wie sie bei der Durchsetzung von Unterhaltsforderungen gegen einen armen, nach Strich und Faden betrogenen Ehemann zu unterstützen?

Zu Bernhard sagte er: »Kannst du dir das mit Frau Seidel irgendwie erklären?«

Bernhard war sich nicht sicher. Da das Familiengericht noch keinen Verhandlungstermin anberaumt hatte, ruhte die Seidel-Sache, wobei es weder düster noch rosig aussah. Echte Streitwerte waren nicht vorhanden, keine Kinder und kein Ehevertrag mit komplizierten Absprachen. Stinknormaler Zugewinnausgleich.

»Jeder Student aus dem dritten Semester könnte das ausrechnen.«

Bernhard nahm einen Schluck und versuchte dabei, möglichst entspannt zu wirken. Ackermann kramte ein Zigarillo hervor. Es hatte viele Bewerber auf Dombeks Stelle gegeben, viele frisch von der Universität, einige mit Berufserfahrung, gekündigte und unzufriedene, die mit dem Versprechen einer goldenen Zukunft von Großkanzleien ausgebeutet worden waren und nun ums Überleben kämpften. Die meisten besser qualifiziert als Bernhard. Sein Examen war mittelmäßig. Mittelmäßig die Qualität seines Anzugs und die seines Auftretens.

»Kannst du dich noch daran erinnern, welche Frage ich dir bei unserem ersten Treffen gestellt habe?«

»Du hast mich gefragt, was ich tun würde, wenn ich mich zwischen meinem Beruf und meiner Frau entscheiden müsste.«

Ackermann hatte diese Frage jedem Bewerber gestellt. Bernhard hatte als Einziger auf Vokabeln wie Selbstverwirklichung, Unabhängigkeit und Karriere verzichtet. Er bezeichnete seine Frau nicht als Lebensabschnittsgefährtin und behauptete nicht, dass auch das Privatleben am Ende nichts weiter als eine privatrechtliche Vereinbarung mit Kündigungsgründen sei. Stattdessen antwortete er ohne Zögern, dass ihn, wenn es um seine Frau ginge, egal welcher Job mal sonst wo könne. Bei jedem anderen Arbeitgeber wäre er vermutlich hochkant rausgeflogen. Ackermann stellte ihn ein.

»Wie würdest du heute auf die Frage antworten?«

»Genauso.«

»Hältst du Frau Seidel für eine Schreckschraube?«

»Absolut.«

»War dir bekannt«, sagte Ackermann, während er ein Grinsen nicht länger unterdrücken konnte, »dass sie ihren Mann betrügt?«

»Nein, davon hatte ich keine Ahnung.«

Ackermann lachte. Bernhard stimmte zögernd mit ein, obwohl er offensichtlich nicht wusste, was so lustig war. Auf der Flucht oder nicht – sein Angestellter war ein durch und durch anständiger Mann, dachte Ackermann. Und nur darauf kam es im Leben letztlich an.

Die Feuerwehr rückte aus, um vollgelaufene Keller auszupumpen. Auf die Entfernung klangen die Martinshörner wie Kinderspielzeug. Die Baustelle nebenan wurde sicherheitshalber geräumt, in den Gruben stieg der Pegel. Irgendwie war es beruhigend zu wissen, dass sich die Menschheit weiter um sich selbst kümmerte.

»Um ehrlich zu sein«, sagte Ackermann, »Frau Seidel interessiert mich nicht.«

Er biss sich auf die Unterlippe, das Blut wich zurück und bildete seine Schneidezähne ab, als er weitersprach.

»Die Frage ist, ob du dir zutraust, die Kanzlei allein zu

führen. Sie ist das Letzte, was mir auf der Welt etwas bedeutet.«

Bernhard schwieg. Im Fallrohr der Regenrinne gab es einen Rückstau, Wasser quoll vom Dach und stürzte mit unregelmäßigem Prasseln gegen die Scheibe. Im Park unter einem vereinzelten Baum, mit nassen Schuhen und nassen Gesichtern, oder in einem dicht besetzten Restaurant, überfüllt mit Schutzsuchenden, hätten die Worte wirklicher geklungen.

»Dombek meint: nein. Und ich frage dich nicht zuletzt deshalb, Bernhard, weil du dann natürlich auch vor Gericht erscheinen müsstest.«

Es machte »Klick«, die Flamme stand senkrecht vor Ackermanns Gesicht, der Tabak fing Feuer. Die erste Wolke Qualm stieg zur Zimmerdecke, von zwei Paar Augen beobachtet. Ackermann schnalzte und sah zufrieden aus. Seine Entscheidung, an Bernhard zu glauben, so wie er trotz allem immer an Dombek geglaubt hatte, fühlte sich richtig an. Er hatte eine Liste angefertigt mit Dingen, die noch zu erledigen waren. Indem er Bernhard sein Angebot unterbreitet hatte, konnte er ein wichtiges Häkchen setzen und sich zurücklehnen. Die Liste war fast vollständig abgearbeitet. Nur ein paar Einzelheiten, um Dombeks Pflege sicherzustellen, mussten noch vertraglich geregelt werden. Jetzt war es an Bernhard, eine Entscheidung zu treffen. Schlug er ein, hatten sie beide Grund, die Korken knallen zu lassen. Ackermann führte das Zigarillo zum Aschenbecher und schnippte mit dem Daumen gegen das Mundstück, einmal, zweimal. Dann der nächste Zug. Das genüssliche Ausatmen zur Zimmerdecke hin. Als genügend Zeit verstrichen war, nickte Bernhard. Das war alles.

»Freut mich«, sagte Ackermann.

Er öffnete die Ledermappe, wählte einen Stift und schob beides in dramatisch langsamem Tempo über den Schreibtisch. Von jetzt an folgte alles seiner Bestimmung. Bernhard unterschrieb die Dokumente, und Ackermann staunte. Nicht eine Unterschrift sah aus wie die andere.

Als Boulanger in die Einfahrt bog, kam ein Mann mit wippenden Knien aus dem Haus gelaufen, ob Gärtner, Kammerdiener, Haushälter oder Koch, war schwer zu entscheiden. Er trug Sandalen und Stoffhosen, dazu ein staubiges Unterhemd und einen Hut mit Krempe. Sein Mund schien zu schmunzeln, selbst wenn er versuchte, ernst dreinzuschauen, und war zu breit für sein faltiges Gesicht. Gleichzeitig hatte er die Nase eines Boxers. Eilfertig half er Gabriele aus dem Wagen. Die mit Pinienaroma geschwängerte Hitze machte das Atmen schwer.

»Frau Duder, ich bin Frédéric«, sagte er in perfektem Deutsch und strich sich über den nicht vorhandenen Schnauzbart. »Darf ich helfen?«

Er reichte ihr die Hand. Im Hintergrund das Landhaus. In einer Senke am Fluss, aus grobem Sandstein gebaut. Die mörtellosen Fugen erzeugten den Eindruck, man habe es vor langer Zeit mit einem riesigen Hammer zerschlagen und dann aus den Trümmern neu zusammengesetzt. Die Fenster waren klein. Es fehlte nicht an rankendem Wein. Von irgendwoher war das stotternde Zischen eines Rasensprengers zu hören, das sich die Stille mit dem Gesang der Zikaden teilte. Alles in allem schien der Ort bestens geeignet für eine französische Romanze oder für einen Horrorfilm, der sich als Romanze tarnte. Oder eben für ein mittelmäßig entspanntes Wochenende. Während Boulanger seine Gäste so schnell wie möglich mit Vorspeisentellern und kaltem Weißwein bewirten und Frédéric seinen Garten vorführen wollte, genügte ein Blick auf Reinhards, um zu wissen, dass auch dieser Ort seine Laune nicht bessern würde. Drei Menschen waren in A ins Auto gestiegen, um nach B zu fahren, nur um festzustellen, dass in B nicht leichter wurde, was in A nicht gelungen war. Der einzige Unterschied bestand darin, dass sich Gabriele nicht mehr um die Verbindungstür, sondern um ihre Balkontür sorgen musste.

Sie bekamen Zimmer im ersten Stock zugeteilt, über einen Balkon miteinander verbunden. Die Betten waren groß und weich. Handtücher lagen bereit, auf der Kommode ein Korb mit Obst, daneben eine Schale mit Nüssen. Unten deckte Frédéric den Swimmingpool auf, Boulanger sprang hinein. Das Wasser sah wie etwas Lebendiges aus. Reinhards ließ sich nicht blicken. Boulanger schwamm als Körper an der Oberfläche und als Schatten auf dem Grund des Beckens. Aus dem Nachbarzimmer war nichts zu hören. Frédéric klapperte in der Küche. Zu Boulangers Füßen eine schnell wachsende Pfütze, als Körper und Schatten gemeinsam aus dem Pool stiegen. Nachdem er Richtung Haus verschwunden war, blieb eine nasse Fußspur auf den Fliesen zurück, wie von einem Unsichtbaren. Gabriele fuhr herum, ihr Ellbogen prallte schmerzhaft gegen das gusseiserne Balkongeländer. Frédéric stand neben ihr. Falls er geklopft hatte, hatte sie es nicht gehört. In der Hand hielt er eine Schale mit kleinen Tomaten.

»Das sind die leckersten«, sagte er. »Aus unserem Garten.«

Rot, glatt und prall, für ihr Volumen zu schwer. Fast wie aus Plastik, dachte Gabriele, und nicht leicht zu zerbeißen. Sie explodierten förmlich zwischen den Zähnen. Frédéric starrte ihr auf den Mund.

»Gut?«

»Sehr.«

»Es wird keine Aussöhnung geben, oder?«

Frédéric sah traurig aus, wie ein Großvater, der allein am Kamin sitzt und sich daran erinnert, wie er den Enkelkindern, die seit Jahren nicht mehr zu Besuch kommen, Geschichten erzählt hat. Gabriele war überrascht von seiner Anteilnahme. Gerne hätte sie ein paar aufmunternde Worte für ihn parat gehabt. Aber Gabriele hatte einen Zug bestiegen, war nach Frankreich gefahren und fand sich in einem Landhausparadies wieder, mit Konflikten konfrontiert, die nicht die ihren waren. Nein, sie glaubte nicht an eine Aussöhnung. Und vor wenigen Sekunden, als sie Boulanger beim Schwimmen zugeschaut hatte, war ihre Entscheidung gefallen: Dieser Konflikt ging sie nichts an. Interessierte sie nicht. Sie hatte Lust, Frédéric aus dem Zimmer zu scheuchen, allein deshalb, weil er es gewohnt war, gescheucht zu werden. Sie hatte Lust, Boulanger zu sagen, wie albern er in Badehose aussah, Reinhards in den Pool zu werfen und anschließend einfach zurück nach Deutschland zu fahren. Zu Bernhard. Aus diesem deutsch-französischen Hochofen zu fliehen. Jonas zu suchen und zu finden, damit alles wieder gut wäre. Ausnahmsweise war sie nicht die richtige Person, um Trost zu spenden. Doch den alten Mann vor den Kopf zu stoßen, brachte sie nicht übers Herz und versuchte, während sie mit der Zunge in einem Zahnzwischenraum nach einem kleinen, von einer schleimigen Schicht umgebenen Tomatenkern bohrte, ebenfalls traurig dreinzuschauen. Was ihr nicht schwerfiel. Gabriele fühlte sich hilflos, weil sie in einer Episode, in der eigentlich nichts passierte, zu ihrer eigenen Überraschung den Überblick verloren hatte.

»Manche Wunden«, sagte Frédéric, »heilen eben niemals. Wir können nur damit leben lernen.«

Der Pool hatte Boulanger vergessen und lag bewegungslos da wie ein Stück herabgefallener Himmel. Boulangers Fußabdrücke waren verdampft. Vielleicht wollte Frédéric wirklich reden, seine Einschätzung mit Gabrieles abgleichen und seine Gefühle teilen. Vielleicht hätte Gabriele auf dem Balkon endlich erfahren können, worum es eigentlich ging. Aber als Frédéric wieder den Mund öffnete, war es Boulanger, der durch ihn sprach: »Es gibt Erfrischungen. Kommt runter.« Frédéric klappte den Mund zu und setzte wieder jenes Grinsen auf, das zu groß für sein Gesicht war.

Das Kinn auf der Brust, den Handballen gegen die Stirn gepresst, saß Bernhard im Auto, während der Regen gedämpft auf das Blech des Dachs trommelte. Zum zweiten Mal wurden die Verkehrsmeldungen durchgegeben: Falschfahrer auf der A 46, acht Kilometer Stau auf der A 9, Hermsdorfer Kreuz Richtung Leipzig. Drei Kilometer mehr als vor einer halben Stunde. Er schaltete das Radio aus, fasste nach dem Rückspiegel und betrachtete seine Augenpartie, die Iris so dunkel, dass das Braun fast schwarz wirkte, im Weiß ein Geäst aus Äderchen. Ringsum schimmerte ein Schatten unter der Haut, die blass war und mit winzigen Leberflecken gepunktet. Zwei zwischen den Brauen, leicht versetzt, aber dicht nebeneinanderliegend. Schräg oberhalb der Nasenspitze ein weiteres Muttermal. Zusammen ein kleines Sternbild, von Gabriele geliebt, von Bernhard ignoriert. Er überlegte, ob und wie er sich in den vergangenen Jahren verändert haben mochte, und scheiterte wie immer an der Tatsache, dass der Mensch an sich selbst keine Veränderungen wahrnimmt und erst beim Blick in den Führerschein vor sich selbst erschrickt. Man sah nicht einmal, dass ihm seit heute eine Kanzlei gehörte. Er war Chef. Sein eigener und der Chef von Klarissa. Er würde jemanden einstellen müssen. Er würde von nun an einiges mehr verdienen. Hätte es einen Plan gegeben, wäre Bernhard am Ziel. Gabriele würde sich freuen. Vielleicht auch Klarissa und, wenn er ganz verwegen spekulierte, eventuell sogar seine Mutter. Falls er sie anriefe.

Ackermann hatte ihn aus der Kanzlei gescheucht. Ein letzter Befehl. Auftrag: Feiern! Und Bernhard hätte gefeiert, wenn es sein Ziel gewesen wäre, sich mit einem mittelmäßigen Talent möglichst schnell eine gesicherte Existenz zu ergattern. So aber machte sich in seinem Inneren eine erstaunliche Leere breit, ein kaltes Universum, in dem keine Traumplaneten um Wunschsonnen kreisen. Zur Feier des Tages war er ohne Schirm zu seinem Wagen gelaufen, weil ihm nichts Besseres einfiel, als Jonas' alte Wohnung aufzusuchen.

Er ließ den Rückspiegel in seine ursprüngliche Stellung zurückschnappen. Seine Augen wurden wie bei einer Diavorführung – klapp, ratschratsch – durch ein Backsteingebäude ersetzt, mit gleichmäßigen Reihen gleichmäßiger Fenster. Der Name war vom Klingelschild entfernt, aber nicht durch einen neuen ersetzt worden. Im Durchgang zum Hinterhof roch es nach feuchtem Mauerwerk, Fahrräder lehnten an den Wänden. Bündel von Werbeprospekten priesen uralte Sonderangebote an. In den Mülltonnen gab es nichts Interessantes zu finden, und die Pfützen langweilte ihre eigene Existenz. Bernhard legte den Kopf in den Nacken, um einen Blick auf zwei ganz bestimmte Fenster im vierten Stock zu werfen. Die Tür zum Treppenhaus stand offen. Bernhard stieg Stufe um Stufe, spürte seine Beine mit jedem Schritt schwerer werden, bis es nicht mehr weiterging. Zwischen zwei benachbarten Türen blieb er stehen. Links die ehemalige Wohnung von Jonas, die mit trotzig zusammengepressten Lippen zu schweigen schien. Rechter Hand Cindys Tür, die einfach nur geschlossen war. Es war seltsam, wieder hier zu sein. Irgendwie kam es ihm falsch vor, dass dieses Haus, diese Treppe, diese Wohnungstüren nicht zu existieren aufgehört hatten.

Mit Daumen und Zeigefinger kontrollierte Bernhard Duder den feuchten Krawattenknoten und legte sich Rechenschaft darüber ab, dass er gar keine Freunde besaß, mit denen er hätte feiern können. Des Weiteren machte er sich klar, dass er im nassen Anzug eine ziemlich erbärmliche Figur abgab und außerdem keine Ahnung hatte, was er sagen sollte. Beste Voraussetzungen, um die Klingel zu drücken. Er hatte es Gabriele versprochen. Er musste suchen.

Schritte kündigten Cindy an. Cindy hieß eigentlich Claudia. Cindy war der Name ihrer Schwester, die von den Eltern blöd geprügelt worden war. Sie, Claudia, nun Cindy, war rechtzeitig abgehauen aus dem Haus, an dem die Sonntagsspaziergänger – verstohlener Blick über den Zaun – tuschelnd vorbeigeschlendert waren, das letzte Haus der Straße, die in einem Patchwork aus Feldern endete.

»Oh«, sagte Cindy. »Was 'ne Überraschung, und damit meine ich nicht, dass du Haare hast und Anzüge trägst.« Sie lachte und fuhr dann gleich fort: »Wenn du geschäftlich gekommen bist, haben wir wenig Zeit. Wo zum Teufel hast du all die Jahre gesteckt?«

Ohne auf eine Antwort zu warten, drehte sich Cindy um und rauschte in ihrem roten Kimono, mit schwarzen Blumen unbekannter Gattung bedruckt, den Flur entlang. Erst an der Schlafzimmertür registrierte sie, dass ihr niemand folgte.

»Cindy? Ich bin Bernhard. Sein Bruder.«

War sie eben mit resoluten Schritten vorausgegangen, kehrte sie nun zögerlich zurück und zauberte eine ihrer sinnlos dünnen Zigaretten aus dem Synthetikumhang, wobei sie Bernhard von oben bis unten musterte. Natürlich hatte er nicht damit gerechnet, Jonas in seiner alten Wohnung anzutreffen – frisch rasiert, gut genährt und umringt von seinen fünf Kindern, während eine gut gelaunte Ehefrau aus der Küche fragte, wer denn an der Tür sei. Er hatte nicht einmal zu hoffen gewagt, dass Cindy noch hier wohnte, geschweige denn, dass sie wusste, wo Jonas steckte. Aber auf eine Frage, das wurde ihm jetzt klar, konnte sie Antwort geben und hatte es bereits getan. Nur war er nicht sicher, ob ihm das Ergebnis gefiel.

»Ich hatte vergessen, wie ähnlich ihr euch seht«, sagte Cindy.

Sie schaute ihn mit aufgemalten Rehkitzaugen an, während ihr rotes Haar einen farblichen Konflikt mit dem Kimono ausfocht, und zündete die Zigarette an. Sein Schweigen interpretierte sie als Aufforderung, hereingebeten zu werden.

»Willst du 'nen Kaffee?«

In ihrer überaus bunten und überaus kleinen Küche war es heiß. Sie hatte gekocht. Es roch chinesisch. Kondenswasser perlte auf dem Glas des einzigen Fensters und bildete kleine Seen unten am Rahmen, wo sich in den Fugen bereits Schimmel gebildet hatte. Bernhard glaubte zu dampfen.

»Wenn du nicht zum Ficken hier bist, was führt dich zu mir?«

Die Selbstverständlichkeit, mit der Cindy seinem Besuch begegnete, verwirrte Bernhard. Glücklicherweise war Cindy daran gewöhnt, mit verstockten männlichen Gesprächspartnern umzugehen. Sie konnte das Frage-Antwort-Spiel allein bestreiten.

»Wie geht es ihm? Und dir? Seid ihr noch in der Stadt? Was ist damals eigentlich genau ...« Sie unterbrach sich und nahm ihn mit zusammengekniffenen Augen ins Visier. »Du hast ihn seit damals nicht gesehen? Wie lang ist das jetzt her – fünf Jahre? Oder schon sechs? Er hat ja nicht lang hier gewohnt, nicht viel mehr als ein paar Wochen, aber ich mochte ihn. Hab ihn vermisst, als er verschwunden war. Es hätte lustig werden können auf der Etage. Seitdem ist drüben tote Hose. Und du hast keine Ahnung, wo er ist? Eine Schande«, fuhr sie fort, während die Kaffeemaschine gequält hustete und noch mehr Dampf in die Luft blies, »ihr habt euch so gut verstanden, ihr wart wie ...«

»Brüder?«

Die Aufgabe, Kaffee auf zwei Tassen zu verteilen, nahm Cindy für einen Augenblick vollständig in Anspruch. Bernhards Stirn war nass, als hätte er sie gegen die beschlagene Fensterscheibe gedrückt. Cindy schien die Hitze nicht zu stören. Schließlich war sie unter dem Kimono nackt.

»Ihr wart ein Pärchen: der Spinner und der Saubermann. So hat Jonas es beschrieben. Du mit deinem Jura und er nur Schwachsinn im Kopf. Der eine säuft sich unter den Tisch, der andere durchkämmt die Kneipen der Stadt, um seinen Bruder an die mündliche Prüfung am nächsten Tag zu erinnern. Ich mochte es, wenn er von euch erzählt hat. Die reinste Sitcom.«

Cindy zog an ihrer Zigarette. »Er hat immer gesagt, ohne dich wäre er so was von aufgeschmissen gewesen. Total süß.«

Sie seufzte. »Und dann passiert – so etwas.«

Cindy machte eine Geste, die die Unerhörtheit und Lächerlichkeit der Ereignisse zusammenfasste.

Bernhard nutzte die Gelegenheit, sich den Schweiß aus dem Gesicht zu wischen.

»Cindy ...«

»Ich weiß es nicht, Bernhard. Nach der Party hab ich ihn noch ein paarmal unten an den Briefkästen getroffen. Da hat er seine Wohnung schon nicht mehr betreten, nur die Post geholt. Musste irgendwo untergekommen sein. Hab mich nicht getraut zu fragen, was los war. Paar Tage später stand er bei mir vor der Tür, ging mit mir ins Bett, gab mir die Kohle und sagte, dass wir uns nicht mehr sehen würden.«

Cindy kniff die Augen zusammen, bis das Grau der Iris fast vollständig unter dem Violett ihrer geschminkten Lider verschwand. Ein Netz aus dünnen Falten spann sich über die Stirn und verriet, dass sie nicht so jung war, wie sie vorgab.

»Ich musste an sein Gerede vom Ausstieg aus dem Ausstieg denken. Und an die Briefe. Lagen bei ihm auf dem Küchentisch, ein paar Tage vor der Party. Von einer Firma aus Dänemark oder Schweden. Werbeagentur oder so was. Da dachte ich, okay, vielleicht wollte er schon länger weg. Ich würde dir so gerne helfen.«

Sie nahm Bernhards Hand, ihre Finger waren erstaunlich kalt.

»Seine Wohnung ...«

»Wie gesagt, tote Hose. Wenn du willst, frag ich den alten Matze, den raffinierten Schlingel. Hat seiner Frau zu Weihnachten ein Theater-Abo geschenkt und kommt seitdem jeden Mittwochabend zu mir. Dafür wohne ich mietfrei. Wenn der irgendwas weiß, krieg ich's aus ihm raus, versprochen.«

Cindy wollte ihm helfen. Für einen kurzen Moment schienen die aufgemalten Rehkitzaugen wirklich zu ihr zu gehören; Stimme und Gesten wirkten nicht mehr eingeübt. Es fühlte sich gut an, eine Verbündete gefunden zu haben. Bernhard hätte das gern länger ausgekostet. Aber es klingelte an der Tür. Zeit zu gehen.

Auf der Fußmatte ein gepflegter Herr, der, einen Kopf kleiner als Bernhard, im braunen, von Wasserflecken verzierten Ledermantel, erschrocken zurücksprang, erschrocken Bernhard anschaute und noch erschrockener die eigene Hand betrachtete, die gerade ein zweites Mal hatte klingeln wollen. Er strich über seinen gewölbten Schädel, der sich blass gegen das gerötete Gesicht absetzte.

»Ich …«, sagte Bernhard.

»Nein, nein«, kam ihm der Mann zuvor und rieb sich weiter über die nackte Kopfhaut, »ich hab mich wohl in der Tür geirrt, verstehen Sie? Nur in der Tür geirrt.«

»Nicht doch«, sagte Bernhard. »Ich bin nur ein Bekannter von Cindy. Sie können sofort …«

»Jaja, ein Bekannter von Cindy. Welche Cindy? Ein Bekannter, jaja.«

Bernhard wollte aus der Tür in den Flur treten und mit einer einladenden Geste den Weg freigeben, aber der Mann sah nur, wie Bernhard auf ihn zukam, und stürzte eilig zur Treppe.

»Ich verstehe schon, ein Bekannter«, rief er.

Bernhard setzte ihm nach.

»So warten Sie doch!«

Über drei Etagen spielten sie die Szene einer Jagd, die sich in kreiselnder Bewegung der Haustür näherte und untermalt wurde von zugerufenen Erklärungen und Entschuldigungen, die im hallenden Treppenhaus kaum zu verstehen waren.

»Ich hab ihr nur Gesellschaft geleistet! Sie hat doch auf Sie gewartet!«

»Sicherlich ist es das falsche Haus!«

Auch ein kläffender Hund schaltete sich ein. Und die Haustür. Sie klemmte. Verzweifelt zerrte der Herr am Griff. Bernhard blieb stehen. In die Enge getrieben, ging der andere schnaubend auf ihn los: »So lassen Sie mich doch endlich in Frieden!«

Die Tür hatte ihren Spaß gehabt und ließ sich öffnen. Der Mann floh um die Ecke. Bernhard sah ihm nach, dann hinauf zu Cindy, deren rote Lockenmähne aus dem Fenster hing. Auf der anderen Straßenseite machte ein japanischer Tourist, gekleidet in durchsichtiges Regenzeug, ein Foto von dem Backsteingebäude. Zu Hause in Higashikurume sollte es zu seinen Lieblingsbildern werden. Vielleicht war es der dramatisch dunkelgraue Himmel oder auch die satte Farbe dieser ungewöhnlichen Steine; vor allem aber berührten ihn die ausgelassenen jungen Menschen, die trotz des schlechten Wetters im Freien voneinander Abschied nahmen. Cindy, die aus dem Fenster lehnte. Bernhard, der mit erhobenem Arm winkte. Und eine dritte Person im Ledermantel, die fröhlich die Straße hinunterlief.

Es gab sie noch, die Lemminge, die den Autobahnstau auf dreißig Kilometer anwachsen ließen, obwohl Existenznot und Existenzangst, Kreditkartenschulden, Schufa-Einträge, marode Rentenkassen und steigende Benzinpreise dagegensprachen, den Koffer zu packen und ans Mittelmeer zu fahren, das mit Freiheit lockte, während es selbst in der Falle saß. Der Stau Richtung Süden entschärfte aber keinesfalls die Parkplatzsituation im Norden, denn Regen, Sturm und schließlich Hagel sperrten die Menschen in ihren Häusern ein und nagelten die Autos in ihren Parklücken fest. Wer nicht im Urlaub war, verbarrikadierte sich in seinen vier Wänden, nahm zu heiße Bäder, schaute zu laut fern und spielte Spiele ohne rechte Lust. Als der Hagel einsetzte, trat man ans Fenster, um besorgte Blicke auf die parkenden Autos zu werfen.

Bernhard kurvte um die Häuser auf der Suche nach einer erlösenden Lücke. Er gestand sich ein, dass er bei Cindy nichts erreicht hatte, außer sich lächerlich zu machen. Er schämte sich seiner Unbeholfenheit. Endlich gelang es ihm, den Wagen zwischen einen Bauzaun, eine Mülltonne und eine Linde zu zwängen. Zum Schutz vor dem Hagel hielt er sich eine Zeitung über den Kopf und warf die nassen Fetzen nach wenigen Metern auf den Boden. Im Augenwinkel nahm er Notiz von der Schlagzeile, vergaß sie aber gleich wieder, als er Ecke Schnorrstraße mit einem Regenschirm zusammenstieß, dessen Speichen ihn am Hals verletzten. Die Frau unter dem Schirm konnte er nicht erkennen.

Es war Frau Wätzen gewesen, die im selben Stock wohnte, von geringer Körperhöhe war und am nahe gelegenen Gymnasium Deutsch und Religion unterrichtete. Frau Wätzen hingegen hatte Bernhard an seinen Schuhen erkannt. Sie sah ihm nach. Frau Wätzen mochte Bernhard. Sie hätte ihn warnen können. Da sie aber annahm, dass es wohl seine Ordnung haben musste, wenn sich ein Mann im sandfarbenen Nadelstreifenanzug bei offener Tür in Bernhards Wohnung herumtrieb, rief sie ihm nicht hinterher, sondern setzte ihren Weg fort. Stieg ins Auto und fuhr Richtung Autobahn, um sich dem Jahrhundertstau anzuschließen. Bernhard betastete seinen Hals, fand ein bisschen Blut und konnte sich doch noch an die Headline erinnern: »BESETZER AUSGERÄUCHERT – Letztes besetztes Haus in Leipzig von der Polizei geräumt«.

Bernhard stieg die Treppen hinauf und bestaunte seine offen stehende Wohnungstür, bis er Lueg bemerkte. Lueg, der in seinem sandfarbenen Nadelstreifenanzug gleichzeitig imposant und töricht wirkte. Lueg, in dessen Haus Bernhard und Gabriele ihren Tag gefeiert hatten. Dessen Fingernägel aussahen, als wären sie aus Plastik. Lueg, der mit Gabriele ficken wollte. Ebenjener Lueg, den er nicht leiden konnte, stand in seinem Flur, die Hände in den Hosentaschen, und schien seine eigene Anwesenheit in dieser Wohnung ganz normal zu finden. Er freute sich, Bernhard zu sehen, und nahm ihn in die Arme.

»Ich habe mir schon Sorgen gemacht, Sie würden gar nicht mehr kommen.«

Mit der Hand auf Bernhards Schulter schob Lueg ihn in die Wohnung.

»Schön habt ihr es hier.«

Es stank nach Öl, es war stickig und unerträglich heiß. Keine Sommerhitze, sondern Heizungswärme. Bernhard spürte, wie sich seine nassen Klamotten erwärmten. Er kam sich fehl am Platz vor. Als wäre er vor langer Zeit ausgezogen und nun in die vertraute Umgebung zurückgekehrt, in der inzwischen andere Menschen lebten. Zum Beispiel Lueg oder der Hausmeister.

»Fast wäre uns der ganze Laden in die Luft geflogen«, sagte der Hausmeister und zog die Nase hoch.

»Ich habe hier ein bisschen aufgepasst«, sagte Lueg mit Blick auf den Hausmeister. »Gute Arbeit, soweit ich sehen kann.«

»Wissen Sie denn nicht, dass die Heizung zu schwach ist für dieses Haus? Und dann voll aufdrehen!«

»Da hat er schon recht«, nickte Lueg.

Der Hausmeister schob sich ein Streichholz in den Mund und funkelte Bernhard böse an. Bernhard konnte sich nicht erinnern, die Heizung angestellt zu haben. Warum sollte er. Es war Sommer und trotz des kühlenden Gewitters einer, der in die Geschichtsbücher eingehen sollte. Dennoch schien seine Schuld festzustehen.

»Sie konnten sie reparieren?«

Der Hausmeister schwieg und zerbiss das Streichholz zwischen den Backenzähnen.

»Natürlich konnte er«, sagte Lueg.

»Is' ja mein Job. Und wenn ich das nächste Mal einen Rat gebe, hören Sie besser auf mich.«

Er fischte den sauber abgetrennten Schwefelkopf aus dem Mundwinkel und sprach Lueg an.

»Ich müsste dann noch in diesen Raum da.«

Seine verschmierte Hand wies auf die Tür der Abstellkammer.

»Ach was«, sagte Lueg. »Da gibt es doch gar keine Heizung.«

»Gibt es nicht«, sagte Bernhard, und weil er das Gefühl hatte, hier nicht gebraucht zu werden, verkündete er seinen Entschluss, jetzt duschen zu gehen. Sollte Lueg sehen, wie er den Hausmeister loswurde.

Kurz darauf stand Bernhard unter der Dusche und Lueg auf der Bademate. Bernhard hätte schwören können, die Badezimmertür abgeschlossen zu haben.

»Witziger Typ, dieser Hausmeister«, sagte Lueg. »Haben Sie Hunger?«

Bernhard seifte sein Geschlecht ein und schlug Spaghetti vor.

Lueg war als jüngster von vier Söhnen geboren worden

und gehörte schon zu jener Generation, die nichts davon wusste, dass der Vater im Entnazifizierungslager gewesen war. Seine Erinnerung begann, als Studenten rebellierten und der Baustoffhandel einen Reichtum generierte, von dem die Familie noch heute zehrte. Sie hatten als Erste im Stadtviertel einen Farbfernseher und Mutter ihren eigenen Mercedes. Lueg schoss hoch auf und raufte gern, was ihm die Sympathien seiner Mitschülerinnen sicherte. Eine dieser Mitschülerinnen jedoch, Dorothee mit Namen, erhängte sich im Wald, nachdem er sich von ihr getrennt hatte. Solche Geschichten schadeten dem Geschäft. Lueg wurde zum Studium nach West-Berlin geschickt. Mit dem Abschluss in der Tasche kaufte er sich ein Motorrad und war bereits zweimal Vater, ohne zu wissen, von wem, bevor er die dreißig erreicht hatte. Es waren ein Sonnenuntergang, eine malerische Landstraße nahe Seelendorf und der Stacheldraht einer Kuhweide, die Lueg auf den Boden der Tatsachen zurückholten. Um ein Haar wäre er verblutet. Aus dem Krankenhaus entlassen, bewarb sich Lueg beim Auswärtigen Amt und ließ sich nach Indonesien, von Indonesien nach Südafrika, von Südafrika nach Kanada und schließlich nach Frankreich versetzen. Auf einer Studentenparty lernte er Sabine kennen. Sie stammte aus dem Elsass, studierte Germanistik, hasste Goethe, verehrte Hölderlin und hatte eine engelsgleiche Gesangsstimme. Zum ersten Mal sah und hörte Lueg etwas, das über alle Zweifel erhaben schien. Als die Party ihrem Ende entgegenging, stammelte er etwas von Milchkaffee und nahm sein Frühstück tatsächlich gemeinsam mit Sabine ein. Es begann die glücklichste Zeit seines Lebens. Sie währte drei Wochen. Dann hielt Lueg Sabines Schönheit nicht mehr aus. Er stellte einen Antrag auf sofortige Versetzung nach Deutschland und heiratete überstürzt Maxime, eine Klassenkameradin aus den alten Tagen. Das war vor zehn Jahren.

»Das Geheimnis einer guten Tomatensauce ist Sellerie«, sagte Lueg.

Er hatte die Krawatte über die Schulter geworfen und die Hemdsärmel aufgekrempelt. Seine Erscheinung war wuchtig und strahlte eine körperliche Kraft aus, um die ihn Bernhard beneidete. Sein Gesicht aber weigerte sich, erwachsen zu wirken. Vor ihm dampften zwei Töpfe. Er sah aus, als habe man ihn aus einer missratenen Pasta-Werbung geschnitten und in Bernhards Küche verpflanzt. Vergnügt und gleichzeitig konzentriert rührte er um und griff zielsicher nach den Gewürzen. Der Tisch war gedeckt, Gabel und Löffel rechts neben den Tellern, die Servietten sauber gefaltet. Ein guter Gastgeber, dachte Bernhard. Er setzte sich. Der Stuhl knarrte.

»Was möchten Sie trinken?«, fragte Lueg. »Bier?«

»Ist keines da.«

Lueg öffnete den Kühlschrank und holte zwei Budweiser heraus.

»Ich hoffe, es ist kalt genug.«

Sie kreuzten die Flaschenhälse. Das Essen roch gut. Das Bier war genau richtig. Die Frage, was Lueg überhaupt hier wollte, geriet zusehends in den Hintergrund.

»Guten Appetit«, sagte Lueg.

»Danke«, sagte Bernhard.

Wie die meisten Männer um die fünfzig war Lueg dabei, sein Leben auf den Prüfstand zu stellen. Er hatte viel erlebt und vieles verpasst. Erfolge und Niederlagen erlitten. Chancen genutzt und Chancen verstreichen lassen. Er war gereist und wieder zurückgekehrt. Eigentlich hätte er allen Grund gehabt, eine positive Bilanz zu ziehen. Sein Haus war groß und das neue würde noch größer sein. Seine Frau war aufrichtig in ihn verliebt gewesen. Aber wie Jonas stets zu sagen pflegte: Sätze mit »eigentlich« sind eigentlich aussagelos. Auf der einen Seite hatte Lueg keine Lust mehr, sich ständig neu erfinden zu müssen. In gewissen Momenten, und die gewissen Momente häuften sich, genügte es ihm, in die Abendsonne zu blinzeln und den sanften Plaudereien seiner an sich ganz erträglichen Lebensgefährtin zuzuhören. Hauptsache, er konnte sitzen. Aber auf der anderen Seite waren seine Hände noch kräftig. Unter der Haut, die eines Morgens nicht mehr wie die Haut eines jungen Mannes ausgesehen hatte, funktionierten die Muskeln noch einwandfrei und verlangten danach, sich zu betätigen. Sie waren es, Muskeln, Sehnen, Knochen, die es unmöglich gemacht hatten, sich auf der positiven Bilanz auszuruhen. Mochte der Mensch auch Seele sein: Lueg war zu dem Schluss gekommen, vor allem ist er Fleisch. Und hatte sich auf jene Odyssee begeben, die gemeinhin als Midlife-Crisis bekannt ist. Ohne besondere Originalität zog er eine Schneise der Verwüstung hinter sich her. Die genauen Einzelheiten sind nicht weiter interessant. Immerhin war er schlau genug gewesen, sich finanziell nicht zu ruinieren. Mit Maxime würde er allerdings niemals wieder in der Abendsonne sitzen, weder im alten noch im neuen Haus. Sein weiterer Plan bestand vor allem darin, sich beim Pinkeln nicht über goldene Wasserhähne ärgern zu müssen. Er wollte Gabriele bitten, die Dinger bei Gelegenheit abmontieren zu lassen.

Von den Oldtimer-Bastlern und Modelleisenbahnanlagenbauern unterschied ihn, dass er den Kopf nicht in den Sand steckte. Er wusste, dass offene Rechnungen gefährlicher waren als ein Bumerang, den man aus den Augen verloren hatte.

»Ich räume mein Leben auf«, sagte Lueg.

»Ich auch«, sagte Bernhard.

Der Tag hatte die Rollläden heruntergezogen, um der Nacht das Feld zu überlassen, während der Regen schon wieder gegen die Scheiben prasselte, als wäre es ihm draußen auf der Straße zu ungemütlich.

»Bringen Sie auch Gegenstände zurück, die Ihnen nicht gehören?«, fragte Lueg.

»Ich suche eher Sachen, die ich verloren habe.«

Lueg ging zum Kühlschrank.

Er sagte: »Ich bin nicht stolz darauf, dass ich versucht habe, Ihre Frau zu verführen.«

Er öffnete den Kühlschrank und erklärte der Butter und dem Schinken, es tue ihm ehrlich leid. Er sei hier, um sich zu entschuldigen. Und stellte zwei neue Bierflaschen auf den Tisch.

Bernhard nickte. Fühlte er sich erleichtert? Nein. Im Grunde hatte er immer gewusst, dass die Episode zwischen Lueg und Gabriele ohne Bedeutung gewesen war. Ein Bier hatte gereicht, um ihn ein wenig betrunken zu machen. Auf eine zynische Art gefiel ihm Luegs Gesellschaft.

Dieser wiederum hatte sich von seiner Entschuldigung mehr erhofft. Mehr als stumme Zurkenntnisnahme. Allerdings war er froh, dass der zu erwartende Faustkampf, den er aus Höflichkeit hätte verlieren müssen, ausblieb, obwohl Bernhard nicht aussah, als könnte er sonderlich fest zuschlagen.

»Hat Ihnen Ihre Frau inzwischen verziehen?«, fragte Bernhard.

»Gestern kam die einstweilige Verfügung«, sagte Lueg.

»Dann haben Sie nicht aufgeräumt, sondern ein anderes Etikett auf die Unordnung geklebt.«

Lueg biss das Ende einer Zigarre ab.

»Das Chaos aufräumen zu wollen, ist genauso töricht wie es zu verursachen, nicht wahr?«

»Warum tun Sie es dann?«

»Wir lügen uns in die Tasche, wenn wir meinen zu wissen, warum wir dieses oder jenes tun. Bei Tageslicht betrachtet glauben wir doch nur, es tun zu müssen.«

»Deswegen sind Sie hier? Deswegen essen wir Pasta und trinken Bier, weil Sie glauben, es tun zu müssen?«

Luegs Lachen klang überraschend ehrlich.

»Für den Fall, dass Sie mich rauswerfen, habe ich Ihre Uhr dabei, die ich auf meinem Dach gefunden habe.«

Lueg holte eine kleine Pappschachtel hervor, betrachtete sie kurz und schob sie mit spitzem Zeigefinger in die Mitte des Tischs.

Bernhard fasste an sein Handgelenk, als wollte er überprüfen, ob es wenigstens theoretisch wahr sein konnte. Konnte es. Und auch praktisch. Bernhard wollte nur nicht recht glauben, dass er die ganze Zeit nicht auf die Uhr geschaut hatte. Musste aber einsehen, dass die Fakten, in Form seiner von Lueg mitgebrachten Uhr, dafür sprachen. Er fällte zwei Entscheidungen. Erstens ging er davon aus, sehr wohl auf die Uhr geschaut zu haben, nur eben ohne ihr Fehlen zu bemerken. Was man tatsächlich wahrnimmt und was man glaubt, wahrgenommen zu haben, waren zwei Paar Schuhe. Diese Lektion hatte Bernhard gelernt. Und zweitens wollte er sich von diesem Umstand nicht den Abend verderben lassen.

»Einen Schuh haben Sie nicht dabei?«

Lueg lächelte höflich, wie jemand, der den Witz nicht verstanden hat.

»Für den Fall, dass Sie mich nicht reinlassen wollen, hatte

ich mir eine ausführliche Entschuldigung zurechtgelegt. Weil die Tür offen stand, spule ich jetzt ein improvisiertes Programm in beliebiger Reihenfolge ab.« Er wiederholte das Lachen von eben.

»Und warum sind Sie wirklich hier?«

»Haben Sie Feuer?«

Bernhard reichte es ihm.

»Weil Sabine schön war«, sagte Lueg, »selbst wenn sie mit offenem Mund schlief. Sie wirkte morgens um sechs perfekter als jede fertig geschminkte Frau. Ich habe nie einen dummen Satz oder schlechten Scherz von ihr gehört. Sie war nicht mal vergesslich. Oder jähzornig. Oder tollpatschig. Es war zum Kotzen. Deswegen.« Das Feuerzeug funktionierte nicht.

»Ich habe mir eingeredet, dass ich so einer Frau nur die Zeit stehle. Ich sagte mir, wenn du sie wirklich liebst, dann musst du sie verlassen.«

»Die Argumentation kommt mir bekannt vor.«

Lueg schaute fragend.

»Ein Freund«, ergänzte Bernhard.

Lueg schien einen Moment zu überlegen.

»Und weiter?«, fragte Bernhard.

»Und weiter war das nichts als eine dumme Lüge. Ich hatte einfach nur Angst. Angst, Tag für Tag neben einem solchen Wesen bestehen zu müssen. Neben der menschgewordenen Perfektion. Kennen Sie das Gedicht von Rilke?«

Bernhard schüttelte den Kopf.

»Denn das Schöne ist nichts als des Schrecklichen Anfang«, sagte Lueg, »den wir noch grade ertragen, und wir bewundern es so, weil es gelassen verschmäht, uns zu zerstören. Ein jeder Engel ist schrecklich.«

In diesem Moment, während die Teller noch auf dem Tisch standen, abgegessen und unansehnlich, während leere Bierflaschen daran arbeiteten, einen Zaun zwischen den Tellern zu ziehen, und es an der Zeit gewesen wäre, ein Fenster zu öffnen, wurde Lueg ernst. Der verschmitzte Ausdruck wich einer Konzentration, die sich allein auf Bernhard richtete.

»Davor kann man schon Angst bekommen. Nicht wahr? Du weißt genau, wovon ich spreche. Ich sehe es in deinem Gesicht.« Er zeigte mit dem Finger auf Bernhard, als könnte er die Angst auf seiner Nase sitzen sehen. »Du spielst mit dem Gedanken, der Angst nachzugeben. Gabriele zu opfern und dir dabei einzureden, du hättest dich selbst geopfert. Aber! Und das prophezeie ich dir: Du wirst eine Frau mit Namen Maxime heiraten und es für den Rest deiner Tage bereuen.«

Bernhard mochte es nicht, wenn man ihn anstarrte. Er war nicht gut im Zurückstarren. Wenn möglich, vermied er direkten Blickkontakt mit Fremden. Vielleicht war es der Alkohol, vielleicht packten Luegs Worte ihn fester, als er sich eingestehen wollte. Wie dem auch sei, er ertrug Luegs Blick. Mehr noch, er hatte Lust, dagegenzuhalten. Es entstand eine peinliche Stille. Selbst der Regen schien für ein paar Sekunden das Fallen zu vergessen. Schließlich war es Lueg, der den Stuhl nach hinten schob, den Blickkontakt abreißen ließ und neues Bier holte.

»Sie haben recht«, sagte Bernhard. »Es ist nicht immer ganz leicht, die eigene Anwesenheit im Leben eines anderen Menschen zu rechtfertigen.«

Und vielleicht, dachte Bernhard, ist Gabriele all die Jahre bei mir geblieben, weil sie noch nicht bemerkt hat, dass ich fehle.

»Aber ich möchte noch eine Frage stellen.«

Lueg machte ein abwartendes Gesicht.

»Ihr eigenes Schicksal außen vor gelassen. Glauben Sie, Sabine würde es heute besser gehen, wenn Sie bei ihr geblieben wären?«

Lueg hatte ein funktionstüchtiges Feuerzeug gefunden und paffte seine Zigarre. Der Regen hatte nur kurz die Luft angehalten. Er klang versöhnlich und gleichmäßig. Es war ein Regen, wie man ihn sich wünscht, um mit einem Buch allein zu sein, das man zum Gedenken an die Kindheit mit einer Taschenlampe liest. Lueg tat sich schwer mit der Antwort. Er kaute auf seinen plastikartigen Nägeln.

Dann sagte er: »Nein.«

Bernhard lag in Shorts und T-Shirt auf dem Rücken, hatte das Laken zur Seite geschlagen und starrte hinauf zur Zimmerdecke, während er abzuschätzen versuchte, wie betrunken er war und ob er es wagen konnte, die Augen zu schließen. Es gab vieles, worüber es sich nachzudenken gelohnt hätte. Aber die Gedanken verhielten sich wie Schlangen, die man vergeblich in den Händen gefangen halten will. Allein das monotone Summen in seinem Kopf war konstant und erinnerte an das Testbild nach Sendeschluss. Als Kind, wenn er nicht schlafen konnte, war er ins Wohnzimmer geschlichen, um den Fernseher einzuschalten. Den Lautsprecher ganz leise gedreht, damit die Mutter nichts hörte, schaute er zu, wie der einsame Clint Eastwood und der noch einsamere Charles Bronson rächten und retteten und doch immer einsam blieben, egal, wie schön die Frauen auch waren, die sie gerettet und gerächt hatten. Und dann kam das Testbild, mit seinen psychedelischen Farbrechtecken auf grauem Hintergrund, gelb, türkis, violett, ein Kreis drum herum und begleitet von einem Sinuston von 1000 Hertz, der selbst den hartnäckigsten Alkoholiker und die traurigste Hausfrau dazu zwang, das Gerät endlich auszuschalten. Im eigenen Kopf konnte Bernhard den richtigen Schalter nicht finden. Und plötzlich wurde das Programm fortgesetzt.

Eine Autokolonne, bestehend aus vier schwarzen Limousinen, näherte sich im vorgeschriebenen Tempo über die Könneritzstraße, bog in die Schnorrstraße und hielt vor der Nummer 32. Das Blaulicht blitzte stumm und verbreitete seine unwirkliche Atmosphäre. Bernhards Zehen verfingen sich im Laken, sein Knie kollidierte mit dem Schreibtisch, und seine Finger fanden keinen Halt in den Lamellen der Jalousie. Gegenstände purzelten zu Boden. Von oben betrachtet sahen die Beamten aus, als bestünden sie nur aus Köpfen und Schultern. Mochte der Hauseingang verschlossen gewesen sein, ein Hindernis hatte er nicht dargestellt. Bernhard lief schwankend in den Flur. Lueg lag auf dem Sofa, sein Gaumensegel flatterte lautstark, schwere Stiefel stürmten die Treppe hoch. Vielleicht würden sie über den Hausmeister stolpern, falls der wieder am Geländer saß. Bernhard drückte das Auge gegen den Spion. Was weiß ich schon über Lueg, dachte er. Über seine Frau inzwischen jede Menge. Winters wie sommers trug sie Unterwäsche aus Angorawolle, um sich ihren Mann vom Leib zu halten. Morgens trank sie gern einen Piccolo zum Frühstück. Was hatte Lueg wirklich in Indonesien, Südafrika und Kanada getrieben? Menschenhandel, Drogenschmuggel, Industriespionage? Eine Gestalt mit Helm und Gesichtsmaske las Bernhards Klingelschild. Der Helm, durch den Spion verfremdet, ein riesiges Ei. Andere vermummte Gestalten tauchten auf, und Bernhard rechnete schon mit einem einzigen kräftigen Stoß, der ihn samt Tür zurückschleudern würde. Doch dann klappte die Wohnungstür der Nachbarin geräuschlos nach innen. Eine Sekunde später war das Treppenhaus leer, als wären die Männer von einem Vakuum in die dunkle Wohnung gesogen worden. Lange passierte nichts. Dann klopfte es. Bernhard rief sich die passenden Paragraphen ins Gedächtnis.

Der Mann war klein und trug ein Regencape. Er suchte den Lichtschalter im Treppenhaus. Sie blinzelten sich an. Die Augen des Besuchers waren unnatürlich hell und hatten keine Brauen, so dass sein Gesicht nackt und zu jung wirkte und sich der Knochen unter der Haut wie eine Missbildung hervorwölbte. Der Ausweis wirkte echt. Routiniert, jedoch mit sanft klingender Stimme, ohne Eile, als wäre jede Aussage wert, mit größter Sorgsamkeit behandelt zu werden, stellte er die Fragen. Wie ist Ihr Name? Seit wann wohnen Sie hier? Wann haben Sie Frau Wätzen zuletzt gesehen? Hat Frau Wätzen sich in letzter Zeit auffällig verhalten? Bernhard hörte zu und hörte sich reden, in Wahrheit aber versuchte er, in die farblosen Augen des Kommissars einzudringen, die aussahen, als spiegele sich ein Licht in ihnen. Die Treppenhausbeleuchtung jedoch, eine schlichte Deckenlampe, letzte Ruhestätte unzähliger Insekten, brannte in dessen Rücken. Bernhard hatte sich vorgenommen, die Aussage zu verweigern. Dem Mann im Mantel ein paar StPO-Paragraphen um die Ohren zu hauen, dass ihm Hören und Sehen verging. Stattdessen plauderte er munter drauflos und empfand seine Gesprächigkeit als Erniedrigung. Aber er war glücklich, solange er nur in diese Augen schauen und dieser Stimme lauschen durfte, die eine unumstößliche Gewissheit ausstrahlte, dass es auf alle Fragen eine vernünftige Antwort gab. Sein ganzes Leben wollte Bernhard in dem kleinen Schreibblock notiert wissen. Zu seiner Enttäuschung schrieb der Kommissar nicht einen einzigen Buchstaben.

Er fragte: »Sind Sie allein?«

»Meine Frau ist verreist.«

»Wer ist bei Ihnen?«

Luegs Schnarchen war nicht zu verleugnen. Bernhard überlegte.

»Ein alter Freund. Wir haben – getrunken.«

»Das riecht man«, sagte der Kommissar.

Bernhard fasste sich an den Mund.

Der Kommissar zwinkerte mit dem rechten Auge und musterte ihn mit dem linken. Eine gute Nacht wünschte er. Bernhard betrachtete lange seinen neuen alten Freund, der im Wohnzimmer auf der Couch schlief und mit geöffnetem Mund direkt in den Stoff der Sitzpolster atmete. Schön sah das nicht aus.

Während auf der Schnorrstraße die Gesichter von Anwohnern hinter den Fenstern schwebten, flackernd beleuchtet vom nervösen Spiel der vier Blaulichter, während Polizeistiefel mit dickem Profil durch die Nummer 32 stampften und immer neue Kartons und immer größere Plastiksäcke verluden, während das Leipziger Stadtviertel jenseits des Elsterflutbettes Zeuge einer Tragödie wurde, die den Männern Zigaretten zwischen die Zähne schob, den Frauen Taschentücher gegen die Stirn drückte und den Kindern mit gedämpfter Stimme sagte, dass alles in Ordnung sei, sah Gabriele Duder hinab auf das dunkle Wasser eines französischen Swimmingpools, in dessen exakter Mitte ein regloses Blatt schwamm, als wisse es, dass in allen Richtungen ohnehin immer nur die gleiche gekachelte und unüberwindbare Kante zu finden war. In Leipzig ließen die Männer Zigarettenasche in die hohle Hand fallen, die Frauen schalteten den Fernseher ein. In Frankreich, auf dem Landsitz Boulangers, lag ein Mann zwischen den zerbrochenen Teilen eines Tischs und den Scherben einer Vase. Er atmete schwer und hatte eine weiße Rose auf dem Bauch, die ein ironischer Erzähler dort platziert hatte, kurz nachdem der Mann, von einem Fausthieb getroffen, gegen den Tisch aus Kirschholz gekracht und zu Boden gegangen war. Ein anderer rieb sich die Knöchel der Faust. Der Mann am Boden lachte, steckte die blutende Nase in die Blüte und bedankte sich für den Schlag.

»Mein Dank ist aufrichtig«, sagte Reinhards, während er sich, die Blume in der Hand, schwerfällig erhob. »Aber es ist trotzdem besser, wenn du jetzt ein Taxi kommen lässt.«

Die Scheinwerfer des Taxis wanderten über das Gartenpanorama aus geschwungenen Rasenflächen, gestutzten Stauden und bunten Beeten, als würden sie einen Flüchtling zu fassen suchen, das Paradies in einen Grenzstreifen verwandelnd. Gabriele sank an den Stäben des Geländers hinab auf die Fliesen der Terrasse und begann tonlos zu weinen. Die Reifen knirschten auf dem Kies der Zufahrt, zwei Paar Füße taten es ihnen gleich, und dann wurde eine Tür geöffnet und wieder geschlossen. Das Taxi wendete, und Gabriele wusste nicht, ob sie aus Verzweiflung oder aus Erleichterung weinte.

Und so kam es, dass niemand an Ackermann dachte. Bernhard schloss Frieden mit Gabrieles Verehrer, plauderte mit Polizeibeamten und geriet als blasses Gesicht hinter der Scheibe ins Kamerabild des Regionalsenders. Klarissa verbarg den Kopf unterm Kissen, ganz und gar auf den würgenden Schmerz in ihrem Hals konzentriert, der, egal, ob eingebildet oder real, ganz bestimmt tödlich war. Tom schrieb ein Kündigungsschreiben an seine Vermieterin, trank mit seinen Mitbewohnern bis zur Bewusstlosigkeit und stopfte Klamotten in einen abgewetzten Rucksack. Allein Dombek versuchte es, weil er immer ein bisschen an seinen Freund dachte. Aber während Ackermann das alte Rasiermesser mit Elfenbeingriff aus dem Lederetui zog, am Riemen wetzte und dann die kleine Pillendose öffnete, deren Inhalt unschuldig auf den Rand der Wanne klimperte, befand sich Dombek aufgrund der Wirkung von ganz ähnlichen Pillen in einem Zustand, der es schwer machte, Namen und Personen zusammenzubringen.

Ackermann hingegen dachte an alle, die er mochte, gleichzeitig, während er in die Wanne stieg. Schnalzend trank er Scotch und schaute versonnen den Dampfschlieren nach, die von der Wasseroberfläche aufstiegen. Angst empfand er nur vor dem Schnitt, unten am Handgelenk ansetzend bis hoch zum Ellbogen. Mehrmals auszuführen, um die Pulsader zu erwischen. Erleichtert war er, als es auf Anhieb klappte. Zuerst wich die Haut vor der Klinge zurück, dann platzte sie auf. Der stechende Schmerz wich einer Hitze, die alles andere verdrängte. In roten Wolken trat Blut aus der Wunde und hatte das Wasser binnen Sekunden verfärbt. Leider blieben der nackte runde Bauch und die nackten dürren Beine dennoch sichtbar. Unmotiviert wippte das Geschlecht im Wasser, umgeben von einem dunklen Gewirr aus Haaren. Vielleicht wäre es besser gewesen, die Unterhose anzubehalten. Die erwartete Euphorie blieb aus. Alle weiteren Anstrengungen, sie mit Alkohol zu erzwingen, scheiterten an der leer getrunkenen Flasche.

Ackermann war sein ganzes Leben Pragmatiker gewesen. Handeln war ihm eine Tugend. Zögern eine Sünde. Stolperte ein Rentner, half er ihm auf, riss eine Tüte, sammelte Ackermann Dosen ein und rannte davonrollendem Obst hinterher. Bürokratie machte ihn rasend. Ackermann glaubte weder an Gott, den er als halbherziges Ablenkungsmanöver von der eigenen Sterblichkeit betrachtete, noch an Gerechtigkeit, die der Mensch doch immer nur als abwesende Größe wahrnahm, als Sehnsuchtsort hinter dem Vorhang aus allgegenwärtiger Ungerechtigkeit. Warum er Anwalt geworden war, hatte er vergessen. Über Wiedergeburt und Seelenverwandtschaft lachte er herzlich. Schnitt sich ein Mensch die Adern auf und vollbrachte das Kunststück, danach lange genug im Wasser liegen zu bleiben, starb dieser Mensch. Damit Ende. War ein Mann dick und unsportlich, weil er zu viel arbeitete und zu viel rauchte, dann musste er eben mit ansehen, wie seine Frau ertrank und mit ihr alles, was seinem Leben Sinn gegeben hatte. Nein, er ging nicht davon aus, dass sie sich im Tod wiedersehen würden. Aber er würde sie auch nicht länger vermissen müssen.

Ackermann stemmte sich aus der Wanne, zog nass und schwankend eine breite Blutspur hinter sich her und verzierte die Tapete mit den roten Abdrücken seiner Hand. Er schaffte es durch den Flur und bis zum Schachtisch, wo die letzte Partie mit Dombek auf einen genialen Einfall wartete, um ein Schachmatt doch noch abzuwenden. Die zündende Idee blieb aus. Dombek, der verrückte Dombek, hatte mal wieder gewonnen, und die Flasche, die Ackermann unter dem Spielbrett hervorzog, wog schwer genug, um es noch einmal mit der Euphorie zu versuchen.

Keine offenen Fragen. Ackermann sank zurück ins Wasser,

ignorierte seine kurzen Zehen und die ungleichmäßige Behaarung rund um den Bauchnabel. Er dachte an Dombek, der den einmal eingeschlagenen Weg in die Verirrung nun alleine weitergehen musste. An Klarissa, die eines Tages froh darüber sein würde, dass Tom zu einem Phantom geworden war. Er verzieh Bernhard, dass er so zurückhaltend auf das Geschenk reagiert hatte. Ihn zu deuten verstand er nicht. Bernhard war die letzte Leerstelle in Ackermanns Leben. Gabriele wünschte er Glück.

V. Teil

Es kommt vor, dass sich die Welt wie in einer Plastikkugel präsentiert. Man kann sie schütteln, dann schneit es, oder man lässt sie unangetastet, dann bleibt der Himmel klar. An solchen Tagen ist die Welt eine nichtssagende Angelegenheit. Gelangweilt betrachtet man Eiffelturm, Brandenburger Tor oder Tadsch Mahal, während die Kunstflocken langsam niedersinken. Die Erde folgt ihrer elliptischen Bahn, der Mensch seinem alltäglichen Zickzackkurs – Bäcker, Auto, Arbeit, Kneipe und Fernseher –, der ihn am Ende dort einschlafen lässt, wo er am Morgen erwacht ist.

Manchmal jedoch reibt man sich den Schlaf aus den Augen und weiß, noch bevor man einen Fuß auf den Boden gesetzt hat, dass einen nichts Gutes erwartet. Der öffentliche Verkehr ist ohne erkennbaren Grund zusammengebrochen. Das Telefon läutet, ohne dass sich am anderen Ende eine Stimme meldet. Man trifft alte Bekannte, die vorgeben, einen nicht zu kennen. Das Telefon läutet wieder, und diesmal ist es ein Elternteil, das sich beschwert, weil man sich zu selten meldet. Freunde suchen Streit. Türen knallen. Beziehungen werden beendet. Und auf dem abendlichen Spaziergang geht man an fremden Hauseingängen vorbei, in denen plötzlich die Türöffner summen, als wollten sie zum Eintreten auffordern. Das Schneeglas ist aus dem Regal verschwunden und hat einen ovalen Abdruck im Staub hinterlassen. Sosehr man sich auch wünschen mag, wieder Teil der beschaulichen Miniaturrealität zu sein, der Wunsch wird nicht erhört, und so steht die alte Dame, Nachbarin vom netten Herrn Ackermann, vergeblich vor dessen Tür und wählt vergeblich seine Nummer und fragt sich, was sie mit der Nachricht in ihren Händen anfangen soll. Schließlich gibt sie mit einem tiefen Seufzer auf, denn sie hat begriffen, dass heute ein Tag ist, der alle Antworten verweigert.

Und dann kommt ein Morgen, der anders riecht, vielleicht weil irgendwo im Haus Gänsehälse zubereitet werden, oder doch eher, weil Frühling ist und die Bienen ausschwärmen. Man erwacht gerade noch rechtzeitig, um eben so eine Biene mit dem Bleistift aus einem Glas Cola zu retten, und schwört sich, nie wieder ein halb volles Glas stehen zu lassen. Solch ein Morgen hat ein anderes Tempo. Kaum sitzt das Insekt zum Trocknen im Buchsbaum, klingelt der Postbote und kürt einen zum Gewinner eines Preisausschreibens. Geleistete Versprechen werden eingelöst und die verbliebenen Karten des Memory-Spiels umgedreht, das zweite Herz, die zweite Taube, der zweite Schuh, der verloren gegangene Sohn. Am Telefon entschuldigt sich eine Stimme, sie habe die falsche Nummer gewählt. In einer Mail entschuldigt sich der alte Bekannte für sein schlechtes Gedächtnis. Das Schneeglas war nur unter das Bett gerollt, und die Nachbarin befolgt endlich die Anweisungen der Nachricht. Sie ruft die Polizei.

Auch die Polizei klingelt vergeblich. Dringt schließlich gewaltsam in die Wohnung ein und entdeckt das bleiche Antlitz des netten Herrn Ackermann, das auf einer roten Wasserfläche schwimmt. Vielleicht macht sich die alte Dame Vorwürfe. Vielleicht zürnt sie dem netten Herrn Ackermann, dass er sie für diesen unerfreulichen Dienst ausersehen hat. Während aber die Bahre an ihr vorbei die Treppe hinuntergetragen wird und das Haus zur Ruhe kommt, steht eines fest: Sie hat eine Antwort auf ihre Frage bekommen.

Auch Gabriele sollte Antworten finden und musste dafür nicht mehr tun, als von ihrem Zimmer in das von Reinhards zu gehen. Der eine Raum war die identische Kopie des anderen, mit dem Unterschied, dass in Gabrieles Zimmer Klamotten, Bücher und Kosmetikartikel verstreut lagen; ihr aufgeklappter Koffer sah aus, als habe ein SEK der Polizei ihn gesprengt. In Hotelzimmern Ordnung zu halten, gehörte zu den Dingen, die ihr noch nie gelungen waren. Eine Tür weiter schienen die Putzfrauen bereits da gewesen zu sein. Nur der Koffer verriet, dass Reinhards hier gewohnt hatte. Gabriele öffnete ihn. Leere. Eine Zahnbürste und eine Tube Zahnpasta. Beide stammten aus dem Hotel in Paris. Im Seitenfach entdeckte sie das bordeauxrote Poloshirt, verschwitzt und verdreckt. Kein Kulturbeutel. Auch nicht im Bad. Keine Socken. Auch nicht in der Kommode. Keine Hemden oder Hosen. Auch nicht im Schrank. Das blaue Shirt und, wie Gabriele inständig hoffte, ein wenig frische Unterwäsche musste er sich unterwegs gekauft haben.

»Entschuldigen Sie, dass ich Ihre Zeit vergeudet habe«, sagte Boulanger.

Er stand im Flur, wippte auf den Fersen und schien unsicher, ob er eintreten durfte.

»Er ist völlig ohne Gepäck gereist«, sagte Gabriele fassungslos. »Wollte er sich umbringen?«

»Es ging wohl eher darum, jeden Gedanken an einen längeren Aufenthalt von vornherein auszuschließen.«

»Ich dachte, er ist gekommen, um Ihre Firma zu übernehmen.«

»Das dachte ich auch.«

»In Wahrheit wollte er Ihr Geschenk von Anfang an ausschlagen?«

»Es scheint so zu sein.«

»Statt das am Telefon zu klären, bucht er eine Reise, nimmt mich mit und steigt mit leerem Koffer in den Zug?«

»Vielleicht wollte er sich rächen.« Boulanger kratzte sich am Kopf. »Das war ihm wohl mehr wert als eine Firma mit 65 Millionen Jahresumsatz.«

Gabriele setzte sich auf die Kante des Bettes und starrte in das Futter des Koffers – grau mit weißen Lilien.

»Erklären Sie es mir.«

Boulanger trat ein und wusste nicht recht, wohin mit sich. Mit der flachen Hand strich er über die polierte Kommode.

»Kennen Sie den Namen von Reinhards' Frau?«

Gabriele wollte schon nicken, hatte den Mund geöffnet, um Antwort zu geben, aber es kam kein weiblicher Name heraus. Julia. Friederike. Angelina. Reinhards hatte sie jahrelang mit Familiengeschichten malträtiert und es dabei offensichtlich geschafft, den Vornamen seiner Frau kein einziges Mal zu erwähnen.

»Das dachte ich mir schon in der Hotelbar«, sagte Boulanger. »Weil Sie gar nicht auf die Geschichte mit der Nichte unserer Tübinger Vermieterin reagiert haben.«

Verständnislos sah Gabriele ihn an.

»Charlotte«, sagte Boulanger. »Reinhards' Frau heißt Charlotte.«

»So wie …«

»So wie meine Exfrau, genau. In die wir als Studenten in Tübingen beide verliebt waren. Was daran liegt, dass sie meine Exfrau ist. In die wir als Studenten in Tübingen …«

»Ich hab's verstanden«, sagte Gabriele.

»Unterhaltsam, nicht?«

»Und davon haben Sie nichts gewusst?«

»Bis gerade eben nicht, nein.«

»Während Sie sich dafür entschuldigen wollten, ihm die Frau weggenommen zu haben …«

»Wollte er mich damit demütigen, mir die Frau weggenommen zu haben. Wobei ich sagen muss, dass die Überraschung größer war als die Demütigung. Ich habe ihm trotzdem eine reingehauen. Ich denke, das war aus Stilgründen zur Abrundung des Bilds erforderlich.«

Boulanger kicherte lautlos.

»Das ist absurd.«

»Ja.«

»Sie sehen aber nicht unzufrieden aus.«

Boulanger zuckte die Achseln.

»Überlegen Sie mal. Ich habe einen Sohn von Charlotte. Auch er würde sich sehr über diese hübsche Firma freuen. Alte Rechnungen haben den Nachteil, dass sie alt sind. Sie schmecken nach Staub. Je älter ich selbst werde, desto besser gefällt mir das Neue.«

Gabriele nickte, obwohl sie schon nicht mehr zuhörte. Sie versuchte sich vorzustellen, was in Reinhards vorgegangen war. Wahrscheinlich hatte er in jeder Minute ihrer Reise dem Moment entgegengefiebert, Boulanger seine verblüffende Nachricht um die Ohren zu hauen. Du willst dich bei mir entschuldigen, du Würstchen? Du glaubst, ich nehme deine alberne Firma als Wiedergutmachung an? Ich habe selbst eine Firma! Und eine hübsche Assistentin, die fließend Französisch spricht! Und eine Frau, nämlich deine!

Entschuldigen, dachte Gabriele, ist das Recht des Stärkeren. Vermutlich würde die Welt besser funktionieren, wenn diese Erkenntnis flächendeckend publik gemacht würde.

Jetzt fuhr Reinhards nach Hause, zu seiner Charlotte, über

die er so gerne herzog, die, genau wie die Ehe an sich, inzwischen jeden Glanz verloren hatte, die mehr die Mutter seiner Kinder als seine Frau war. Mit der er in einer mehr oder weniger friedlichen Koexistenz lebte – zusammengekittet von Kindern und Trägheit.

Manchmal ist es leichter zu verlieren als zu gewinnen. Dachte Gabriele. Noch so eine Erkenntnis. Außerdem war sie davon überzeugt, dass Reinhards, der geldgierige Reinhards, schon in diesem Augenblick, noch auf dem Weg zurück nach Paris, bereute, ein Vermögen für ein klein bisschen Rache geopfert zu haben. Wie schwer ihm die Entscheidung gefallen sein musste, bezeugten der leere Koffer und das stinkende Polohemd.

»Einen nächtlichen Imbiss, die Herrschaften?«, fragte Frédéric und strich sich übers Kinn. »Ich könnte ein paar Weinbergschnecken …«

»Nein, danke«, sagte Gabriele schnell.

Sie wollte nur noch eins. Nach Hause.

»Ich fahre Sie nach Paris«, sagte Boulanger.

Frédéric trug ihren Koffer zum Auto. Noch war das Metall der Karosserie kühl, die Blumen und Sträucher des Gartens bestimmten den Geruch der Nacht. Am fernen Horizont ein schmaler Streifen Helligkeit, als könnte man auf einen Hügel steigen und von hier aus bis nach Leipzig blicken. Irgendwo plätscherte ein Brunnen. Boulanger startete den Motor, und Gabriele warf einen Blick auf die Uhr. Sie freute sich auf die einsamen Stunden im Zug. Boulanger legte den Rückwärtsgang ein. Sie würde mühelos den ersten Zug erwischen und gegen fünfzehn Uhr in Leipzig sein.

Der Wagen setzte zurück, Boulanger wendete. Dann beschrieb der Citroën den identischen Bogen, mit dem er gestern vorgefahren war, in umgekehrter Richtung. Der Lkw erfasste das Heck, riss es ab und schleuderte den übrig gebliebenen Rest des Wagens erst gegen die eine, dann gegen die andere Säule der Einfahrt. In der Mitte blieb er liegen. In der Mauer eine Kerbe. Der aufgeklebte Naturstein abgeplatzt. Darunter billiger Bimsbeton.

Bernhards Tag begann, wie es so viele Romane tun: Der Wecker klingelte. Er tastete den Nachttisch ab, warf Bücher und Stifte zu Boden und schließlich auch den Wecker, der augenblicklich verstummte. Ansonsten: Kopfschmerzen. Mit vier spitzen Fingern rieb er sich die Stirn. Es war kurz vor neun, und von Lueg fehlte jede Spur. In Boxershorts ging Bernhard durch die Wohnung. Ihm war kalt, obwohl die Sonne gegenüber schon am Dachfirst hing. Im Gegenlicht zerfaserten die Umrisse des Giebels. Verschwunden waren Aschenbecher und Bierflaschen. Teller und Topf sauber gespült. Glatt gestrichen die Polster des Sofas. Bernhard nahm vorsichtig einen ersten Schluck Kaffee. Wäre ihm der Notizzettel am Badezimmerspiegel nicht aufgefallen, hätte er die Wohnung in dem Glauben verlassen, das Treffen mit Lueg hätte niemals stattgefunden.

Lieber Bernhard, heute Morgen waren Staatsdiener vor der Tür. Habe auf unschuldig plädiert und angegeben, ich sei dein Bruder. Den Namensunterschied haben sie nicht einmal bemerkt. Leb wohl, Lueg.

Nachdem Lueg den Küchentisch mit einem Lappen abgewischt und sich wie eine professionelle Reinigungskraft noch einmal in der Wohnung umgesehen hatte, war er zu seinem

Haus gefahren, jenem Betonklotz, der in einem See aus Schlamm steckte, gemeinsam mit Bagger, Planierraupe und Bauwagen, die aufragten wie prähistorische Insekten. Er hatte das Haus betreten. War ins Obergeschoss gegangen, ins Kinderzimmer, in dem niemals ein Kind von ihm wohnen würde, und hatte sich auf die zerschlissene Matratze fallen lassen, auf der er schon zu viele Stunden verbracht hatte. Er blieb liegen bis Mittag, in der Gewissheit, die Nacht bei einem Anwalt verbracht zu haben und auch den Rest des Tages bei einem Anwalt zu verbringen. Auch wenn Bernhard recht gehabt hatte mit seinem Einwand, dass Lueg nicht aufräume, sondern den Dingen nur andere Namen gebe, hatte ihm das Gespräch außerordentlich gutgetan. Nun aber galt es, die letzten Feinheiten eines Vertrags auszuarbeiten, der so großzügig gestaltet war, dass Lueg hoffte, seine Frau würde ihren Zorn vergessen und in alles Weitere einwilligen. Er sollte enttäuscht werden.

Das Unwetter war vorüber. Die verbliebenen Wolken hatten der Sonne, die zu dieser Jahreszeit in allen Punkten strategisch im Vorteil war, wenig entgegenzusetzen. Die ganze Stadt dampfte, als habe man sie in einen überdimensionierten Trockner gestopft. Mochte das Gewitter kühle Luft herangeschafft haben, an diesem Morgen war nichts mehr davon zu spüren. Bernhard trat auf die Straße und blinzelte in die Gesichter einer Menschentraube, die zugleich aufgeregt und schrecklich unmotiviert wirkte. Mikrofone tanzten vor seinem Gesicht, Journalisten schnitten Fratzen, die Fotografen versteckten sich hinter ihren Objektiven und winkten mit ausgestrecktem Arm. Die Frauen schauten besorgt, die Männer feindselig, und die Kinder an den Händen ihrer Eltern wirkten, als wüssten sie heimlich über alles Bescheid. Bernhard riss sich zusammen und parierte die Fragen mit vollständigen und grammatikalisch richtigen Sätzen, wie es sich für einen Juristen gehörte. Was hätte er auch sagen können? Der Kommissar im Regenmantel grüßte mit einer flüchtigen Bewegung über die Köpfe der Menge hinweg.

Eine halbe Stunde später ließ Bernhard den Ascona am Rand eines Weizenfelds ausrollen, in dem das Unwetter großflächig Halme geknickt und Muster erfunden hatte, die von oben betrachtet einen Sinn ergeben mochten. Die Hände am Steuer, versuchte er, sich einen ersten Eindruck zu verschaffen. Eine Taube segelte mit ausgebreiteten Flügeln durch die Luft, als gäbe es mit einem blauen Himmel im Rücken nichts Leichteres, während die Erinnerung an den Regen nur noch von einigen Mulden und Schlaglöchern bewahrt wurde. Auf dem Trampelpfad, der geradewegs auf das Haus zuführte, holte Bernhard sich dreckige Hosenbeine. Vor der Tür zog er seinen Krawattenknoten zurecht, murmelte ein paar Sätze, die er selbst nicht verstand, und klopfte – in der Hoffnung, Goss wäre überraschend verreist, verunglückt, verstorben. Nichts passierte. Er klopfte ein zweites Mal und schwor sich, es kein drittes Mal zu tun.

Die Klinke war rostig und quietschte. Ein Streifen Licht stürzte auf den Boden, kletterte über den braunen Teppich und erklomm einen abgewetzten Tisch. Darauf billige Schnapsflaschen, Zigarettenpackungen, liederliche Papiere. Darunter ein wippender, dicker Zeh. Mehr konnte Bernhard nicht erkennen.

»Schließen Sie die Tür. Ich mache Licht.«

Bernhards Schatten wanderte über den Teppich, knickte senkrecht ab, als er das Bein des Tischs berührte, knickte waagerecht ab, als er die Platte des Tisches erreichte, und gewann auf dieser an Fläche. In einem Film hätte er die Arme leicht vom Körper abgespreizt und die Fingerspitzen hätten über dem Halfter gezuckt, in jeder Sekunde bereit, die Waffe zu ziehen. So aber hing ihm die Schulter herab, denn die rechte Hand umklammerte den Griff des Aktenkoffers. Die Tür fiel ins Schloss.

»Guten Morgen, Herr Goss.«

In der vollkommenen Dunkelheit verdoppelte die Aktentasche ihr Gewicht, die Schuhe wurden zu eng, und alle zurechtgelegten Formulierungen gerieten durcheinander. Nichts passierte. Bernhard ärgerte sich über sich selbst. »Sie mögen mich nicht.« Und vor allem über Goss. »Und ich Sie nicht.«

Die Jalousien auf beiden Seiten des Zimmers ruckten gleichzeitig. Der wachsende Streifen Licht gab dem Raum seinen Boden aus Holzlatten und den abgetretenen Teppich zurück, der einst ein edles Stück gewesen sein musste. Bernhard schaute sich um. Ein Chippendale-Stehpult, eine metallene Baustellentür, deren Zarge mit dicken Schrauben in der Wand verankert war. Zeitschriften, Taschenbücher, ziemlich viele davon, Klamotten. Ein Poster mit japanischen Schriftzeichen, ein anderes von den Toten Hosen: Kauf MICH! – Überall Aufkleber, die versuchten, witzig zu sein. Schnappschüsse von Partys. Als bestünde die Aufgabe dieses Hauses darin, die neunziger Jahre für die Nachwelt zu bewahren.

Goss war groß, seine Schultern aber schmal und überfordert davon, den Kopf zu tragen, so dass dieser immer ein bisschen vornüberhing, was es ihm offenbar unmöglich machte, die ungepflegten Haare hinter die Ohren zu klemmen. Seine Augen lagen dicht beieinander und schienen die

Nasenwurzel mit Kraft zusammenzudrücken. Über ihren Köpfen scharrten die Tauben. Bernhards Augenwinkel juckte. Die Jalousien rasteten in ihre Kästen ein.

»Schwarz und braun«, sagte Goss.

Bernhard begriff die Anspielung nicht.

»Ihre Schuhe. Der eine ist braun, der andere schwarz.«

»Ein Hundehaufen.«

Goss nickte, als ergäbe diese Erklärung irgendeinen Sinn, und nutzte den Gesprächseinstieg, um Getränke anzubieten.

»Wodka?«, fragte er. »Mit Milch?«

Die Küchennische bestand aus Herd und Kühlschrank. Eine Mauer aus Backsteinen, die offensichtlich aus den Trümmern des eingestürzten Schuppens hinter dem Haus stammten, trennte sie vom Wohnraum. Überall standen Gläser, in denen der letzte Schluck verdunstet war. Dazwischen ein rotes Buch. *Überwachen und Strafen.*

»Für mich bitte ohne Milch«, sagte Bernhard.

»Vielleicht ist doch was mit Ihnen anzufangen, Duder«, sagte Goss. »Vielleicht, wenn Sie es schaffen, Ihre Aktentasche loszulassen.«

Im Allgemeinen ist der Mensch froh, wenn man ihm sagt, was er zu tun hat. Bernhard war da nicht anders. Er hatte große Lust, Folge zu leisten. Aber im Besonderen konnte er es nicht leiden, verspottet zu werden.

»Wenn wir dann zur Sache kommen könnten.«

»Sicher doch, Herr Anwalt.«

Goss schien das kleine Rollenspiel, versoffener Penner gegen zielstrebigen Anwalt, zu gefallen. Ausgiebig widmete er sich der Bestandsaufnahme seiner Alkoholvorräte.

»Kauffman, Danzka oder Snow Queen?«

»Snow Queen«, sagte Bernhard. »Guter Wodka sollte aus armen Ländern kommen. Finden Sie nicht?«

Goss zeigte grinsend die Zähne.

»Ein rücksichtsvoller Griff ins mittlere Preissegment. Sehr freundlich, Herr Anwalt, dass Sie sich nicht für den Kauffman entschieden haben. Es ist ein Private Collection.«

»Das sehe ich.«

Goss nickte anerkennend, während sich Bernhard, das Paar Socken auf der Sitzfläche ignorierend, in einen grünen Kordsessel setzte. Die Schlösser des Aktenkoffers schnappten. Es gibt wenige Geräusche, die einen Menschen so sehr davon überzeugen, ein Profi zu sein, wie die aufspringenden Schlösser eines Aktenkoffers. Bernhard wusste, dass es in der Autoindustrie Ingenieure gab, deren Job darin bestand, den Sound zufallender Wagentüren zu designen. Er fragte sich, ob es sich bei Koffern ähnlich verhielt.

»Die richtige Entscheidung zur rechten Uhrzeit«, sagte Goss.

Bernhard entschied, dass es am besten sei, das Theater von Goss mitzuspielen. Er drehte sich eine Zigarette, sie nippten an ihren Gläsern, und das fahle Licht verfing sich im Qualm, der keinen Grund sah, sich eilig zu verziehen.

»Eines vorweg: Ich bin nicht hierhergezogen«, sagte Goss, »um mit Tauben und einem Job am Grillwürstchenstand mein Glück zu versuchen. Sondern um der Musterstadt des wiedervereinigten Deutschlands zu entkommen. Leipzig ist mir unerträglich geworden.«

Natürlich hätte Bernhard darauf antworten können. Er hätte in das Klagelied über Leipzig einstimmen können, über die Einkaufszentren, über sinnlose Infrastrukturprojekte wie den City-Tunnel und über die allgemeine Verspießerung.

Aber er zwang sich zu schweigen. Er sog an der Zigarette, klaubte mit den Fingernägeln einen Tabakfetzen von der Zungenspitze und atmete lautstark aus.

Dann sagte er: »Haben Sie die Unterlagen beisammen?«

Goss kramte einen Schnellhefter hervor.

»Ich habe ein Gutachten anfertigen lassen«, sagte Goss triumphierend.

Bernhard nahm wortlos das Dokument entgegen und vergaß das Trinken nicht.

Goss füllte nach. Er hatte tatsächlich den Taubenkadaver obduzieren lassen. Die Konzentration des Gifts wäre ausreichend gewesen, um auch den Fuchs, als nächstes Glied der Nahrungskette, zu töten. Rattengift versteckt in Brot. So die Analyse des Mageninhalts.

Bernhard klappte den Ordner zu und kam sich sehr authentisch vor.

»Kann ja sein, dass die Taube vergiftet wurde. Aber wer sagt, dass Ihr Nachbar damit zu tun hat? Auf Ihrem Feldweg gehen Leute spazieren. Vielleicht gibt es da einen Rentner, der Tauben noch mehr hasst als Katzen und Hunde.«

Goss starrte ihn fassungslos an. Und obwohl Bernhard eine gewisse Genugtuung dabei empfand, das Fundament einer kostspieligen Paranoia mit ein paar lapidaren Sätzen gesprengt zu haben, tat ihm Goss zugleich leid. Man konnte von ihm halten, was man wollte. Er war bestimmt kein angenehmer Charakter. Aber er tat, was er für richtig hielt, ließ sich durch nichts und niemanden beirren und war bereit zu kämpfen, obwohl er offensichtlich keine Chance hatte. Er war ein Outlaw, der verzweifelt versuchte, auf die richtige Seite des Rechts zu kommen. Die Richter wussten es. Die Anwälte wussten es. Sogar die Gerichtsdiener. Nur Goss selbst wahrscheinlich nicht.

»Warum geben Sie nicht auf? Ich meine …«

»Ich kann nicht.«

Goss verachtete nicht nur die Spechts, die eine Rutsche aus Plastik in ihren Garten stellten und Gift in Brotrinden versteckten. Er verachtete eine Gesellschaft, die sich weigerte, sich über ihren Wohlstand und ihre Sicherheit zu freuen, und stattdessen ständig klagte und Angst hatte: vor Tauben und ihren Krankheiten, vor knallrot gefärbten Haaren, vor Obdachlosen und Andersdenkenden. Goss meinte es ernst. Sein Drama bestand darin, erkannt zu haben, dass er nicht weit genug geflohen war.

»Diese Stadt hat einmal Typen wie mir gehört. Die Straßen waren voll von Menschen, die einen ganz eigenen Weg suchten, mit der großen Aufgabe namens ›Leben‹ fertig zu werden. Es ging um Möglichkeiten. Um Freiheit. Und ich meine nicht die Freiheit, von der Politiker sprechen. Die nur darin besteht, dass wir frei wählen dürfen, für welches sinnlose Produkt wir unser Geld ausgeben, das wir bei einer ebenfalls sinnlosen, aber frei gewählten Arbeitstätigkeit verdient haben. Ich meine echte Freiheit.«

Goss stand am Fenster und richtete seinen Blick in die Ferne, als könnte er die Stadt sehen, über die er sprach. Aber da war nur eine stoppelige Wiese, ein paar Bäume, dahinter der Tagebau. Spätestens bei dieser Aussicht hätte Goss klar werden müssen, dass sein Problem nicht an Leipzig lag.

Goss war in Leipzig geboren worden. In einer Villa nördlich vom Zoo, wo sich im Winter die Krähen zu Schwärmen sammelten und schiefe Zäune aus Gusseisen die Schönheit der Gebäude vervollständigten. Die Wende hatte den kleinen Kontinent Europa durcheinandergeschüttelt und den Vater von Goss zum Glücksritter gemacht. Er erklärte den Dornröschenschlaf des Familiensitzes für beendet. Bis auf den nackten Stein wurde der Putz von den Wänden geklopft, die Böden aufgerissen, das Dach ausgetauscht. Die Kosten explodierten, der Vater begann zu trinken und schaffte es tatsächlich, eines Tages in der Parthe zu ertrinken, einem knietiefen Bach hinter dem Haus.

»Das ist alles sehr traurig«, sagte Bernhard. »Aber warum erzählen Sie mir das?«

»Weil Sie sonst nichts verstehen.«

Und so, wie Goss ihn anschaute, musste Bernhard tatsächlich davon ausgehen, dass es etwas zu verstehen gab. Nur, was hatten Villa und Vater mit vergifteten Tauben zu tun? In Kürze, das war absehbar, würde Bernhard erfahren, warum Goss in dieser Hütte hauste und sich seine Existenz zwischen Taubendreck und Tagebau eingerichtet hatte. Aber Bernhard bezweifelte, dass das zu gerichtlich verwertbaren Erkenntnissen führte, die den Nachbarn Specht belasteten.

»Meine Mutter heiratete wieder. Einen Versicherungsmakler aus dem Westen. Ein unerträglicher Kerl. Ich wollte weg.«

Genau das Gleiche hatte auch Jonas gesagt und war in das leer stehende Haus am Karl-Heine-Kanal gezogen. Der minderjährige Goss machte es ähnlich. Er schmiss die Schule, färbte sich die Haare grün und zog in ein besetztes Haus. Natürlich suchte ihn die Polizei. Mochte seiner Mutter die Schulpflicht egal sein, dem Staat war sie es nicht. Die anderen Bewohner zeigten sich solidarisch mit dem jungen Ausreißer, aber die ständigen Besuche der Exekutive morgens um sieben Uhr zerrten an den Nerven.

»Und wissen Sie, wo ich mich die nächsten Jahre versteckt hielt?«

Bernhard schüttelte den Kopf.

»In unserer Villa, einer hübschen Bauruine.«

»Wo Sie natürlich niemand gesucht hat. Weil das einfach zu naheliegend war.«

»Ich sehe, Sie haben Edgar Allan Poe gelesen.«

»Um etwas sicher zu verstecken, legt man es am besten offen auf den Tisch.«

»Genau. Während die Polizei die ganze Südstadt absuchte, lebte ich im halb fertigen Haus meiner Eltern und lauschte den Tieren im Zoo. Bis das Haus verkauft wurde.«

Er breitete die Arme aus, als wollte er sagen, sehen Sie her, hier sind wir nun. Vielleicht schwieg er einen Moment zu lang. Vielleicht lächelte er zu intensiv. Jedenfalls traf es Bernhard plötzlich wie ein Schlag.

»Helfen Sie mir, Duder?«

Doch Bernhard hatte das Interesse daran verloren, noch länger den wortkargen Profi zu markieren. Er klaubte Schnellhefter und Tabak zusammen, kippte den Snow Queen hinunter und war schon an der Tür.

»Eine Frage noch. Kauffman Private Collection, die Flasche zu 130 Euro. Wie können Sie sich das leisten?«

Goss machte keine Anstalten, ihn aufzuhalten.

»Ich habe nie etwas Illegales getan.«

Das war nicht die Antwort auf seine Frage. Aber vielleicht spielte es auch keine Rolle. Bernhard lief den Trampelpfad zurück, sprang ins Auto und tippte in sein Handy: »Ich weiß jetzt, wo er ist.« Senden.

Auf der Landstraße, in die der Feldweg mündete, hatte sich ein Gefahrguttransporter mit Hilfe einiger Kleinwagen verkeilt. Ratlose Hausfrauen hofften hinter dem Steuer, das Problem möge sich von selbst lösen. Aufgebrachte Männer in Anzügen fuchtelten mit den Armen und gaben sinnlose Ratschläge, um zu vertuschen, dass sie auch nicht wussten, was zu tun war. Bernhard war es egal. Er schrieb eine zweite, ausführlichere Nachricht für den Fall, dass er falsch, und eine dritte für den Fall, dass er richtig lag. Er benutzte Wörter wie »wahrscheinlich«, »vermutlich«, »mit ziemlicher Sicherheit«. Fest stand nur, dass er mehrere Anrufe von Klarissa wegdrücken musste, um seine Nachrichten fertigzustellen, und dass der Transporter, als er vom Telefon aufschaute, verschwunden und die Straße frei war.

Die Fabrik, in der Jonas und die Punker damals ihre Partys gefeiert hatten, existierte nicht mehr. Eine Weile schaute Bernhard, augenzwinkernd und ungläubig, über die weite Brachfläche, auf der die mächtige alte Ziegelanlage gestanden und eine besondere Art von Nichts hinterlassen hatte. Eine qualifizierte Abwesenheit, die die Luft dick und das Atmen schwer machte.

Das Wohnhaus aber, groß und rechteckig, war noch da und trotzte dem Fortschritt wie ein alter Mann, der einmal Platz genommen hatte und nicht einsah, warum er wieder aufstehen und gehen sollte. Ein Bauzaun trennte es vom Gehweg, die Fenster des Erdgeschosses waren mit Spanplatten verbarrikadiert. Der Putz war großflächig abgeplatzt, und die darunter liegenden Ziegelsteine sahen aus wie Schürfwunden. Selbst in der Mittagshitze schienen die Mauern zu faulen. Eine Frau lehnte im Haus gegenüber aus der zweiten Etage und schaute der Zeit bei der Arbeit zu, als wartete sie schon zu lange auf den Moment des Einsturzes, um sich noch abwenden zu können. Jeden Tag las sie den mit roter Farbe über den Eingang geschriebenen Satz: »Uns gefällt alles!« Sie hatte die Besetzer kommen sehen und das Räumungskommando der Polizei. Hatte der Abrissbirne zugeschaut, die Schornsteine zerknickte wie Streichhölzer, und den Baggern, die Wände ohne Kraftanstrengung umwarfen. Enttäuscht hatte sie beobachtet, wie die Bauarbeiter ihr letztes Bier tranken, ihre Gerätschaften einsammelten, einen Haufen Schutt zurückließen und das Haus verschonten. Seitdem passierte nicht mehr viel auf der Straße. Heute aber parkte ein roter Ascona zwischen den verblichenen Linien der Haltebuchten. Sie rückte die Ellbogen auf dem Kissen zurecht. Schon öffnete sich die Fahrertür.

Die Frau am Fenster hieß Peggy, wohnte seit vierzig Jahren in dieser Wohnung und hatte nicht nur verfolgt, wie die Fabrik, in der sie ihr halbes Leben gearbeitet hatte, endgültig die Tore schloss, wie Kollegen wegzogen und ihr ehemaliger Arbeitsplatz schließlich dem Erdboden gleichgemacht wurde, sondern auch, wie ihr Mann sich selbst aufgab, einfach keine Lust mehr hatte und eines Morgens tot neben ihr lag. Anders als ihre Freundin einen Stock höher fand sie am Fernsehen keinen Gefallen. Der Mann mit dem roten Ascona kam ihr bekannt vor. Nur der graue Anzug passte nicht recht ins Bild. Dass mit ihm etwas nicht stimmte, war offensichtlich, noch bevor er es im zweiten Anlauf schaffte, über den Bauzaun zu klettern. Seine Art, wie er sich umschaute, ehe er den Wagen abschloss, sein Zögern, ehe er sich einige Schritte entfernte, um gleich darauf zurückzukommen – das alles hatte ihr Misstrauen geweckt. Peggy griff zum Fernglas, notierte das Nummernschild und nahm den Hörer von der Gabel.

Bernhard stieß sich ab und landete auf allen vieren. Er spürte den Blick der Frau im Rücken und den Schmerz in seinen

Knien; an den Handflächen klebten kleine Steine und vertrocknetes Gras. Der Lenker eines Kinderrades ragte aus dem Gestrüpp. Eine Matratze mit runden Rostflecken vergammelte an einen Baum gelehnt, während ein Stapel Wurfzeitungen, tausendmal vom Regen durchnässt und genauso häufig von der Sonne getrocknet, die Form eines Ameisenhaufens angenommen hatte. Bernhard steckte den Zeigefinger in das Loch im Hosenstoff über seinem rechten Knie und betastete die klebrige Wunde. Auf der Rückseite des Hauses war er vor den Blicken der Frau sicher.

Die Lichtfenster des Kellers vergittert. Die Spanplatten an den Parterrefenstern mit jeweils acht Schrauben befestigt. Umgeknickte Halme, die einen Weg gewiesen hätten, gab es nicht. Auf dem schmalen Sims an der Fassade keine Fußspuren. Am Ende der Stufen, die zur Kellertür hinunterführten, hatte sich ein Haufen aus Dosen und Plastikflaschen gebildet. Die Tür war aus verrostetem Stahl mit einem Quadrat aus sechzehn kleinen Fensterscheiben, von denen keine intakt war. Bernhard zerrte mit ganzer Kraft, nichts passierte. Er fasste ins Innere. Er tastete die Wände nach einem Nagel mit Schlüssel ab und bekam nur Spinnweben und losen Mörtel zwischen die Finger. Theoretisch konnte der Schlüssel überall sein, versteckt in der Matratze, zwischen den verwitterten Zeitungen oder vergraben im Schnittpunkt der Linien zwischen drei Bäumen. Bernhard schüttelte Dosen und Flaschen. Zerriss den Bezug der Matratze. Warf eine blaue Regentonne mit brackigem Wasser um und ignorierte die aufs Trockene gespülten Wasserläufer. Er spürte den unbändigen Drang zu lachen, laut und ein bisschen schrill. Als er ein weiteres Mal die Dosen und Flaschen auf der Kellertreppe zur Seite trat, stolperte er und wäre fast gestürzt. Er suchte Halt und bekam die Klinke zwischen die Finger. Plötzlich gab die Tür ihren Widerstand auf und ließ sich öffnen. Nach innen.

Im Keller stank es erbärmlich. Am Boden der alternde Unrat der Hausbesetzer. Eine Ausgabe der *Zeit*, eine verloren gegebene Zierpflanze, die Folienverpackung von 300 g Leberkäse. Darunter ein verwester Sud, der schon vor Jahren aufgehört hatte zu stinken. In einer anderen Ecke lagerten die Motorhaube und der rechte Kotflügel eines Golf II, Farbe Violett, ehemals Silber. Einen Raum weiter gab es einen Waschtrakt mit fünf Duschen, fünf Toiletten, sieben Pissoirs und einem Waschbecken ohne Hahn; vier Dübel zeigten an, wo der Spiegel gehangen hatte. Eine verrostete Wendeltreppe führte nach oben. Glas knirschte unter Bernhards Schuhen. Die Spanplatten an den Fenstern wurden durch feine Linien orangefarbenen Lichts umrandet. Aus übereinandergeworfenen Holzlatten ragten verrostete Nägel, jeder für sich eine kleine Sonnenuhr. Alles erzählte vom Tag der Räumung. Umgekippte Stühle, verrottete Betten mit hektisch zur Seite geworfenen Decken. Unterhosen und Socken, verdorrte Rosen und aufgeschlagene Tagebücher. Sinnlos gewordene Gegenstände, von ihren Besitzern getrennt und längst vergessen. Bernhard durchstreifte die Zimmer, las die Namen ihrer früheren Bewohner, auf kleine Pappschilder oder mit großen Buchstaben auf die Tapete geschrieben. Pretty Woman, die mit Hilfsbereitschaft Freundschaft hatte erkaufen wollen. Boris, der Anarchie mit Alkoholismus verwechselte. Paula, die ohne die Diskette ihrer Magisterarbeit abgeführt wurde und mit einem Kerzenleuchter das Auge eines Polizisten zerfetzte. Mandy, die immer in einem aufblasbaren Sessel kauerte und Micha liebte, ihm aber nicht folgen wollte, als er von einem anderen Leben sprach und Pläne schmiedete. Die überflüssige Farbenvielfalt eines Wandgemäldes, das Bestand hatte, obwohl sein Schöpfer es nie wiedersehen würde. Das irritierende Lebensgefühl verjährter Poster, das Stimmengewirr der Postkarten und Fotos, die noch immer ihre Geschichten erzählten. Eine alles umfassende Stille und der Geruch von Staub und Abwesenheit zogen Bernhard an, verbreiteten eine Ruhe, die er gierig in sich aufnahm. Er kannte den Weg zur Leiter, die zum Dachgeschoss führte, verstand es aber, immer wieder davon abzukommen, stieg noch mal eine Treppe hoch oder runter, bog nach links oder rechts ab, um ein weiteres Zimmer, eine weitere Wohnung zu besichtigen. Im Flur des dritten Stocks betastete er die Farbkleckse der grünen, blauen und roten Gotcha-Patronen eines längst ausgefochtenen Kampfes, als könnten sie noch feucht sein. Als Kind hatte Bernhard gerne Tod gespielt. Erschossen, erstochen, dahingerafft von einer Explosion. Oder weil sein Kinderherz den Dienst verweigerte. Und so tat es auch der erwachsene Bernhard, ließ sich auf eine modrige Couch sinken und wurde Teil einer Ausstellung, in einem Museum ohne Besucher.

Eine Taube landete flatternd auf dem Fensterbrett, gurrte heiser, drehte Bernhard das linke Auge zu, klein, rund und braun, und Jonas, hager wie eh und je, die Locken längst nachgewachsen, trat auf Bernhard zu und sagte: »Lass uns nach oben gehen.«

Die Taube flatterte erschrocken gegen die Scheibe, und die Couch gab ein Seufzen von sich. Ansonsten geschah nichts. Was auch immer Bernhard erwartet hatte – es blieb aus.

Jonas drehte sich um, und Bernhard folgte ihm.

Mochte der Planet Erde in den vergangenen Jahren weiter um die Sonne gekreist sein, den Sprung vom einen in das nächste Jahrtausend geschafft haben, sich mit Ab- und Neuwahlen von Regierungen, mit Schneefall, Dürre und Flut, mit Terror und Gegenterror auf die Kontinuität der Katastrophen zu Beginn eines Millenniums verpflichtet haben – in der Dachwohnung des baufälligen Hauses im Knie des Karl-Heine-Kanals waren die Bedingungen die alten. Es war unerträglich heiß, und die Staubpartikel, die in der Luft schwebten, schmeckten nach modrigem Holz und weich gewordener Dachpappe. Schweiß trat aus allen Poren und verband sich mit dem Staub zu einem klebrigen Film. Eine Isomatte diente als Schlafstelle, Kleidungsstücke türmten sich auf einem Rattansessel, drei Bücher ergaben einen winzigen Turm, Zeitungen einen Stapel. Zahnbürste und Zahnpasta bemühten sich, gemeinsam mit einer rostigen Emailleschüssel ein Bad zu bilden. Korkenzieher, Glas, Weinflasche und Gaskocher spielten Küche. Die Kleider und Bücher waren andere, die Zeitungen trugen ein neueres Datum, sonst war alles unverändert, als wären die vergangenen Jahre nur ein kurzes Fade-out-and-fade-in gewesen. Hinzugekommen war ein Gebirge aus heruntergebrannten Kerzen, eine Phalanx aus acht Sixpacks mit Mineralwasserflaschen und ein Kofferradio, dessen Antenne mit Zeit und Welt außerhalb dieser Mauern Verbindung hielt. Die leise Stimme eines Nachrichtensprechers federte die Stille ab. Jonas' Gestalt war schlaksig, sein Gesicht schmal. Falten zeichneten sich ab, wenn er den Mund verzog. Die Nase nickte Zustimmung, wenn er lächelte, und der Leberfleck auf dem Nasenbein bildete ein Sternbild mit den beiden kleinen Malen auf der Stirn. Nach wie vor gelang es ihm, das Krähenhafte seines Aussehens mit etwas Jungenhaftem zu verbinden. Nichts, was Bernhard nicht aus dem Blick in den Badezimmerspiegel kannte.

»Ich soll dich von Paula grüßen. Sie lebt heute in San Francisco und ist eine waschechte …«

»Jonas. Es tut mir leid.«

Sie standen dicht beieinander. Bernhard spürte den Atem des anderen. Es war nicht unangenehm. Ein vertrauter Geruch. Er zwang sich, Jonas anzuschauen. Der Radiosprecher verkündete den heißesten Tag des Jahres.

»Es tut dir leid?«

In seinen Augen konnte man sehen, wie er zwischen Zustimmung und Ablehnung hin und her schwankte. Jonas entschied sich für die Ablehnung.

»Was hab ich davon?«

»Wir haben in dieser Nacht kaum ein Wort gewechselt. Das war deine Party. Woher hätte ich es wissen sollen?«

»Was wissen sollen?«

»Wie viel dir Gabriele bedeutet hat.«

»Weißt du es heute?«

Bernhard schwieg.

»Das ist alles ziemlich lange her«, sagte Jonas und kam noch näher. Bernhard schob die Hände in die Hosentaschen, um ihn nicht versehentlich zu berühren. Er behielt die Luke im Auge. Von dort aus führte eine schmale Leiter, die wacklig in ihrer Verankerung hing, in die unteren Stockwerke. Was er so gut kannte, aber so lange nicht gesehen hatte, fesselte ihn und stieß ihn gleichzeitig ab. Der Verlust der Ruhe, die er für ein paar Sekunden empfunden hatte, während er auf der modrigen Couch lag, erschien ihm unersetzlich.

»Warum hast du die Wohnung in der Amselstraße behalten?«

»Eine Botschaft«, sagte Jonas.

»Dass du noch lebst?«

»Und ein Auge auf dich habe. Cindy hat mir deinen derangierten Zustand gemeldet.«

»Cindy hat gelogen?«

»Es durfte nicht zu einfach für dich sein. Ich wusste, wenn es dir wirklich ernst wird, würdest du mich hier finden. Auch wenn ich davon ausgegangen bin, dass es ein bisschen schneller geht.«

Bernhard wandte den Blick ab. Er hatte in den vergangenen fünf Jahren vergessen, dass Jonas niemals beabsichtigt hatte, sich vom Spiel des Lebens aufreiben zu lassen, sondern selbst Spieler war. Ging die Sonne auf, entzündete er eine Zigarette an ihr. Ging sie unter, zog er ein Feuerzeug aus der Hosentasche. Bernhard war das genaue Gegenteil. Er drehte am Morgen der Sonne den Rücken zu und überprüfte immer wieder, ob seine Bewegungen und die seines Schattens auch wirklich übereinstimmten. Am Abend ging er in die Knie, um zu finden, was er am Tag verloren hatte. Langsam schüttelte Bernhard den Kopf.

»Wenn es mir ernst wird mit was?«

»Es gibt erstaunlich wenige Methoden, vor sich selbst zu flüchten. Entweder man bleibt, wo man ist, wird depressiv, wahlweise gläubig, und beginnt systematisch mit dem Trinken. Oder man rennt davon. Wobei ich aus eigener Erfahrung weiß, egal, wie weit man rennt – am Ende holt man sich selbst wieder ein. Du bist nicht der Erste und du wirst nicht der Letzte sein, der es auf die eine oder andere Art probiert. Fest steht, du wirst Gabriele …«

Der Satz blieb unvollendet und passte somit, wie Bernhard schon festgestellt hatte, zu vielen anderen Dingen in diesem

Haus. Bernhard stand da, wie es moderne Anti-Helden auf der Leinwand tun, nachdem sie zum ersten Mal ihre Fäuste benutzt haben. Er rieb sich die Hand, erschrocken über die Wirkung des Schlags und über den Schmerz in den Fingerknöcheln, unschlüssig darüber, was mit dem unerwarteten Erfolg anzufangen sei. Während Jonas, rücklings zu Boden geworfen, keine Anstalten machte, wieder auf die Beine zu kommen. Er lachte das Lachen des überrumpelten, aber überlegenen Gegners. In der Gewissheit, dass dem ersten Hieb kein zweiter folgen wird.

»Wir wissen es doch beide, Bernhard. Du bist nicht gekommen, um dich zu entschuldigen. Dein schlechtes Gewissen bezieht sich nicht auf mich. Sondern auf Gabriele. Du willst weg, damit sie dir nicht länger auf einem Pfad folgt, der kein Ziel hat. Ich soll nur irgendwie der Grund für alles sein und mich in Zukunft um sie kümmern. Ist es nicht so?«

Für einen Moment schien Jonas darauf zu warten, dass ihm sein Bruder auf die Beine helfen würde, dann erhob er sich aus eigener Kraft und ging zur Fensterbank, wo die Waschschüssel stand und einen hellen, zitternden Lichtfleck auf sein Kinn warf, als er sich über sie beugte. Unnatürlich laut klang es, wie Jonas' Finger die Oberfläche des Wassers durchdrangen. Eine Wolke von Lichtreflexen blitzte auf, als er sich das Wasser ins Gesicht warf und sich von Dreck und Blut säuberte. Ein Tropfen blieb an seinem Kinn hängen und rann den Hals hinab.

»Herkunft, Vergangenheit, die Befindlichkeiten, das alles spielt keine Rolle. Das einzige Geheimnis, das es in einem Menschen zu entdecken gibt«, sagte Jonas, »ist, ob er dazu geboren wurde, glücklich oder unglücklich zu sein. Deswegen habe ich auf dich gewartet.«

Unten auf der Straße war das durchdringende Gestammel des Polizeifunks zu hören. Ein Polizist und eine Polizistin umkreisten den geparkten Ascona. Schwer hing der Gürtel mit Schlagstock, Handschellen und Schusswaffe auf ihren Hüften. Der Polizist küsste mit den fleischigen Lippen die Luft und schätzte das alte Gemäuer ab. Die Polizistin strich sich die Haare glatt und gab der Zentrale das Kennzeichen durch. Auf der anderen Straßenseite, vom Eingang des Hauses gerahmt, stand Peggy in rosafarbener Bluse und braunen Leggings.

»Wollen Sie nicht reingehen und nachsehen?«, fragte sie.

Die Polizisten überhörten Peggy, warteten fünf Minuten, in denen sie sich Blicke zuwarfen, und fuhren dann zu der Adresse, die die metallisch verzerrte Stimme durchgegeben hatte, um dort, zu ihrer Überraschung, einige Kollegen anzutreffen.

Im Claude-Huriez-Hospital von Lille, unweit der nördlichen Deûle gelegen, erzählte man noch viele Jahre die Geschichte jener deutschen Frau, die durch ein Wunder den Zusammenstoß mit einem Sattelschlepper überlebt hatte und in der Nacht aus dem Krankenhaus floh, überzeugt davon, nicht ihr, sondern ihrem Ehemann sei ein Unglück widerfahren. Drei Rippen waren gebrochen, der Arm gequetscht, Platz- und Schnittwunden überall auf ihrem Körper. Der Mann neben ihr war schnell und schmerzlos gestorben. Der Fahrer des Lasters hatte einen Schock und ein Schleudertrauma erlitten. Die Frau verlangte ihr Handy, kaum dass sie wieder zu Bewusstsein gelangt war. Auf die Aufforderung, sich zu schonen, reagierte sie aggressiv. Das Handy hatte den Unfall nicht annähernd so gut überstanden wie sie selbst. Die Wählscheibe des alten Telefons an ihrem Bett zu bedienen, bereitete ihr Schmerzen. Sie tat es trotzdem. Mit mäßigem Erfolg. Nur eine Verbindung sei zustande gekommen, berichtete die Krankenschwester, und das Gespräch habe keine Minute gedauert. Die Schwester war die Letzte, die Gabriele im Krankenhaus zu Gesicht bekam. Um zwei Uhr nachts stellte man ihr Fehlen fest.

Zu diesem Zeitpunkt, während Bernhards SMS noch immer vergeblich nach ihrem Empfänger suchten, saß Gabriele in einem Taxi, das gerade die Grenze zu Belgien überquerte, und versuchte unter starken Schmerzen, beobachtet von zwei argwöhnischen Augen im Rückspiegel, eine Jeans über die Hüften zu ziehen. Das Krankenhemd warf sie aus dem Fenster. In Antwerpen verließen sie die Autobahn und hielten an einem Geldautomaten, der ein Bündel Scheine ausspuckte, das Gabriele dem Fahrer reichte. Um vier Uhr nachts passierten sie die deutsche Grenze. Bei Dortmund kam es am Telefon zu einem Streit zwischen dem Fahrer und dessen Lebensgefährtin. Gabriele verdoppelte ihr Angebot, sofern es gelänge, auf deutschen Autobahnen eine volle Stunde gutzumachen, und begegnete um acht Uhr morgens in der Sparkasse Könneritzstraße einer alten, humpelnden Oma, die einen Beutel Fleisch vor sich hertrug.

»Eine grausige Geschichte ist das. Aber wenn ich mir vorstelle, wie jung mein erster Liebhaber war ...« Sie schnalzte mit der Zunge und tapste davon.

Gabriele zählte Scheine ab und reichte sie durchs Fenster.

»Merci, Madame, merci.«

Das Taxi setzte den Blinker und hatte es schon wieder eilig. Laut ratterte die Tram vorbei und verlor sich in der verjüngten Perspektive des Straßenzugs. Die Schienen glänzten wie poliert. Ein tätowierter Mann sah der Bahn mit abgeschirmten Augen nach, um die Nummer der Linie zu erkennen. Er war ein Stück gelaufen, und sein Brustkorb dehnte sich gewaltig, um gleich darauf wieder zusammenzufallen, während eine ältliche Frau mit kupferfarbenen Strähnen im Haar ein Vanilleeis mit ihrem Pudel teilte und ein Junge verstohlen die Auslagen eines verstaubten Unterwäschegeschäfts musterte. Das vietnamesische Mädchen sortierte Blusen nach Größe, Muster und Farbe. Sie lächelte. Mit vorsichtigen Schritten bewegte sich Gabriele über die holprigen Gehwege Leipzigs und kam sich angesichts der Vertrautheit des Ortes ausgesetzt und verlassen vor, als habe sich etwas Entscheidendes verändert und nur sie allein würde es nicht verstehen, die Veränderung richtig zu deuten. Ihr Körper gab vor, keine Kraft mehr zu haben. Ein Mensch war gestorben. In der Fleischerei wurde Fleisch verkauft. In Gabriele stritten Panik, Freude und Sorge um die Vorherrschaft. Ein Kampf, den die Panik für sich entschied, als sie in die Schnorrstraße einbog und die Polizeifahrzeuge vor der Haustür entdeckte.

Gabriele rempelte gegen einen Beamten und hatte den Geruch seines billigen Rasierwassers noch in der Nase, während sie die Treppe hinauflief. Die Stufen knarzten. Der Polizist rief und rannte ihr hinterher; der Schlüssel entglitt ihren Fingern.

»Wohnen Sie hier?!«

Der Beamte atmete schwer.

Gabriele bückte sich nach dem Schlüssel. Eine Naht am Rücken platzte auf. Nicht Stoff, sondern Haut.

»Ja«, schrie sie, »zufällig wohne ich hier!«

Als sie die Tür aufriss, überflutete sie eine Welle vertrauter Gerüche.

»Können Sie sich ausweisen?«

Gabriele eilte durch die Räume, Küche, Wohn-, Schlaf- und Badezimmer. Das Fenster zum Hof lag in Scherben, ein bisschen Erde in den Fugen der Fliesen. Sonst konnte sie nichts Auffälliges feststellen. Hätte sie den Küchenschrank geöffnet, wäre ihr vielleicht der Topf aufgefallen, den Lueg falsch einsortiert hatte. Im Mülleimer hätte sie den Zigarrenstummel entdeckt. Aber wozu? Bernhard war nicht hier, und das genügte.

»Ich suche meinen Mann. Niemand ist im Büro, er geht nicht ans Handy, hier ist er auch nicht. Stattdessen Sie!«

Der kurzatmige Beamte wich zurück, als wäre ihm plötzlich eingefallen, dass er kein Recht hatte, ihr in die Wohnung zu folgen. Übertrieben heftig stieß er gegen die Wand. Was ihn aber nicht davon abhielt zu bemerken, was für eine außergewöhnliche Frau ihm gegenüberstand. Die Blutergüsse, Platz- und Schürfwunden standen ihr gut und harmonierten mit ungewaschenen Haaren und verdreckten Jeans. Am besten gefiel ihm der wilde Blick, der sich aus Zorn und Angst zusammensetzte. Insgesamt wirkte Gabriele wie eine Frau, die nicht davor zurückschrecken würde, sich mit einem Mann anzulegen.

»Was zum Teufel ist hier passiert?«

Um eine Antwort verlegen, hielt der Beamte erst rechts, dann links nach Hilfe Ausschau. Die er, wenn er zuerst nach links und dann nach rechts geschaut hätte, vielleicht in Gestalt des auffallend schlanken, auffallend gut gekleideten Mannes gefunden hätte, der jedoch eine Sekunde zu spät den Treppenabsatz erreichte und somit seinem Blick entging. »Eine Tragödie«, stammelte der Beamte, »wie bei Shakespeare.«

Für einen Polizisten eine seltsame Art, einen Sachverhalt zu schildern. Und als er dann den Mann bemerkte, der inzwischen dicht an ihn herangekommen war, die geputzten Lederschuhe, den leichten Sommermantel aus feiner Wolle und die misstrauische, leicht gebeugte Körperhaltung, wurde es ihm endgültig zu bunt.

»Der zuständige Kommissar wird sich bei Ihnen melden, Frau Duder.«

Sagte er noch. Und lief davon.

»Was ist passiert?« Gabrieles Stimme klang kalt. Feindselig.

Jonas trat ein und schien mit nichts anderem gerechnet zu haben.

»Ich hole dir ein Glas Wasser.«

Sein Auftreten war selbstbewusst. Er nahm Gabriele bei den Schultern, schob sie vor sich her und setzte sie auf einen Küchenstuhl. Dann holte er Wasser. Seinen Mantel hängte er über eine Lehne. Im selben Augenblick öffnete sich die Kuckucksuhr, der Bauarbeiter schnellte hervor, und es passierte, was irgendwann passieren musste. Die Figur stürzte in die Tiefe, opferte sich der gerade aktuellen Viertelstunde und schlug auf den Tisch. Gabriele und Jonas betrachteten die Spielzeugfigur aus Plastik.

»Eure Nachbarin«, sagte Jonas, »diese Frau Wätzen, hat eine Affäre mit einem ihrer Schüler. Er ist dreizehn, und sie ist schwanger.«

»Was redest du da?«

»Die Polizei auf der Straße. Die Schaulustigen.«

»Das interessiert mich nicht.«

»Bist du sicher, dass ich keinen Krankenwagen rufen soll?«

»Später.«

Jonas reichte Gabriele eine Zigarette. Sie zog daran, obwohl sie noch nicht brannte. Sie stand kurz davor, die Kontrolle zu verlieren. Bernhard hatte recht, sie hatte es nur verdrängt: Die beiden Brüder sahen sich zum Verwechseln ähnlich. Es war ein Leichtes, sich Jonas als Anwalt vor Gericht vorzustellen, wie er zu den Schöffen sprach, ruhig und zugleich eindringlich, mit gehobenem Kinn und klaren Worten. Er strahlte jene Zuversicht aus, die Bernhard fehlte. Der sonore Klang seiner Stimme beruhigte, und seine Gesten, wie er den Hahn zudrehte und das Glas abstellte, wirkten wie ein permanentes Versprechen, dass alles genau so ablief, wie es ablaufen sollte.

Jonas gab ihr Feuer. Gabriele zitterte.

»Cindy hat mich angerufen.«

»Warum bist du verschwunden?«

»Ich war sehr verliebt in dich.«

»Und?«

Für einen Augenblick konnte man meinen, er wisse auf diese einsilbige Frage tatsächlich keine Antwort.

»Bernhard war nie ein Frauenheld, Gabriele. Ich wusste, wenn ich bleibe, würde Bernhard zu meinen Gunsten zurückstecken. So hat er es immer gemacht. Also habe ich eine Entscheidung getroffen.«

Und da war sie, die Kunstpause des Verteidigers, bevor er weitersprach.

»Es war nicht geplant, dass der Kontakt so vollkommen abreißt. Aber es ist passiert. Ich hörte, ihr seid glücklich, und dachte, vielleicht ist es am besten so. Verstehst du?«

Gabriele verstand ihn nicht.

Da die Kunstpause nicht die gewünschte Wirkung erzielt

hatte, es aber auch keine Schöffen gab, vor denen man auf und ab gehen konnte, nicht einmal einen Zeugenstand zum Anlehnen, nur jene alten Stühle, die Jonas seinem Bruder einst geschenkt hatte, ging er zum Kühlschrank und nahm sich ein Bier.

»Hat dir Bernhard jemals erzählt, wie ein Philosoph einen Löwen fängt?«

»Der Philosoph zieht einen Zaun um sich herum und definiert sich als Außen.«

Jonas nickte.

Gabriele sagte: »Es ist deine Lieblingsgeschichte.«

»Wenn es meine Lieblingsgeschichte ist, hat Bernhard dann auch gesagt, ich hätte mich tagelang in einer kleinen Kammer unter dem Dach vor der Welt versteckt?«

»Er hat dir das Essen gebracht.«

»Ich habe mich niemals eingeschlossen, Gabriele. Ich habe auch nicht Stunden damit verbracht, auf dem Dach zu sitzen.«

Jonas trank einen Schluck. Gabrieles Zigarette war längst abgebrannt.

»Er ist das gewesen.«

Gabriele reagierte nicht. Sie schaute fassungslos auf die erloschene Kippe zwischen ihren Fingern, als fragte sie sich, wer die Zigarette geraucht habe.

»Verstehst du, was das bedeutet?« Jonas wartete. »Hörst du mich? Gabriele? Weißt du, wo Bernhard steckt?«

Endlich ließ sie sich zu einer Bewegung hinreißen, wenn auch nur zu einer kleinen: Sie schüttelte kaum wahrnehmbar den Kopf.

»Wann hast du ihn das letzte Mal gesprochen?«

Jonas wies auf den kleinen Kalender an der Wand, der

noch immer behauptete, dass es Dienstag sei, der Tag von Gabrieles Abreise, der inzwischen eine Ewigkeit zurückzuliegen schien. Ein Dienstag, an dem Reinhards noch von seinem Freund Boulanger gesprochen hatte und dieser Freund noch am Leben gewesen war. Bernhard hatte ihnen hinterhergewinkt und in seinen kurzen Shorts auf dem Bürgersteig gestanden.

»Neulich Nacht. In Paris. Wir haben telefoniert.«

Von da an ging, wie man so sagt, alles sehr schnell. Ohne ein weiteres Wort begann Jonas, die Wohnung zu durchsuchen. Als er zurück in die Küche kam, rüttelte er an der verschlossenen Tür der Kammer.

»Was ist dahinter? Gabriele! Was ist in dieser Kammer?!«

Er wartete nicht auf eine Antwort. Jonas sichtete das Schlüsselbrett und hatte mit drei Handgriffen den richtigen Bund und ebenso schnell den passenden Schlüssel gefunden. Er schloss auf und wich zurück. Je mehr Gabriele begriff, desto schwerer fiel es ihr, nicht den Verstand zu verlieren. Sie schwankte, als sie das Regal mit Dosen, Ananas, Erbsen und Möhren sah. Einen Besen, ein Kehrblech, der kaputte Staubsauger. Und einen Hocker. Geöffnete Ananas-, Erbsen- und Möhrendosen. Teller mit angetrockneten Bohnen in Tomatensauce. Eine Menge Müll. Plastiktüten mit Kot. Flaschen mit Urin. Fliegen schwirrten erschrocken auf und verteilten sich in der Küche. Mit ihnen ein unerträglicher Gestank. Es war dieser Gestank, der Gabriele zum dramaturgisch richtigen Zeitpunkt, nämlich als es an der Tür klingelte, zusammenbrechen ließ.

Jonas schloss die Kammer. Räusperte sich. Öffnete die Wohnungstür. Strich sich mit der flachen Hand über den Bauch.

»Guten Tag, Herr Anwalt«, sagte der Kommissar mit seiner leisen, lispelnden Stimme.

»Wie kann ich helfen?«

»Es gibt eine Anzeige wegen unbefugten Betretens eines Gebäudes am Karl-Heine-Kanal. Das Fahrzeug L-LL 8468 gehört Ihnen?«

»Dort habe ich es abgestellt. Ich dachte, da sei kein Halteverbot.«

»Warum haben Sie den Wagen stehen lassen?«

»Ich hatte getrunken.«

»Schon wieder betrunken? Am helllichten Tag?«

»Sie wissen ja, wie das ist, wenn man uns Männer mal alleine lässt.«

»Ja, ja«, sagte der Kommissar.

In Wahrheit wusste er es nicht. Er war allein, seitdem er denken konnte. Er hockte nicht am Tresen, um Wein, Whisky, Wodka oder etwas anderes mit »W« zu trinken. Er klingelte an Haustüren und sprach mit Hauptfiguren.

»Ihre Frau ist zurück?«

Jonas blickte hinter sich in die Wohnung. Gabriele hatte sich erhoben, war zurück zur Kammer gegangen und legte wie eine Schlafwandlerin beide Hände gegen die geschlossene Tür. Als könnte sie ertasten, was dahinter vorgefallen war. Plötzlich begann er zu lachen wie über einen überraschenden Witz.

»Zurück! Das ist gut. In gewisser Weise – ja«, sagte Jonas, »meine Frau ist zurück. Aber erst seit ein paar Minuten. Wenn sie also nichts weiter …«

»Selbstverständlich. Die zusammenpassenden Schuhe stehen Ihnen.«

»Danke.«

Der Kommissar steckte seinen Notizblock ein und wandte sich zum Gehen. Doch dann zögerte er.

»Sind Sie sicher, dass alles in Ordnung ist?«

»In bester Ordnung. Ja.«